JN005157

数学への第一歩

Group Theory

# 群論への第一歩

集合、写像から準同型定理まで

結城浩 Hiroshi Yuki

SB Creative

**ホームページのお知らせ**

本書に関する最新情報は、以下の URL から入手することができます。

https://www.hyuki.com/group/

この URL は、著者が個人的に運営しているホームページの一部です。

©2024 本書の内容は著作権法上の保護を受けております。著者・発行者の許諾を得ずに、本書の内容の一部または全部を無断で複製・複写・転載することは禁じられております。

# はじめに

こんにちは、結城浩です。

『群論への第一歩』へようこそ。

本書は、群《ぐん》について学ぶ入門書です。

あなたは、加算と乗算が似ていると感じたことはありませんか。

加算における 0 と、乗算における 1 は似ています。数 $a$ に 0 を足すのと、数 $a$ に 1 を掛けるのは、どちらも「何もしない」ことだからです。

$$a + 0 = a \qquad\qquad a \times 1 = a$$

加算における 5 と $-5$ の関係と、乗算における 5 と $\frac{1}{5}$ の関係は似ています。数 $a$ に 5 を足してから $-5$ を足すのと、数 $a$ に 5 を掛けてから $\frac{1}{5}$ を掛けるのは、どちらも「もとに戻す」ことだからです。

$$a + 5 + (-5) = a \qquad\qquad a \times 5 \times \frac{1}{5} = a$$

加算と乗算は異なる計算ですけれど、「何もしない」と「もとに戻す」という観点で見ると、加算と乗算は似ているところがあると言えそうです。

さて、本書で学ぶ群は「何もしない」と「もとに戻す」を抽象化したものです。ですから、群の言葉を使えば、数の加算と乗算がどのような意味で似ているのかを数学的に表すことができます。

数の計算に限りません。「何もしない」と「もとに戻す」という性質を持つ対象を数学的に扱おうとすると、群が姿を現します。

たとえば、物体を動かす操作を考えてみましょう。物体を動かさないのが「何もしない」操作で、逆に動かすのが「もとに戻す」操作です。鏡に映す、回転する、平行移動する——それらを集めて群として扱うことができます。群の言葉を使えば、形が持っている対称性を数学的に表すことができますので、二つの形がどのように似ているか、どのように異なるかを数学的に調べることができます。化学の分子構造の対称性も、群を使って表すことができます。

またたとえば、あみだくじを想像してください。横棒がまったくないものが

「何もしない」あみだくじで、あみだくじを逆にたどったものが「もとに戻す」あみだくじになり、それらを集めたものは群として扱うことができます。あみだくじに限らず、たくさんのものを置き換える操作が出てくる場面にも群が登場します。そのままにしておく操作が「何もしない」置き換えで、逆の置き換えをする操作が「もとに戻す」置き換えになります。

プログラムを使ってデータの変換を行う場面でも群が顔を出すことがあります。入力をそのまま出力するのが「何もしない」変換で、出力と入力を逆にするのが「もとに戻す」変換になります。

このように「何もしない」と「もとに戻す」という性質はたいへん汎用性が高いものですから、群は多くの分野に登場します。したがって、群についての理論——群論——を学ぶことで、無関係だと思われた分野の間に、驚くほど似ている構造を見出すことができます。

さて、このように有用な群ですが、いざ学ぼうとすると、抽象的な数学に慣れていない人にはとっつきにくい部分があります。「群」という言葉が出てきたとたん、「自分にはもう無理」と諦めてしまう人も多いでしょう。あるいは、見慣れない数式に尻込みする人がいるかもしれません。

しかし、群論への第一歩を踏み出すために必要なものはそれほど多くありません。本書では、群を学ぶために必要な準備を積み重ねていきます。抽象的な数学に慣れていない読者、特に独学している読者に配慮して進みます。また随所に「ちょっと一言」というコーナーを設け、学ぶときの補足情報をお伝えします。

本書を読み終えた後には、群のおおよそのイメージがつかめるとともに、さらに本格的な数学書を読むための準備運動もできているでしょう。

群は、数学的な構造を探る道具であり、数学的な構造を表す言葉です。もしかしたら、あなたの関心がある分野にも群を応用できるかもしれませんね。

ぜひ、勇気を持って「群論への第一歩」を踏み出しましょう！

# 謝辞

執筆以前の段階から、本書の構成・内容・表現について多数の重要なアドバイスをしてくださった梅崎直也さんに感謝します。

執筆途中の原稿を読んで貴重なコメントを送ってくださった、以下の方々と匿名の方々に感謝します。当然ながら、本書中に残っている誤りはすべて筆者によるものであり、以下の方々に責任はありません。

安福智明さん、井川悠祐さん、石井雄二さん、石宇哲也さん、
伊東杏花里さん、稲葉一浩さん、上原隆平さん、植松弥公さん、
遠藤寛之さん、岡内孝介さん、梶田淳平さん、木村巌さん、郡茉友子さん、
杉田和正さん、杉本晋さん、なかけんさん、西入栞暖さん、藤田博司さん、
梵天ゆとりさん（メダカカレッジ）、前原正英さん、増田菜美さん、
松岡大輔さん、松森至宏さん、三國瑶介さん、水沼柚人さん、三谷純さん、
村井建さん、山田泰樹さん。

編集にご尽力くださったSBクリエイティブの友保健太副編集長、執筆を応援してくださっている読者のみなさん、そして、どんなときにも私を支えてくれる家族に感謝します。

2024年1月
結城浩

# 目次

# 第1章 集合

## 1.1 この章で学ぶこと

この章では集合の基本を学びます。

この章の内容は、群を学ぶためにはもちろんのこと、どんな数学を学ぶためにも役立ちます。現代の数学は、集合を基礎として組み立てられているからです。

> **ちょっと一言**
>
> 読者の中には「せっかく学ぶのだから、完全に理解しよう！　完全に理解しなければ先に進まないぞ！」と決心している方がいるかもしれません。完全に理解しようという意気込みはいいのですけれど、完全に理解しなければ先に進まない、という読み方は望ましくありません。どうしても理解できないところがあったら、そこをチェックしておいて、まずは先に進むことをお勧めします。

## 1.2 集合と元

**集合**《しゅうごう》とは、何かを集めたものです。

たとえば、3 個の整数 1 と 2 と 3 を集めたものは集合です。この集合は、

$$\{1, 2, 3\}$$

と表記します。そして、1 と 2 と 3 のそれぞれを、集合 $\{1, 2, 3\}$ の**元**《げん》といいます。たとえば、2 は集合 $\{1, 2, 3\}$ の元です。しかし、0 は集合 $\{1, 2, 3\}$ の元ではありません。元のことを**要素**《ようそ》ともいいます。$\{1, 2, 3\}$ は、波カッコ $\{\}$ の中に元を列挙して集合を表記しています。

集合 $\{1, 2, 3\}$ に対して $A$ のような名前を付けることができます。名前を付けるときには「集合 $\{1, 2, 3\}$ を $A$ とします」ということもありますが、もっと簡潔に、

$$A = \{1, 2, 3\}$$

と表記することもあります。このように名前を付ければ「集合 $\{1, 2, 3\}$」の代わりに「集合 $A$」といえます。また「2 は集合 $A$ の元である」や「0 は集合 $A$ の元

ではない」といえます。

> **ちょっと一言**
>
> 集合の名前は $A$ のように大文字のアルファベットを使うことが多いですが、絶対にそうしなければならないわけではありません。$a=\{1,2,3\}$ のように $a$ という名前を付けても構いません。

> ところで話はそれますが、本書のあちこちにはこのような「ちょっと一言」があります。「ちょっと一言」では、本文の流れから横道にそれた話題や、補足的な情報をお伝えします。

「2 は集合 $A$ の元である」ことを「2 は集合 $A$ に**属《ぞく》している**」ともいいます。そして、記号 $\in$ を用いて、

$$2 \in A$$

と表記します。

「0 は集合 $A$ の元ではない」ことは、$\notin$ という記号を用いて、

$$0 \notin A$$

と表します。

> **ちょっと一言**
>
> 慣れないうちは「$2 \in A$」のような式を見ると、非常に難解なことを主張していると感じるかもしれません。でも「$2 \in A$」は「2 は集合 $A$ の元である」と主張しているだけです。

> 「$2 \in A$」をどう読むか気になるかもしれませんが、「2 は集合 $A$ の元である」や「2 は集合 $A$ に属している」と読んで構いません。話の流れによって「集合 $A$ は 2 を元に持っている」と読むこともあります。

1 と 2 と 3 を元に持つ集合 $A$ は、次のような図で表すこともあります。

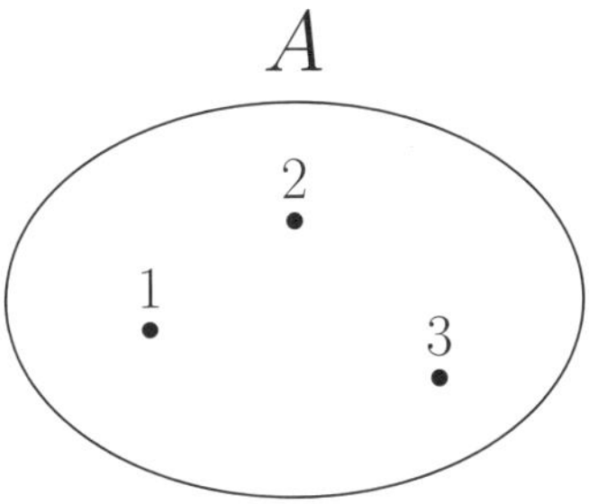


1 と 2 と 3 を元に持つ集合 $A = \{1, 2, 3\}$

## 1.3　有限集合と無限集合

1 から 100 までの整数をすべて集めたものは集合です。でも 1 から 100 までの整数をすべて列挙して書くのは大変なので、途中をテンテン（$\ldots$）で省略し、

$$\{1, 2, 3, \ldots, 100\}$$

と表記することがあります。ただし、このような表記は、省略した元が何なのか明確にわかるときだけにしましょう。たとえば、

$$\{82, 468, 15, \ldots, 214307\}$$

と書かれても、どんな集合なのかわかりませんね。

さて、1 から 100 までの整数をすべて集めた集合

$$\{1, 2, 3, \ldots, 100\}$$

は元を 100 個持っています。このような、有限個の元を持つ集合を**有《ゆう》限《げん》集《しゅう》合《ごう》**といいます。

これに対して、たとえば 1 以上の整数をすべて集めた集合

$$\{1, 2, 3, \ldots\}$$

は元を無数に持っていますので、有限集合ではありません。このような有限集合ではない集合を**無《む》限《げん》集《しゅう》合《ごう》**といいます。

## 1.4　整数全体の集合 $\mathbb{Z}$

整数をすべて集めた集合を、**整数全体の集合**といいます。整数全体の集合には

$$\mathbb{Z}$$

という名前がよく使われます。ただの $Z$ ではなく $\mathbb{Z}$ であることに注意してください。元を列挙して $\mathbb{Z}$ を表記するなら、

$$\mathbb{Z} = \{\ldots, -3, -2, -1, 0, 1, 2, 3, \ldots\}$$

のようになります。整数全体の集合 $\mathbb{Z}$ は無限集合です。

> **ちょっと一言**
>
> $\mathbb{Z}$ は「整数全体の集合」である点に注意してください。単なる「整数の集合」は $\mathbb{Z}$ とは限りません。なぜなら $1, 2, 3$ という整数を元に持つ集合 $\{1, 2, 3\}$ も「整数の集合」といえるからです。

「$n$ は整数である」という主張は「$n$ は整数全体の集合 $\mathbb{Z}$ の元である」と言い換えられますので、

$$n \in \mathbb{Z}$$

と表記できます。「$n \in \mathbb{Z}$」は「$n$ は整数である」という主張を簡潔に表せるので、よく用いられます。

## 1.5 集合の表記法

集合のさまざまな表記法を紹介します。

集合に属している元を

$$\{0, 1, 2, 3, 4, 5\}$$

のようにすべて列挙する表記法はすでに紹介しました。この表記法では、どのような順番に元を並べても構いません。ですから $\{5, 4, 3, 2, 1, 0\}$ や $\{5, 3, 1, 0, 4, 2\}$ のように表記しても、まったく同じ集合を表します。何を省略したか相手に伝わるなら、$\{0, 1, 2, \ldots, 5\}$ のようにテンテン（$\ldots$）で省略しても構いません。

集合に属している元が満たすべき条件を書く、

$$\left\{x \;\middle|\; x \text{ は整数 かつ } 0 \leqq x \leqq 5\right\}$$

のような表記法もあります。縦棒（$|$）の左側には元を表す文字を書き、右側には元に関する条件を書きます。上の例では、元を表す文字は「$x$」で、元に関する条件は「$x$ は整数 かつ $0 \leqq x \leqq 5$」です。この条件を満たす $x$ は、$0, 1, 2, 3, 4, 5$ です

から、結局 $\{0, 1, 2, 3, 4, 5\}$ と同じ集合を表していることになります。

「$x$ は整数である」という主張は「$x \in \mathbb{Z}$」と表記できますので、同じ集合を、

$$\{x \mid x \in \mathbb{Z} \text{ かつ } 0 \leqq x \leqq 5\}$$

と表記することもあります。コンマ（,）を使って、

$$\{x \mid x \in \mathbb{Z}, 0 \leqq x \leqq 5\}$$

と表記することもあります。さらに、$x \in \mathbb{Z}$ の部分を縦棒（|）の左側に置いて、

$$\{x \in \mathbb{Z} \mid 0 \leqq x \leqq 5\}$$

と表記することもあります。

**ちょっと一言**

「$x \in \mathbb{Z}$ かつ $0 \leqq x \leqq 5$」は、「$x \in \mathbb{Z}$ であり、しかも $0 \leqq x \leqq 5$ である」という意味です。「かつ」は英語の “and” に相当します。

$\{x \mid x \in \mathbb{Z}, 0 \leqq x \leqq 5\}$ では「かつ」の意味でコンマ（,）を使っていますが、数学でコンマはさまざまな意味に使われます。常に「かつ」になるわけではありません。

$\{x \in \mathbb{Z} \mid 0 \leqq x \leqq 5\}$ では、元を表すのに文字 $x$ を使っていますが、どんな文字を使っても構いません。ですから、

$$\{n \in \mathbb{Z} \mid 0 \leqq n \leqq 5\}$$

のように文字 $n$ を使って書いてもまったく同じ集合を表します。

**ちょっと一言**

$\{n \in \mathbb{Z} \mid 0 \leqq n \leqq 5\}$ で使われている $n$ は、この $\{\quad\}$ の内部だけで有効な文字ということになります。プログラミング言語の局所変数に似ています。

$\{0, 1, 2, 3, 4, 5\}$ のように、元を列挙した集合の表記は、

$$\{x \mid x = 0 \text{ または } x = 1 \text{ または } x = 2 \text{ または } x = 3 \text{ または } x = 4 \text{ または } x = 5\}$$

の略記と考えることもできます。

集合の名前と、集合に属している元を関係づけて表すこともよくあります。たとえば、$n$ を 1 以上の整数として、集合 $Z_n$ を

$$Z_n = \{0, 1, 2, \ldots, n-1\}$$

と定めると、次のように無数の集合に名前を付けたことになります。

$$Z_1 = \{0\}$$

$$Z_2 = \{0, 1\}$$

$$Z_3 = \{0, 1, 2\}$$

$$Z_4 = \{0, 1, 2, 3\}$$

$$Z_5 = \{0, 1, 2, 3, 4\}$$

$$\vdots$$

**ちょっと一言**

このように、集合にはさまざまな表記法がありますが、押さえておくべきポイントは一つです。この集合に属している元は何か——それが明確になっているのが大事なのです。元をすべて列挙する書き方も、元が満たすべき条件を与える書き方も、この集合に属している元が何かを明確にするためのものです。

## 1.6 $\mathbb{N}, \mathbb{Z}, \mathbb{Q}, \mathbb{R}, \mathbb{C}$

数学でよく使われる数の集合には、$\mathbb{N}, \mathbb{Z}, \mathbb{Q}, \mathbb{R}, \mathbb{C}$ のような名前が付けられています。

$\mathbb{N}$ は、**自然数《しぜんすう》全体の集合**を表します。たとえば、$3 \in \mathbb{N}$ ですし、$-3 \notin \mathbb{N}$ です。日本の中学・高校では、1 以上の整数を自然数と呼びます。つまり、

$$\mathbb{N} = \{1, 2, 3, \ldots\} = \{n \in \mathbb{Z} \mid n \geqq 1\}$$

です。しかし、0 以上の整数を自然数と呼ぶ数学書もよくありますので注意してください。その場合は、

$$\mathbb{N} = \{0, 1, 2, 3, \ldots\} = \{n \in \mathbb{Z} \mid n \geqq 0\}$$

です。

**ちょっと一言**

数学書を読んでいて $\mathbb{N}$ が出てきたら、どちらの意味で使われているかに注意しましょう。意味が明確に示されていれば、どちらの意味でも問題はありません。$\mathbb{N}$ に限った話ではありません。文字を見たときには「この文字は何を表しているのか」を確かめる習慣を付けましょう。

$\mathbb{Z}$ は、**整数《せいすう》全体の集合**を表します。たとえば、$-3 \in \mathbb{Z}$ ですし、$0.5 \notin \mathbb{Z}$ です。元を列挙して表すなら、

$$\mathbb{Z} = \{\ldots, -3, -2, -1, 0, 1, 2, 3, \ldots\}$$

です。

$\mathbb{Q}$ は、**有理数《ゆうりすう》全体の集合**を表します。たとえば、$0.5 = 1/2 \in \mathbb{Q}$ ですし、$\sqrt{2} \notin \mathbb{Q}$ です。任意の有理数 $q$ は、整数 $m$ と 0 以外の整数 $n$ を用いて、$q = m/n$ と表せますから、有理数全体の集合 $\mathbb{Q}$ を、

$$\mathbb{Q} = \{q \mid m \in \mathbb{Z}, n \in \mathbb{Z}, n \neq 0, q = m/n\}$$

のように表すことがあります。また、縦棒（$|$）の左に直接 $m/n$ を書いて

$$\mathbb{Q} = \{m/n \mid m \in \mathbb{Z}, n \in \mathbb{Z}, n \neq 0\}$$

と表すこともあります。

**ちょっと一言**

$1/2$ は $\frac{1}{2}$ と同じ意味で、$m/n$ は $\frac{m}{n}$ と同じ意味です。

「任意の有理数 $q$ は……」というのは、「$q$ がどんな有理数であったとしても……」や「$q$ が有理数ならば例外なく……」と思って読むことができます。

$\mathbb{R}$ は、**実数《じっすう》全体の集合**を表します。たとえば、$\sqrt{2} \in \mathbb{R}, \pi \in \mathbb{R}$ ですし、$2+3i \notin \mathbb{R}$ です（$i$ は虚数単位）。

$\mathbb{C}$ は、**複素数《ふくそすう》全体の集合**を表します。たとえば、$2+3i \in \mathbb{C}$ です。任意の複素数 $z$ は二つの実数 $a, b$ と虚数単位 $i$ を用いて $a+bi$ と表せますから、複素数全体

の集合 $\mathbb{C}$ を、

$$\mathbb{C} = \left\{ z \,\middle|\, a \in \mathbb{R}, b \in \mathbb{R}, z = a + bi, i\ \text{は虚数単位} \right\}$$

と表すことができます。また、

$$\mathbb{C} = \left\{ a + bi \,\middle|\, a \in \mathbb{R}, b \in \mathbb{R}, i\ \text{は虚数単位} \right\}$$

と表すこともあります。

> **ちょっと一言**
>
> $\mathbb{Z}$ は具体的な整数をいくつか列挙して表せますし、$\mathbb{Q}$ の元は分子と分母が整数の分数として表せますし、$\mathbb{C}$ の元は二つの実数と虚数単位を用いて表せます。しかし、実数全体の集合 $\mathbb{R}$ を表すことは簡単ではありません。$\mathbb{R}$ という集合を、ここでは数直線上の点の集合としてイメージすることで直感的に理解し、先に進むことにしましょう。

## 1.7　空集合 $\varnothing$

元を持たない集合も存在します。その集合を**空集合《くうしゅうごう》**といい、$\varnothing$ という記号で表します。すなわち、

$$\varnothing = \{\,\}$$

です。空集合 $\varnothing$ は有限集合です。

## 1.8　一点集合

集合 $\{123\}$ は、123 というたった 1 個の元を持ちます。もちろん、$123 \in \{123\}$ であり、$5 \notin \{123\}$ です。元をたった 1 個持つ集合のことを、**一点集合《いってんしゅうごう》**と呼びます。$\{123\}$ は一点集合です。集合 $\{1, 2, 3\}$ は元を 3 個持っているので一点集合ではありません。

> **ちょっと一言**
>
> 「特定の性質を満たすものがたった 1 個しかない」という状況は、注目する価値があります。本書でも、あちこちに一点集合が登場します。

## 1.9　集合の相等関係

二つの集合 $A, B$ を、

$$A = \{1, 2, 3, 4, 5\}$$

$$B = \{n \mid n \in \mathbb{Z} \text{ かつ } 1 \leqq n \leqq 5\}$$

としましょう。$A, B$ という別の名前を付けましたが、この二つの集合はまったく同じ元を持っています。

- $A$ の元 $1, 2, 3, 4, 5$ はいずれも $B$ の元です。
- $B$ の元 $1, 2, 3, 4, 5$ はいずれも $A$ の元です。

このようなとき、二つの集合 $A, B$ は等《ひと》しいといいます。

二つの集合 $A$ と $B$ が等しいことは、$A$ と $B$ に属している元によって次のように定義できます。

> **定義**（集合の相等関係）
> 集合 $A$ の任意の元が集合 $B$ に属しており、集合 $B$ の任意の元が集合 $A$ に属しているとき、二つの集合 $A$ と $B$ は**等《ひと》しい**といい、
>
> $$A = B$$
>
> と表記します。

「二つの集合 $A, B$ が等しい」ということを、ここでわざわざ**定義**していることに注意してください。二つの集合 $A, B$ が等しいかどうかを調べたいとき、究極的にはこの定義に従って調べることになります。

また「二つの集合 $A, B$ が等しい」という二つの集合の関係を、元を使って定義している点にも注意してください。私たちは集合のさまざまな表記法をすでに学びました。集合 $A$ と $B$ をどのように表記したとしても、集合 $A$ の任意の元が集合 $B$ に属しており、集合 $B$ の任意の元が集合 $A$ に属しているなら、$A = B$ であるといえます。なぜなら、それが定義だからです。別の言い方をすれば「集合は属している元によって定まる」ともいえます。

たとえば、$A = \{1, 1, 1, 2, 2, 3\}, B = \{1, 2, 3\}$ とします。集合 $A$ に $1$ と $2$ が複

数個書かれていますが、この場合でも $A = B$ です。なぜなら、集合の相等関係の定義の通り、集合 $A$ に属している任意の元は集合 $B$ に属しており、集合 $B$ に属している任意の元は集合 $A$ に属しているからです。

## 1.10 集合の元の個数

友人の家族について知りたいとき、たとえば「あなたの家族は何人ですか」のように尋ねることがあります。知りたい対象があるとき、その対象の数は基本的な情報です。

集合も同じです。集合が持っている元の個数は、その集合に関する基本的な情報です。

**定義**（集合の元の個数）
集合 $X$ が持つ**元の個数**を、

$$|X|$$

と表記します。この $|X|$ を、$X$ の**要素数**ということもあります。

ちょっと一言

厳密にいえば、集合 $X$ が無限集合のときには「元の個数」と呼べる数はありません。$X$ が無限集合のとき、$|X|$ は集合 $X$ が持つ元の個数を拡張した**濃度**《のうど》という概念を表します。本書では濃度については取り扱いませんので、巻末に挙げる参考文献 [1], [3], [21] を参照してください。

数学書によっては、略記として「集合 $X$ は無限集合である」を $|X| = \infty$ と書いたり、「集合 $X$ は有限集合である」を $|X| < \infty$ と書いたりすることがあります。

**例 1-1**（3 個の元を持つ集合）
$A = \{0, 1, 2\}$ のとき、集合 $A$ が持つ元の個数は 3 個ですから、

$$|A| = 3$$

です。もちろん、

$$|\{0,1,2\}| = 3$$

と書くこともできます。

**例 1-2**（同じ個数の元を持つ集合）

$A = \{0,1,2\}$ で $B = \{11,22,33\}$ のとき、

$$|A| = |B|$$

ですが、

$$A \neq B$$

です。$A = B$ ならば必ず $|A| = |B|$ は成り立ちます。しかし、$|A| = |B|$ だからといって $A = B$ であるとは限りません。

**ちょっと一言**

集合が持つ元の個数は重要な情報です。たとえば、二つの有限集合 $A$ と $B$ について、もしも $|A| \neq |B|$ ならば、$A = B$ になることは絶対にありません。すなわち、$|A| = |B|$ であることは $A = B$ であるために必要な条件です。今後も、集合が持つ元の個数の話題がしばしば登場します。

**例 1-3**（$n$ 個の元を持つ集合）

$n$ を 1 以上の整数とします。0 以上 $n$ 未満の整数全体の集合を $Z_n$ とすると、

$$Z_n = \{0,1,2,\ldots,n-1\} = \{x \in \mathbb{Z} \mid 0 \leqq x < n\}$$

となります。このとき、

$$|Z_n| = n$$

です。

**ちょっと一言**

「$n$ を 1 以上の整数とします」のような表現を見たときには、$n$ に具体的な数を入れて考えてみることをお勧めします。たとえば $n = 5$ として考えるのです。そうすると、

$$Z_5 = \{0, 1, 2, 3, 4\} = \{x \in \mathbb{Z} \mid 0 \leqq x < 5\}$$

で

$$|Z_5| = 5$$

になります。このように具体的な数を入れて考えると、はっきり理解できます。

集合 $Z_n$ を、

$$Z_n = \{x \in \mathbb{Z} \mid 0 \leqq x < n\}$$

と表記するときの $n$ と $x$ の使い方に注意してください。右辺では $n$ は一つの整数として「固定」されています。その上で、$0 \leqq x < n$ という不等式を満たす整数 $x$ をすべて集めた集合が、$Z_n$ なのです。ここでもまた、$n = 5$ と具体的にして考えると、

$$Z_5 = \{x \in \mathbb{Z} \mid 0 \leqq x < 5\}$$

となって意味がよくわかるでしょう。

**例 1-4**（空集合）

空集合 $\varnothing$ が持っている元の個数は 0 個なので、

$$|\varnothing| = 0$$

です。

## 1.11 共通部分

集合 $A = \{1, 2, 3, 4, 5\}$ と集合 $B = \{1, 3, 5, 7, 9\}$ が持つ元を見比べると、集合 $A$ と $B$ はどちらも 1,3,5 という 3 個の元を共通に持っています。二つの集合 $A$ と $B$ に共通の元をすべて集めた集合 $\{1, 3, 5\}$ を、$A$ と $B$ の共通《きょうつう》部《ぶ》分《ぶん》と呼びます。

**定義**（共通部分）

集合 $A$ と集合 $B$ の両方に属している元全体の集合を、$A$ と $B$ の**共通《きょうつう》部《ぶ》分《ぶん》**といい、

$$A \cap B$$

と表記します。すなわち、

$$A \cap B = \{x \mid x \in A \text{ かつ } x \in B\}$$

です。

集合 $A, B$ とその共通部分 $A \cap B$ の関係を次のような**ヴェン図**として表すこともあります。

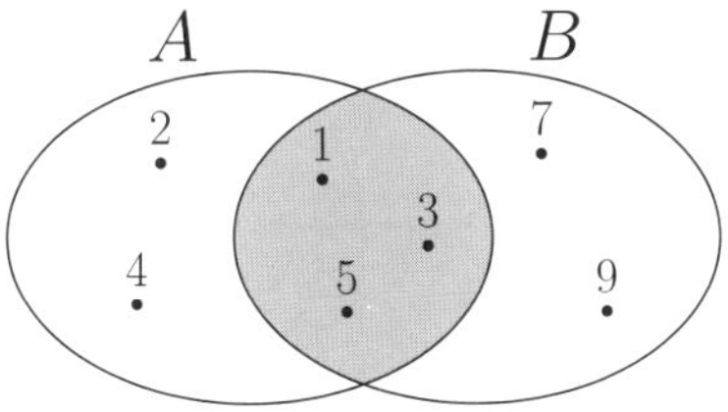


$A \cap B = \{1, 3, 5\}$

**例 1-5**（基本的な例）

$A = \{1, 2, 3, 4, 5\}$ で $B = \{1, 3, 5, 7, 9\}$ のとき、二つの集合 $A$ と $B$ の両方に属している元は $1, 3, 5$ ですから、

$$A \cap B = \{1, 2, 3, 4, 5\} \cap \{1, 3, 5, 7, 9\} = \{1, 3, 5\}$$

になります。$A \cap B$ は二つの集合 $A, B$ から、新たな一つの集合 $A \cap B$ を作り出しているといえます。

**ちょっと一言**

数学的概念の説明を読んだときには、ぜひ自分なりの**例を作る**ように心がけてください。書かれている説明と似た例でも構いませんし、もちろん違う例でも構いません。例を作ることは、自分の理解を確認するために大切です。筆者はそのことを**《例示は理解の試金石》**と呼んでいます。あなたもここで、二つの集合の共通部分の例を作ってみましょう。

**例 1-6**（共通部分が空集合の例）

$X = \{0, 1, 2, 3, 4\}$ で $Y = \{5, 6, 7, 8, 9\}$ としたとき、$X, Y$ の両方に属している元は一つも存在しません。ですから二つの集合 $X$ と $Y$ の共通部分は、元を一つ

も持たない集合、すなわち空集合 $\varnothing$ に等しくなります。つまり、

$$X \cap Y = \varnothing$$

です。これと同様に、偶数全体の集合を $\mathbb{Z}_{\mathrm{even}}$ として、奇数全体の集合を $\mathbb{Z}_{\mathrm{odd}}$ とすると、

$$\mathbb{Z}_{\mathrm{even}} \cap \mathbb{Z}_{\mathrm{odd}} = \varnothing$$

が成り立ちます。これは「偶数かつ奇数である整数は存在しない」という主張を表しているといえます。

**例 1-7**（共通部分が片方の集合に等しい例）

$Z_3 = \{0, 1, 2\}$ で $Z_6 = \{0, 1, 2, 3, 4, 5\}$ とすると、

$$Z_3 \cap Z_6 = \{0, 1, 2\}$$

になります。この場合、$Z_3$ と $Z_6$ の共通部分 $Z_3 \cap Z_6$ は $Z_3$ に等しいことになりますので、

$$Z_3 \cap Z_6 = Z_3$$

が成り立っています。この場合、$Z_3$ のどの元も $Z_6$ に属しているといえます。これは「$Z_3$ は $Z_6$ の部分集合である」ことを意味しています。部分集合については後ほど説明します。

## 1.12 和集合

二つの集合に属する元をすべて合わせた集合を考えることもできます。

集合 $A = \{1, 2, 3, 4, 5\}$ と集合 $B = \{1, 3, 5, 7, 9\}$ の元を見比べるならば、$1, 2, 3, 4, 5, 7, 9$ はどれも、二つの集合 $A$ と $B$ の少なくとも片方の元となっていることがわかります。二つの集合 $A$ と $B$ の少なくとも片方に属している元をすべて集めた集合 $\{1, 2, 3, 4, 5, 7, 9\}$ を、$A$ と $B$ の和集合《わしゅうごう》といいます。

**定義**（和集合）

集合 $A$ と集合 $B$ の少なくともどちらか片方に属している元全体の集合を、$A$ と $B$ の**和集合**《わしゅうごう》といい、

$$A \cup B$$

と表記します。すなわち、

$$A \cup B = \{x \mid x \in A \text{ または } x \in B\}$$

です。

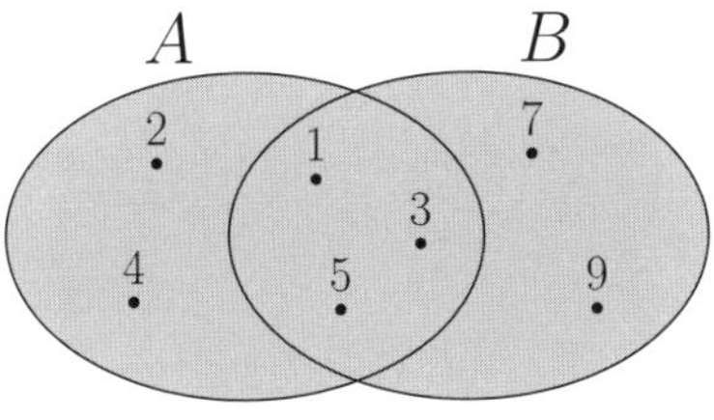


$A \cup B = \{1, 2, 3, 4, 5, 7, 9\}$

**ちょっと一言**

少なくとも片方に属していればいいので、1,3,5 のように $A$ と $B$ の両方に属している元も、$A$ と $B$ の和集合 $A \cup B$ の元です。

**例 1-8**（和集合の基本的な例）

$X = \{1, 2, 3\}$ および $Y = \{2, 3, 4, 5\}$ のとき、$X$ と $Y$ の和集合は、

$$X \cup Y = \{1, 2, 3\} \cup \{2, 3, 4, 5\} = \{1, 2, 3, 4, 5\}$$

です。

**例 1-9**（共通部分が空集合の例）

$P = \{1, 2, 3\}$ および $Q = \{4, 5, 6, 7\}$ のとき、$P$ と $Q$ の和集合は、

$$P \cup Q = \{1, 2, 3\} \cup \{4, 5, 6, 7\} = \{1, 2, 3, 4, 5, 6, 7\}$$

です。

**例 1-10**（偶数と奇数）

偶数全体の集合を $\mathbb{Z}_{\mathrm{even}}$ として、奇数全体の集合を $\mathbb{Z}_{\mathrm{odd}}$ とします。すると、

$$\mathbb{Z}_{\mathrm{even}} \cup \mathbb{Z}_{\mathrm{odd}} = \mathbb{Z}$$

が成り立ちます。

**注意** $\mathbb{Z}_{\mathrm{even}} \cup \mathbb{Z}_{\mathrm{odd}} = \mathbb{Z}$ という式は「どんな整数も $\mathbb{Z}_{\mathrm{even}}$ と $\mathbb{Z}_{\mathrm{odd}}$ の少なくとも片方には属している」ことは主張していますが、「$\mathbb{Z}_{\mathrm{even}}$ と $\mathbb{Z}_{\mathrm{odd}}$ の両方に属している整数は存在しない」ことは主張していません。「$\mathbb{Z}_{\mathrm{even}}$ と $\mathbb{Z}_{\mathrm{odd}}$ の両方に属している整数は存在しない」という主張は

$$\mathbb{Z}_{\mathrm{even}} \cap \mathbb{Z}_{\mathrm{odd}} = \varnothing$$

で表すことができます。

**ちょっと一言**

$\mathbb{Z}_{\mathrm{even}} \cup \mathbb{Z}_{\mathrm{odd}} = \mathbb{Z}$ と $\mathbb{Z}_{\mathrm{even}} \cap \mathbb{Z}_{\mathrm{odd}} = \varnothing$ の二つの式は、集合 $\mathbb{Z}$ が、二つの集合 $\mathbb{Z}_{\mathrm{even}}$ と $\mathbb{Z}_{\mathrm{odd}}$ に《もれなく、だぶりなく》分けられることを表しています。このような集合の分け方を、集合の**分割**《ぶんかつ》といいます。分割については p. 203 で詳しくお話しします。

## 1.13 集合についての対話

「それほど難しくはありませんけれど、だいぶくたびれてきました……」

「真面目に読み進めてきた人なら、そろそろくたびれてくるころだと思います。ここで一息入れて、集合に関するおしゃべりをしましょう」

「そもそも、どうして集合を考えるんでしょうか」

「数学ではたくさんの《何か》をきちんと扱いたいとき、まずはその《何か》を集めた集合を定めます。それによって、扱う対象を明確にするのです」

「といっても、集めたものを波カッコでくくっただけですよね」

「波カッコでくくるというのは表記の問題ですね。表記の問題も大事ですが、集合で最も大事なのは、集合に属しているのがどんなものかをはっきりさせるところです。いま考えている集合を $S$ としたとき、ある $x$ というものが $S$ に属しているのか、それとも属していないのか。$x \in S$ なのか、それとも $x \notin S$ なのか。そこをはっきりさせることが大事なのです」

「はっきりさせるといえば、気になることがあります。冒頭で『集合とは、何かを集めたもの』といっておきながら、何も集めていない空集合も集合にするのは納得がいかないですね」

「それはもっともな疑問です。そもそも、本書では集合については明確には定義していません」

「数学なのに、そんなにいいかげんでいいんですか」

「本書では定義していないだけで、数学において集合が定義されていないわけではありません。たとえば、空集合が存在するというのは議論の大前提として証明なしに認めることに定めた主張、すなわち**公理《こうり》**とする場合が多いですね。これ以上の深い議論は本書の範囲を超えます」

「それから『3 は整数である』という主張を $3 \in \mathbb{Z}$ と書けるという話がありました。もしかしたら、どんな数学的主張も集合で表せるのでしょうか」

「それは非常に微妙な問いです。そもそも数学的主張とは何か、というところから明確にする必要があるからです。これは数理論理学という数学の分野で研究されている問いになります」

「集合の話はまだ続くんですか」

「この章の残りでは、集合同士の関係について、それから集合を集めた集合について考えます。一度読んだだけではあまりピンと来ないかもしれませんが、第 2 章以降でも復習しますので、まずは先に進んでいきましょう」

## 1.14　部分集合

集合 $A = \{1, 2, 3\}$ と集合 $B = \{1, 2, 3, 4, 5, 6\}$ とは異なる集合ですが、無関係というわけでもありません。集合 $A$ の元である $1, 2, 3$ は、いずれも集合 $B$ の元であり、集合 $A$ は集合 $B$ の一部分をなしているからです。このことを、$A$ は $B$ の部分集合《ぶぶんしゅうごう》であるといいます。

部分集合の定義は次の通りです。

> **定義**(部分集合)
> 集合 $A$ の任意の元が集合 $B$ に属しているとき、$A$ は $B$ の**部分集合《ぶぶんしゅうごう》**であるといい、
>
> $$A \subset B$$
>
> と表記します。$A \subset B$ は $B \supset A$ と表記することもあります。

集合 $A$ が集合 $B$ の部分集合であるとき、すなわち $A \subset B$ のとき、集合 $A$ は集合 $B$ に**含《ふく》まれる**といい、集合 $B$ は集合 $A$ を**含《ふく》む**といいます。

**注意** 次の①と②とをよく見て、$\in$ と $\subset$ の違いを理解してください。

① $1 \in \{1,2,3\}$

- 1 は $\{1,2,3\}$ の元である。
- 1 は $\{1,2,3\}$ に属している。

② $\{1\} \subset \{1,2,3\}$

- $\{1\}$ は $\{1,2,3\}$ の部分集合である。
- $\{1\}$ は $\{1,2,3\}$ に含まれる。

「属している」と「含まれる」という用語の使い分けにも注意してください。

**例 1-11**（基本的な例）

$A = \{1,2,3\}$ で $B = \{1,2,3,4,5,6\}$ のとき、$A$ は $B$ の部分集合です。すなわち、$A \subset B$ が成り立ちます。なぜなら、$A$ に属している元 1,2,3 はいずれも集合 $B$ に属しているからです。集合 $A$ は集合 $B$ に含まれています。

**注意** $A \subset B$ は数学的な主張であり、**真**《しん》（正しい）か、**偽**《ぎ》（正しくない）かのいずれかになります。

- $A$ が $B$ の部分集合なら、$A \subset B$ は真です。
- $A$ が $B$ の部分集合でないなら、$A \subset B$ は偽です。

$A \subset B$ のように、真か偽のいずれかである主張を**命題**《めいだい》といいます。

**ちょっと一言**

$A$ と $B$ が集合のとき、$A \cap B$ や $A \cup B$ も集合です。しかし、$A \subset B$ は集合を表しているわけではありません。それをよく理解してください。$A \subset B$ は「集合 $A$ は集合 $B$ の部分集合である」という命題であり、$A \subset B$ は真か偽のいずれかです。

命題が「真である」ことを「正しい」あるいは「成り立つ」ともいいます。また、命題が「偽である」ことを「正しくない」あるいは「成り立たない」ともいいます。命題の真／偽や、正しい／正しくないは、道徳的な良し悪しとは無関係です。

**例 1-12**（二つの集合が等しい場合）

$A = \{1, 2, 3\}$ で $B = \{1, 2, 3\}$ のとき、$A$ は $B$ の部分集合です。つまり、$A \subset B$ です。$A$ の元は $1, 2, 3$ であり、$1 \in B$ と $2 \in B$ と $3 \in B$ がすべて成り立っているので、部分集合の定義より、確かに $A$ は $B$ の部分集合になっています。同様にして、$B$ は $A$ の部分集合であるともいえます。

一般に、$A = B$ ならば $A \subset B$ と $A \supset B$ の両方が成り立ちますし、逆に、$A \subset B$ と $A \supset B$ の両方が成り立てば $A = B$ です。

**ちょっと一言**

$A = B$ なのに $A \subset B$ と表記することに疑問を持つかも知れません。でも、部分集合の「部分」という言葉にまどわされないで、部分集合の定義をよく読んでください。$A = B$ のとき、$A$ の任意の元は $B$ に属していますから、確かに $A$ は $B$ の部分集合です。ただし数学書によっては、$A$ が $B$ の部分集合であることを $A \subseteq B$ や $A \subsetneqq B$ と表記する場合もあります。

部分集合の定義に出てきた「集合 $A$ の任意の元が集合 $B$ に属している」という表現に注意してください。これは、「集合 $A$ に属しているどの元を選んだとしても、絶対に集合 $B$ に属している」という意味です。「集合 $A$ のすべての元は集合 $B$ に属している」や「集合 $B$ に属していない集合 $A$ の元は存在しない」と言い換えても構いません。

部分集合を表す記号 $\subset$ は、$\cap$ や $\cup$ と形はそっくりですが、意味はまったく違うことに注意してください。$A \cap B$ や $A \cup B$ は集合です。でも、$A \subset B$ は集合ではなく命題です。

**例 1-13**（$\mathbb{N}, \mathbb{Z}, \mathbb{Q}, \mathbb{R}, \mathbb{C}$）

自然数全体の集合 $\mathbb{N}$ と、整数全体の集合 $\mathbb{Z}$ と、有理数全体の集合 $\mathbb{Q}$ と、実数全体の集合 $\mathbb{R}$ と、複素数全体の集合 $\mathbb{C}$ との間には、次のような関係があります。

$$\mathbb{N} \subset \mathbb{Z} \subset \mathbb{Q} \subset \mathbb{R} \subset \mathbb{C}$$

## 1.15 冪《べき》集合

集合 $A = \{1, 2, 3\}$ の部分集合は全部で何個あるでしょう。集合 $A$ には $1, 2, 3$

という 3 個の元がありますので、それぞれを「持つ」か「持たない」か考えれば、すべての部分集合を見つけることができます。次のような一覧表にすると間違えません。

| 1 | 2 | 3 | | | | |
|---|---|---|---|---|---|---|
| 持たない | 持たない | 持たない | → | $\{\ \}$ | = | $\varnothing$ |
| 持たない | 持たない | 持つ | → | $\{3\}$ | | |
| 持たない | 持つ | 持たない | → | $\{2\}$ | | |
| 持たない | 持つ | 持つ | → | $\{2, 3\}$ | | |
| 持つ | 持たない | 持たない | → | $\{1\}$ | | |
| 持つ | 持たない | 持つ | → | $\{1, 3\}$ | | |
| 持つ | 持つ | 持たない | → | $\{1, 2\}$ | | |
| 持つ | 持つ | 持つ | → | $\{1, 2, 3\}$ | = | $A$ |

すなわち、集合 $A$ の部分集合は、

$$\{\}, \{3\}, \{2\}, \{2,3\}, \{1\}, \{1,3\}, \{1,2\}, \{1,2,3\}$$

の 8 個になります。最初に挙げた $\{\}$ は元を持たない集合、すなわち空集合 $\varnothing$ です。**空集合は、任意の集合の部分集合**です。また、最後に挙げた $\{1,2,3\}$ は、集合 $A$ 自身です。**任意の集合は、自分自身の部分集合**です。

一般に、集合 $S$ が有限集合ならば、$S$ の部分集合は全部で $2^{|S|}$ 個あります。

**ちょっと一言**

$A = \{1,2,3\}$ で $|A| = 3$ なので、$A$ の部分集合の個数は $2^{|A|} = 2^3 = 8$ 個となり、一覧表にして調べた結果と確かに一致しています。

一般に、集合 $S$ の部分集合をすべて集めた集合を、集合 $S$ の**冪集合**《べきしゅうごう》といい、

$$P(S) \quad \text{あるいは} \quad 2^S$$

のように表記します。

たとえば、集合 $A = \{1,2,3\}$ の冪集合 $P(A)$ は、元を列挙して表すなら、

$$P(A) = \{\,\{\}, \{3\}, \{2\}, \{2,3\}, \{1\}, \{1,3\}, \{1,2\}, \{1,2,3\}\,\}$$

になります。

**‖注意‖** 集合 $A = \{1, 2, 3\}$ の冪集合 $P(A)$ の元は、いずれも $A$ の部分集合であることに注意してください。次の命題はすべて成り立つことを確認しましょう。

| | |
|---|---|
| $1 \in A$ | 1 は $A$ の元である |
| $1 \notin P(A)$ | 1 は $P(A)$ の元ではない |
| $\{1\} \notin A$ | $\{1\}$ は $A$ の元ではない |
| $\{1\} \in P(A)$ | $\{1\}$ は $P(A)$ の元である |

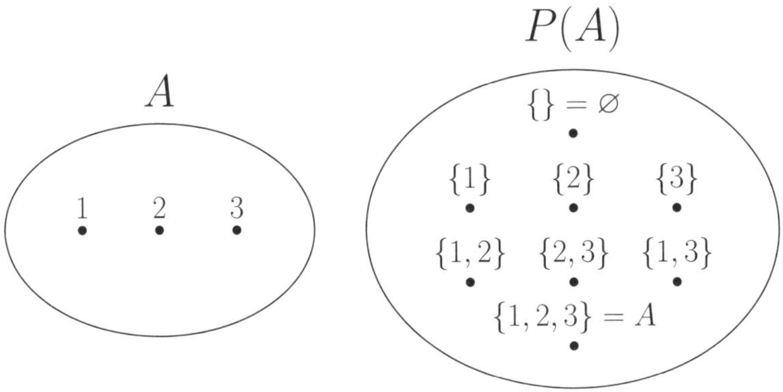


集合 $A = \{1, 2, 3\}$ と、$A$ の冪集合 $P(A)$

## 1.16　この章で学んだこと

この章では、集合についてさまざまなことを学びました。

- 集合と元 $a \in A$
- 有限集合と無限集合
- 数の集合（$\mathbb{N}, \mathbb{Z}, \mathbb{Q}, \mathbb{R}, \mathbb{C}$）
- 空集合 $\varnothing$
- 一点集合
- 集合の相等関係 $A = B$
- 有限集合が持つ元の個数 $|A|$
- 共通部分 $A \cap B$
- 和集合 $A \cup B$

- 部分集合 $A \subset B$
- 冪集合 $P(A)$, $2^A$

第 2 章で私たちは、写像について学びます。そこまで行けば、私たちは数学的な概念を表す大切な言葉——集合と写像——を手に入れます。そして第 3 章では、いよいよ群を学ぶことになります！

まずは、集合についての理解を確かめるため、演習問題に取り組みましょう。

## 演習問題

**問題 1-1**（共通部分と和集合）

整数全体の集合を $\mathbb{Z}$ とし、集合 $Z_{12}, M_2, M_3$ をそれぞれ

$$Z_{12} = \{x \in \mathbb{Z} \mid 0 \leqq x < 12\}$$

$$M_2 = \left\{x \in Z_{12} \,\middle|\, x \text{ は } 2 \text{ の倍数}\right\}$$

$$M_3 = \left\{x \in Z_{12} \,\middle|\, x \text{ は } 3 \text{ の倍数}\right\}$$

としたとき、①〜⑤の集合を、元を並べて表記してください。

① $Z_{12}$

② $M_2$

③ $M_3$

④ $M_2 \cap M_3$

⑤ $M_2 \cup M_3$

**問題 1-2**（共通部分と部分集合）

任意の集合 $A, B$ について、

$$A \cap B \subset A$$

が成り立ちます。このことを証明してください。

**問題 1-3**（部分集合と元）

集合 $A, B, C$ を次のように定めます。

$$A = \{1, 2\}$$

$$B = \{1, 2, 3, 4, 5\}$$

$$C = \{\{1, 2\}, B\}$$

このとき、①〜⑧がそれぞれ成り立つかどうかを答えてください。

① $1 \in A$

② $1 \subset A$

③ $A \in B$

④ $A \subset B$

⑤ $A \in C$

⑥ $A \subset C$

⑦ $|A| = |B|$

⑧ $|A| = |C|$

**問題 1-4**（冪集合）

集合 $A = \{1, 2, 3, 4\}$ の冪《べき》集合 $P(A)$ について、①〜③に答えてください。

① $P(A)$ が持つ元の個数 $|P(A)|$ を求めてください。

② $x \in P(A)$ かつ $|x| = 2$ を満たす $x$ は何個ありますか。

③ $x \in P(A)$ かつ $1 \in x$ を満たす $x$ は何個ありますか。

## 演習問題の解答

**解答 1-1**（共通部分と和集合）

① $Z_{12} = \{0, 1, 2, 3, 4, 5, 6, 7, 8, 9, 10, 11\}$

② $M_2 = \{0, 2, 4, 6, 8, 10\}$

③ $M_3 = \{0, 3, 6, 9\}$

④ $M_2 \cap M_3 = \{0, 6\}$

⑤ $M_2 \cup M_3 = \{0, 2, 3, 4, 6, 8, 9, 10\}$

**解答 1-2**（共通部分と部分集合）

二つの集合の共通部分の定義と、部分集合の定義に従って証明します。

**証明**

$a$ を集合 $A \cap B$ の任意の元とすると、

$$A \cap B = \{x \mid x \in A \text{ かつ } x \in B\}$$

から $a \in A$ が成り立ちます。$A \cap B$ の任意の元が $A$ に属しているので、

$$A \cap B \subset A$$

が成り立ちます。

**（証明終わり）**

「ちょっと待ってください。もしも $A \cap B = \varnothing$ ならどうなりますか。$A \cap B$ に属している元は存在しないので、『$A \cap B$ の任意の元が $A$ に属している』とはいえないのではありませんか」

「そうではありません。集合 $A \cap B$ に元が一つも存在しなくても『$A \cap B$ の任意の元が $A$ に属している』は成り立ちます」

「そのように考えるのですか」

「はい。『$A \cap B$ の任意の元が $A$ に属している』を、『$A$ に属していない $A \cap B$ の元は存在しない』と考えると納得しやすいでしょう。$A \cap B$ が空集合なら、確かに『$A$ に属していない $A \cap B$ の元は存在しない』からです」

「なるほど」

「ですから一般に、空集合 $\varnothing$ は任意の集合の部分集合になります。言い換えると、どんな集合 $A$ についても $\varnothing \subset A$ が成り立ちます」

**解答 1-3**（部分集合と元）

$A, B, C$ がそれぞれどんな元を持つ集合かを確かめて考えましょう。

| | |
|---|---|
| $A = \{1, 2\}$ | $A$ は 1 と 2 を元に持つ集合 |
| $B = \{1, 2, 3, 4, 5\}$ | $B$ は $1, 2, 3, 4, 5$ を元に持つ集合 |
| $C = \{\{1, 2\}, B\}$ | $C$ は $\{1, 2\}$ と $B$ を元に持つ集合 |

ここで、$A = \{1, 2\}$ ですから、

$$C = \{A, B\}$$

であるともいえます。

① $1 \in A$ は成り立ちます。

1 は $A$ の元だからです。

② $1 \subset A$ は成り立ちません。

1 は $A$ の部分集合ではないからです。

③ $A \in B$ は成り立ちません。

$A$ は $B$ の元ではないからです。

④ $A \subset B$ は成り立ちます。

$A$ の元 1 と 2 はどちらも $B$ の元なので、$A$ は $B$ の部分集合だからです。

⑤ $A \in C$ は成り立ちます。

$A$ すなわち $\{1, 2\}$ は $C$ の元だからです。

⑥ $A \subset C$ は成り立ちません。

たとえば、$A$ の元 1 は $C$ の元ではないので、$A$ は $C$ の部分集合ではないからです。

⑦ $|A| = |B|$ は成り立ちません。

- $A$ の元は 1 と 2 の 2 個なので、$|A| = 2$ です。
- $B$ の元は $1, 2, 3, 4, 5$ の 5 個なので、$|B| = 5$ です。

⑧ $|A| = |C|$ は成り立ちます。

- $A$ の元は 1 と 2 の 2 個なので、$|A| = 2$ です。
- $C$ の元は $A$ と $B$ の 2 個なので、$|C| = 2$ です。

**解答 1-4**（冪集合）

$A$ の冪集合 $P(A)$ の元は、集合 $A=\{1,2,3,4\}$ の部分集合です。$A$ の部分集合は、$A$ に属している元 $1,2,3,4$ のそれぞれを持つか持たないか網羅的に調べることで、次のように得られます。

| 1 | 2 | 3 | 4 | | | | |
|---|---|---|---|---|---|---|---|
| 持たない | 持たない | 持たない | 持たない | → | $\{\quad\}$ | = | $\varnothing$ |
| 持たない | 持たない | 持たない | 持つ | → | $\{4\}$ | | |
| 持たない | 持たない | 持つ | 持たない | → | $\{3\}$ | | |
| 持たない | 持たない | 持つ | 持つ | → | $\{3,4\}$ | | |
| 持たない | 持つ | 持たない | 持たない | → | $\{2\}$ | | |
| 持たない | 持つ | 持たない | 持つ | → | $\{2,4\}$ | | |
| 持たない | 持つ | 持つ | 持たない | → | $\{2,3\}$ | | |
| 持たない | 持つ | 持つ | 持つ | → | $\{2,3,4\}$ | | |
| 持つ | 持たない | 持たない | 持たない | → | $\{1\}$ | | |
| 持つ | 持たない | 持たない | 持つ | → | $\{1,4\}$ | | |
| 持つ | 持たない | 持つ | 持たない | → | $\{1,3\}$ | | |
| 持つ | 持たない | 持つ | 持つ | → | $\{1,3,4\}$ | | |
| 持つ | 持つ | 持たない | 持たない | → | $\{1,2\}$ | | |
| 持つ | 持つ | 持たない | 持つ | → | $\{1,2,4\}$ | | |
| 持つ | 持つ | 持つ | 持たない | → | $\{1,2,3\}$ | | |
| 持つ | 持つ | 持つ | 持つ | → | $\{1,2,3,4\}$ | = | $A$ |

① 集合 $A=\{1,2,3,4\}$ は 4 個の元を持ちます。$A$ の部分集合は、その 4 個をそれぞれ元として持つか持たないかで決まります。したがって、$A$ の冪集合 $P(A)$ が持つ元の個数 $|P(A)|$ は、

$$|P(A)| = 2\times2\times2\times2 = 2^4 = \underline{16}$$

です。

② $x\in P(A)$ かつ $|x|=2$ を満たす $x$ は、$A$ の部分集合のうち元の個数が 2 個である集合ですから

$$\{3,4\},\{2,4\},\{2,3\},\{1,4\},\{1,3\},\{1,2\}$$

の $\underline{6\text{ 個}}$あります。

③ $x \in P(A)$ かつ $1 \in x$ を満たす $x$ は、$A$ の部分集合のうち 1 を元に持つ集合ですから

$$\{1\}, \{1,4\}, \{1,3\}, \{1,3,4\}, \{1,2\}, \{1,2,4\}, \{1,2,3\}, \{1,2,3,4\}$$

の 8 個あります。

# 第 2 章　写像

## 2.1　この章で学ぶこと

私たちは、第 1 章で集合について学びました。この章では、写像《しゃぞう》について学びます。写像を用いると、二つの集合の関係を表すことができるようになります。

> **ちょっと一言**
>
> もしかすると、写像の話は当たり前のことばかりだと感じる読者がいるかもしれません。でも油断して先を急ぐと、いつのまにか迷子になることがあります。ですから、具体例をちゃんと確かめながら読み進めてください。

## 2.2　写像の定義

写像の定義をする前に、商品と値段の関係について考えてみましょう。

$1, 2, 3, 4$ と商品番号がついている 4 個の商品があるとすると、商品番号全体の集合 $X$ は、

$$X = \{1, 2, 3, 4\}$$

になります。

商品の値段が 0 以上の整数だとすると、値段として取り得る値全体の集合 $Y$ は、

$$Y = \{y \in \mathbb{Z} \mid y \geqq 0\}$$

になります。ここで $\mathbb{Z}$ は整数全体の集合です。

さて、このように考えると、4 個の商品すべてに対して値段を定めることは、集合 $X$ のどの元に対しても、集合 $Y$ の元をそれぞれ一つずつ定めることに相当します。

たとえば、次に示す商品の値段表 $f$ は、集合 $X$ に属しているどの元（商品番号）に対しても、集合 $Y$ に属している元（値段）をそれぞれ一つずつ定めています。商品番号 2 と 4 については、どちらも同じ 500 という値段がついています

が、2 と 4 のそれぞれに対して一つずつ値段がついていることは確かです。

| 商品番号 | 1 | 2 | 3 | 4 |
|---|---|---|---|---|
| 値段 | 100 | 500 | 200 | 500 |

商品の値段表 $f$

集合 $X$ と $Y$ の対応関係を表しているこの値段表 $f$ は、これから学ぶ写像《しゃぞう》の例となっています。

写像を定義しましょう。

**定義**(写像)

二つの集合 $X$ と $Y$ があって、$X$ に属しているどの元に対しても、$Y$ に属している元がそれぞれ一つずつ対応するとき、その対応のことを「$X$ から $Y$ への**写像**《しゃぞう》」といいます。$f$ が $X$ から $Y$ への写像であることを、

$$f\colon X \longrightarrow Y$$

と表記します。また、写像 $f$ によって $X$ の元 $x$ が $Y$ の元 $y$ に対応することを、

$$f\colon x \longmapsto y$$

と表記します。このときの $y$ を「写像 $f$ による $x$ の**像**《ぞう》」といいます。「$x$ における写像 $f$ の**値**《あたい》」ともいいます。$x$ における写像 $f$ の値を、

$$f(x)$$

と表記します。

写像のこの定義に当てはめると、冒頭でお話しした商品の値段表 $f$ は、商品番号全体の集合 $X = \{1, 2, 3, 4\}$ から値段として取り得る値全体の集合 $Y = \{y \in \mathbb{Z} \mid y \geqq 0\}$ への写像

$$f\colon X \longrightarrow Y$$

になっていることがわかります。

なぜなら次のように、$X$ の元 $1, 2, 3, 4$ のどれに対しても、$Y$ の元がそれぞれ一つずつ対応しているからです。

$$f\colon 1 \longmapsto 100$$
$$f\colon 2 \longmapsto 500$$
$$f\colon 3 \longmapsto 200$$
$$f\colon 4 \longmapsto 500$$

この対応は、

$$f(1) = 100$$
$$f(2) = 500$$
$$f(3) = 200$$
$$f(4) = 500$$

と表すこともできます。

‖ **注意** ‖　写像の表記で「$\longrightarrow$」と「$\longmapsto$」とで矢印の形が異なっており、違う意味を表している点に注意してください。

$f\colon X \longrightarrow Y$　　$f$ は集合 $X$ から集合 $Y$ への写像である
$f\colon x \longmapsto y$　　写像 $f$ による $x$ の像は $y$ である

この矢印の使い分けは本書全体を通じて行っています。

「写像 $f$ による $x$ の像が $y$ である」ことには、さまざまな言い方があります。たとえば「写像 $f$ は $x$ を $y$ へ**移す**」ということがあります。「写す」や「うつす」ともいいます。「写像 $f$ によって $x$ は $y$ へ行く」ということもあります。

さて、数学に出てくるさまざまな概念は、写像と見なすことができます。そのことをいくつかの例を通して見ていきましょう。

**例 2-1**（関数）

実数 $x$ に対して実数 $x^2$ を対応させる二次関数を $f$ とすると、$f$ は集合 $\mathbb{R}$ から集合 $\mathbb{R}$ への写像になります。すなわち、

$$f\colon \mathbb{R} \longrightarrow \mathbb{R}$$

であり、$x \in \mathbb{R}$ として、

$$f\colon x \longmapsto x^2$$

です。この写像 $f$ によって 4 は $4^2 = 16$ に移りますから、

$$f\colon 4 \longmapsto 16$$

であり、

$$f(4) = 16$$

です。また、この写像 $f$ によって $-4$ は $(-4)^2 = 16$ に移ります。つまり、

$$f\colon -4 \longmapsto 16$$

であり、

$$f(-4) = 16$$

です。このように、**関数は写像の一種**と見なすことができます。

> **ちょっと一言**
> 当たり前のことをくどくど書いているようですが、これはよくわかっている例を使って、写像に関する用語や表記を再確認しているのです。読みながら「確かにそれはそうだ」と思えるならば、次に進みましょう。もしも引っかかるところがあれば、定義を再度読みましょう。

**例 2-2**（数列）

$\mathbb{Z}^+$ を 1 以上の整数全体の集合とします。すなわち、

$$\mathbb{Z}^+ = \{n \in \mathbb{Z} \mid n \geqq 1\} = \{1, 2, 3, \ldots\}$$

です。このとき、$\mathbb{Z}^+$ の元 $n$ から $\mathbb{Z}^+$ の元 $n^2$ を得る対応を $g$ とすると、$g$ は $\mathbb{Z}^+$ から $\mathbb{Z}^+$ への写像となります。すなわち、

$$g\colon \mathbb{Z}^+ \longrightarrow \mathbb{Z}^+$$

であり、$n \in \mathbb{Z}^+$ として、

$$g\colon n \longmapsto n^2$$

です。この写像 $g$ は、$n$ と $g(n)$ の対応表として表すこともできます。

| $n$ | 1 | 2 | 3 | 4 | 5 | $\cdots$ | $n$ | $\cdots$ |
|---|---|---|---|---|---|---|---|---|
| $g(n)$ | 1 | 4 | 9 | 16 | 25 | $\cdots$ | $n^2$ | $\cdots$ |

したがって、写像 $g$ は $1, 4, 9, 16, 25, \ldots, n^2, \ldots$ という数列を表しているといえます。このように、**数列は写像の一種**と見なすことができます。

例 2-1 の写像 $f$ と例 2-2 の写像 $g$ はどちらも「2 乗した結果を得る」という写像ですが、$f\colon \mathbb{R} \longrightarrow \mathbb{R}$ であり $g\colon \mathbb{Z}^+ \longrightarrow \mathbb{Z}^+$ ですから、$f$ と $g$ には違いがあります。この違いをはっきりさせるため、いくつかの用語を定義します。

## 2.3　始域と終域

**定義**(始域と終域)

集合 $X$ から集合 $Y$ への写像 $f\colon X \longrightarrow Y$ に対して、

- 集合 $X$ を「写像 $f$ の**始域**《しいき》」といいます。
- 集合 $Y$ を「写像 $f$ の**終域**《しゅういき》」といいます。

始域と終域の定義は難しくありません。写像 $f\colon X \longrightarrow Y$ に対して、$X$ は $f$ の始域で、$Y$ は $f$ の終域です。そのように名前を付けたというだけのことです。

## 2.4　定義域と値域

**定義**(定義域と値域)

集合 $X$ から集合 $Y$ への写像 $f\colon X \longrightarrow Y$ に対して、

- 集合 $X$ を「写像 $f$ の**定義域**《ていぎいき》」といいます。
- 集合 $\{f(x) \mid x \in X\}$ を「写像 $f$ の**値域**《ちいき》」といいます。

また、写像 $f$ の値域を「写像 $f$ の**像**《ぞう》」ともいい、$\mathrm{Image}\, f$ と表記します。すなわち、

$$\mathrm{Image}\, f = \{f(x) \mid x \in X\}$$

です。Image $f$ は、Image $(f)$ や Im $f$ と表記することもあります。

定義域の定義は難しくありません。写像 $f\colon X \longrightarrow Y$ に対して、$X$ は $f$ の定義域です。そのように名前を付けたというだけのことです。すなわち、写像の始域と定義域はまったく同じ意味です。

値域の定義は少し時間を掛けて読みましょう。写像 $f$ の値域は、

$$\{f(x) \mid x \in X\}$$

ですが、これは

$$\Big\{y \in Y \;\Big|\; y = f(x) \text{ を満たす } x \in X \text{ が存在する}\Big\}$$

ということの略記です。すなわち、写像 $f\colon X \longrightarrow Y$ の値域とは、

集合 $Y$ の元 $y$ のうち、
$y = f(x)$ を満たす $X$ の元 $x$ が存在するもの全体の集合

といえます。さらに言い換えると、「$y$ が写像 $f\colon X \longrightarrow Y$ の値域に属している」というのは、「$f\colon x \longmapsto y$ となる $x \in X$ が存在する」ということです。

ここまでで用語がたくさん出てきましたが、次のようなイメージ図を見れば理解しやすいでしょう。

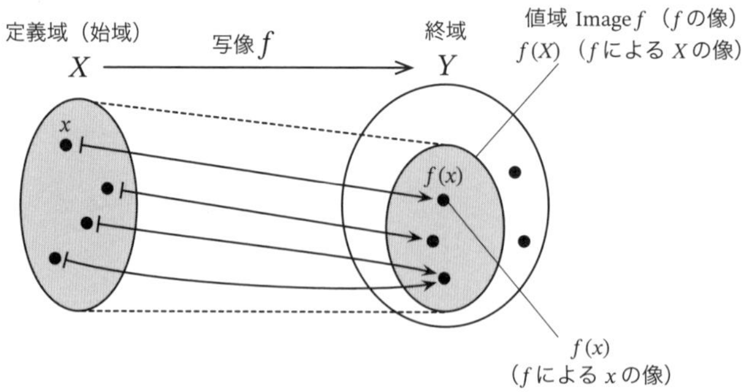


写像のイメージ図

**ちょっと一言**

このイメージ図を見ながら、定義域（始域）$X$ に属している元は、写像 $f$ によって、値域 $\mathrm{Image}\, f$ に属している元に必ず移されていることを確かめましょう。また、値域 $\mathrm{Image}\, f$ に属している元には、写像 $f$ によって移ってくる定義域の元が（一つとは限りませんが）必ず存在していることも確かめましょう。

**注意**　写像 $f\colon X \longrightarrow Y$ に関連して**像**《ぞう》という用語は、次に示す①, ②, ③という三種類の意味で用いられますので注意が必要です。

① 写像 $f$ によって集合 $X$ の元 $x$ に対応する集合 $Y$ の元のことを、「$f$ による $x$ の像」といい、$f(x)$ で表します (p. 30)。このとき、$f(x)$ は集合 $Y$ の元であり、

$$f\colon x \longmapsto f(x)$$

です。

② 写像 $f$ の値域のことを「$f$ の像」といい、$\mathrm{Image}\, f$ で表します。このとき、$\mathrm{Image}\, f$ は集合 $Y$ の部分集合であり、

$$\mathrm{Image}\, f = \{y \in Y \mid x \in X, y = f(x)\}$$

です。

③ $A$ を集合 $X$ の部分集合とします。写像 $f$ によって $A$ の元 $a$ に対応する $f(a)$ 全体の集合を、「$f$ による $A$ の像」といい、$f(A)$ で表します。このとき、$f(A)$ は集合 $Y$ の部分集合であり、

$$f(A) = \{y \in Y \mid a \in A, y = f(a)\}$$

です。

なお、②と③から、「写像 $f$ の値域」は「写像 $f$ による定義域 $X$ の像」であり、$\mathrm{Image}\, f = f(X)$ であることがわかります。

## 2.5　写像の相等関係

写像を定義し、いくつかの用語も準備できたので、さらに写像について学んでいきましょう。まずは、二つの写像が等しいとはどういうことかを定義します。

**定義**（写像の相等関係）
$f$ と $g$ はどちらも集合 $X$ から集合 $Y$ への写像とします。集合 $X$ の任意の元 $x$ に対して、

$$f(x) = g(x)$$

であるとき、二つの写像 $f$ と $g$ は**等《ひと》しい**といい、

$$f = g$$

と表記します。

ここでは、二つの写像 $f\colon X \longrightarrow Y$ と $g\colon X \longrightarrow Y$ が等しいとはどういうことかを定義しています。定義域 $X$ の任意の元 $x$ に対して $f(x) = g(x)$ が成り立つことが $f = g$ の条件です。ここで、写像 $f$ と $g$ がどんな数式で定義されているかは問題にしていないことに注意してください。そもそも写像は数式で定義されているとは限りません。冒頭に挙げた商品の値段の場合でもそうですね。商品番号から値段を得る対応が、数式ではなく表の形で定義されていました。写像では、定義域の元が終域のどの元に対応しているのかだけが重要であり、どんなやり方で定められていても構いません。写像 $f$ と $g$ で、数式の書き方が異なっていても、あるいは数式など存在しなくても、対応さえ同じなら等しい写像なのです。

**ちょっと一言**

プログラミングをやっている読者に親しみやすい言い方をするなら、写像は、どのように実装されているかとは無関係であり、入力と出力の対応がどうなっているかだけが重要なのです。

二つの写像 $f\colon X \longrightarrow Y$ と $g\colon X \longrightarrow Y$ は、どちらも始域（定義域）が $X$ で終域が $Y$ です。始域同士、終域同士が集合としてそれぞれ等しいわけですが、それだけで $f = g$ とは限りません。もしかしたら $f(x) \neq g(x)$ となる $x \in X$ が存在するかもしれないからです。もしも $f(x) \neq g(x)$ となる $x \in X$ が一つでも存在したら、$f \neq g$ になります。

また、$f(x) = x^2$ で $g(x) = x^2$ という二つの写像 $f$ と $g$ があったとしても、

$f = g$ とは限りません。もしかしたら、$f\colon \mathbb{R} \longrightarrow \mathbb{R}$ なのに対して $g\colon \mathbb{Z}^+ \longrightarrow \mathbb{Z}^+$ かもしれないからです。例 2-1（p. 31）と例 2-2（p. 32）を思い出してください。

## 2.6 恒等写像

特殊な写像の一つとして、始域と終域が等しく、どんな元 $x$ もその元 $x$ 自身に移す写像が考えられます。それを恒等写像《こうとうしゃぞう》といいます。

**定義**（恒等写像）

$f$ を集合 $X$ から集合 $X$ への写像とします。集合 $X$ の任意の元に対して、

$$f(x) = x$$

であるとき、写像 $f$ を $X$ から $X$ への**恒等写像**《こうとうしゃぞう》といいます。集合 $X$ から $X$ への恒等写像を、

$$\mathrm{id}_X$$

と表記することがあります。また、$\mathrm{id}_X$ を集合 $X$ 上の恒等写像ということもあります。

**ちょっと一言**

$X$ から $X$ への恒等写像を $\mathrm{id}_X$ と表記するのは、恒等写像を英語で "identity mapping" ということから来ているのでしょう。

**例 2-3**（簡単な恒等写像の例）

$X = \{1, 2, 3\}$ から $X$ への恒等写像 $\mathrm{id}_X$ は、恒等写像の定義から、

$$\mathrm{id}_X(1) = 1,\ \mathrm{id}_X(2) = 2,\ \mathrm{id}_X(3) = 3$$

を満たします。

**例 2-4**（恒等写像 $\mathrm{id}_{\mathbb{Z}}$）

$\mathbb{Z}$ から $\mathbb{Z}$ への恒等写像 $\mathrm{id}_{\mathbb{Z}}$ は、恒等写像の定義により、任意の整数 $n$ に対して、$\mathrm{id}_{\mathbb{Z}}\colon n \longmapsto n$ が成り立ちます。すなわち、$\mathrm{id}_{\mathbb{Z}}(n) = n$ です。

**ちょっと一言**

$\mathrm{id}_{\mathbb{Z}}\colon n \longmapsto n$ や $\mathrm{id}_{\mathbb{Z}}(n) = n$ を見ても、特に「なるほど、それはすごい！」と感動するものではありません。これはいわば、当たり前の例、もっとも単純な例の一つです。でも、これを見たときに具体的な $n$ について考えてみることは大切です。たとえば、$\mathrm{id}_{\mathbb{Z}}(7) = 7$ です。また、$\mathrm{id}_{\mathbb{Z}}$ が確かに $\mathbb{Z}$ から $\mathbb{Z}$ への写像になっているか、恒等写像の定義に従っているかなどを確かめることも大切です。さらに、これまで学んだ写像に関する概念を確かめることもよい復習になります。たとえば、$\mathrm{Image}\,\mathrm{id}_{\mathbb{Z}} = \mathbb{Z}$ です。

## 2.7 定値写像

たとえば、どんな実数 $x$ に対しても、特定の実数 $a$ が値となる関数 $f(x) = a$ を考えます。この関数 $f$ のように、いつも一定の値を取る関数を**定数関数**《ていすうかんすう》といいます。定数関数の写像バージョンとなる定値写像を定義しましょう。

**定義**（定値写像）

集合 $X$ と $Y$ はどちらも空集合ではないとし、$y_1$ を $Y$ の元とします。写像 $f\colon X \longrightarrow Y$ が次の性質を満たすとき、写像 $f$ を、値が $y_1$ の**定値写像**《ていちしゃぞう》といいます。

- 集合 $X$ の任意の元 $x$ に対して、

$$f(x) = y_1$$

  が成り立つ。

定値写像の値域は元を一つしか持ちませんので、定値写像とは、値域が一点集合である写像といえます。すなわち、写像 $f$ が定値写像であるとは、$|\mathrm{Image}\,f| = 1$ であるということです。

**例 2-5**（定数関数は定値写像）

写像 $f\colon \mathbb{R} \longrightarrow \mathbb{R}$ が任意の $x \in \mathbb{R}$ に対して $f(x) = 0$ を満たすとき、写像 $f$ は定値写像です。

ちょっと一言

定数関数 $f(x) = 0$ を使って、座標平面に $y = f(x)$ のグラフを描くと、方程式 $y = 0$ を満たす直線（つまり $x$ 軸）になります。写像 $f$ に与える $x$ の値がいくら変化しても、$f(x)$ の値は $0$ のまま変化しません。

定値写像は「一点につぶす写像」というイメージがあります。

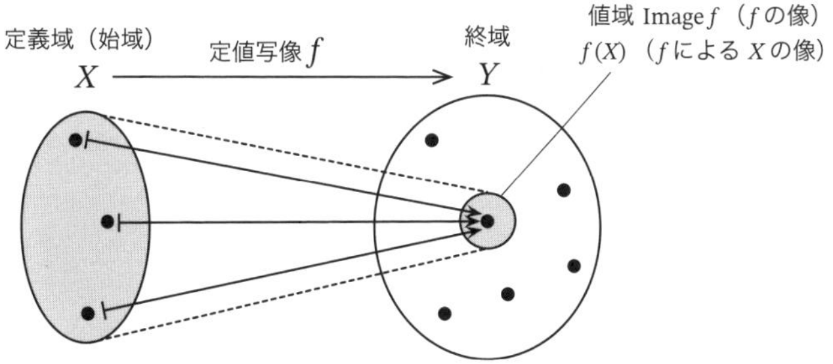


定値写像のイメージ図

## 2.8　単射

これから、写像の性質を表す用語をいくつか学んでいきます。

次のような写像 $f_1\colon X \longrightarrow Y_1$ を考えましょう。

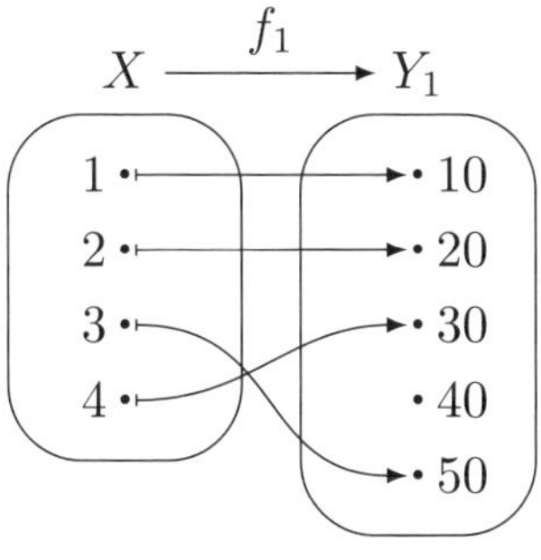


写像 $f_1$ では、$f_1(1), f_1(2), f_1(3), f_1(4)$ という 4 個の値はすべて異なっています。つまり、$X$ の異なる二つの元が、$Y_1$ の等しい元に移されることはありません。このような写像のことを単射《たんしゃ》といいます。写像 $f_1$ は単射です。

**定義**（単射）

写像 $f\colon X \longrightarrow Y$ が次の性質を満たすとき、写像 $f$ を**単射《たんしゃ》**といいます。

- $X$ の任意の元 $x$ と $x'$ に対して、$x \neq x'$ ならば $f(x) \neq f(x')$ である。

**ちょっと一言**

単射は「だぶらない写像」といえます。写像 $f\colon X \longrightarrow Y$ が単射であるとき、$X$ の元 $x$ のすべてに対して $Y$ の元 $f(x)$ に「印」を付けていくなら、2 個以上の「印」がだぶって付く $Y$ の元は存在しないからです。

**例 2-6**（恒等写像は単射）

集合 $X$ 上の恒等写像 $\mathrm{id}_X\colon X \longrightarrow X$ は単射です。なぜなら、$x$ と $x'$ を $X$ の元とすると、$\mathrm{id}_X(x) = x$ および $\mathrm{id}_X(x') = x'$ なので、$x \neq x'$ ならば $\mathrm{id}_X(x) \neq \mathrm{id}_X(x')$ となるからです。

**例 2-7**（単射ではない写像）

写像 $f\colon \mathbb{R} \longrightarrow \mathbb{R}$ が

$$f\colon x \longmapsto x^2$$

で定義されているとき（すなわち $f(x) = x^2$ のとき）、写像 $f$ は単射ではありません。なぜなら、たとえば 2 と $-2$ はどちらも $\mathbb{R}$ の元であり、$2 \neq -2$ なのに $f(2) = f(-2)$ になってしまうからです。

**例 2-8**（氏名から名字を得る写像）

あるクラスにいる生徒の氏名全体の集合を $X$ とし、そのクラスにいる生徒の名字全体の集合を $Y$ とします。このとき氏名から名字を得る写像 $f\colon X \longrightarrow Y$ を考えます。たとえば、

$$f\colon \text{結城浩} \longmapsto \text{結城}$$

となります。そのクラスの生徒が全員異なる名字を持つならば、この写像 $f$ は単射です。しかし、同じ名字を持つ生徒が一人でもいるならば、$f$ は単射ではありません。

## 2.9　全射

写像 $f_2 \colon X \longrightarrow Y_2$ を見てください。

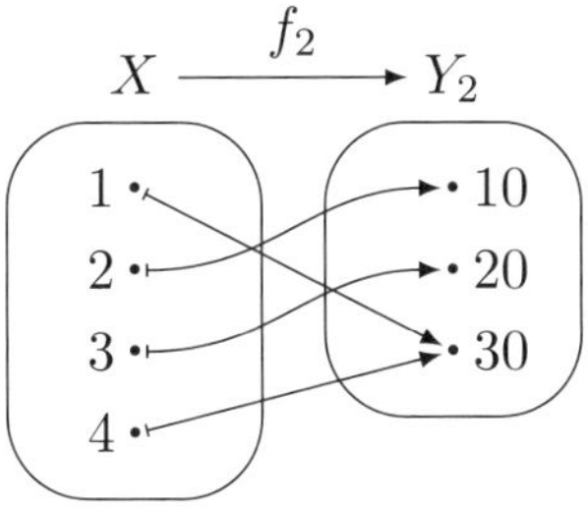


写像 $f_2$ では、$f_2(1)$ と $f_2(4)$ の値がどちらも 30 です。$1 \neq 4$ で $f_2(1) = f_2(4)$ なので、写像 $f_2$ は単射ではありません。

ところで、写像 $f_2$ では、終域 $Y_2 = \{10, 20, 30\}$ のどの元に対しても、写像 $f_2$ によって移されてくる定義域の元があります。このような写像のことを全射《ぜんしゃ》といいます。写像 $f_2$ は全射です。

> **定義**（全射）
> 写像 $f \colon X \longrightarrow Y$ が次の性質を満たすとき、写像 $f$ を**全射**《ぜんしゃ》といいます。
>
> - 任意の $y \in Y$ のそれぞれに対して、$x \in X$ が存在して、
>
> $$y = f(x)$$
>
> 　が成り立つ。

写像 $f \colon X \longrightarrow Y$ が全射であることは、

$$\mathrm{Image}\, f = Y$$

であるともいえます。

‖**注意**‖　全射の条件である $y = f(x)$ を満たす $x$ は $y$ ごとに違っていても構いません。また、$y = f(x)$ を満たす $x$ が同じ $y$ に対して複数個あっても構いません。

> **ちょっと一言**
>
> 全射は「もれがない写像」といえます。写像 $f\colon X \longrightarrow Y$ が全射であるとき、$X$ の元 $x$ のすべてに対して $Y$ の元 $f(x)$ に「印」を付けていくなら、$Y$ の元すべてにもれなく「印」が付くからです。

**例 2-9**（恒等写像は全射）

$\mathbb{Z}$ 上の恒等写像 $\mathrm{id}_{\mathbb{Z}}$ は全射です。なぜなら、終域としての $\mathbb{Z}$ の任意の元 $n$ それぞれに対して、定義域としての $\mathbb{Z}$ の元 $m$ が存在して、$n = \mathrm{id}_{\mathbb{Z}}(m)$ を満たすからです。要するに、$n$ に対して $n$ 自身を $m$ として選べばいいということです。

**例 2-10**（全射ではない例）

次の写像 $f_1$ では、終域 $Y_1$ に属している元 40 に移ってくる元は定義域 $X$ の中に一つもありません。ですから、写像 $f_1$ は全射ではありません。

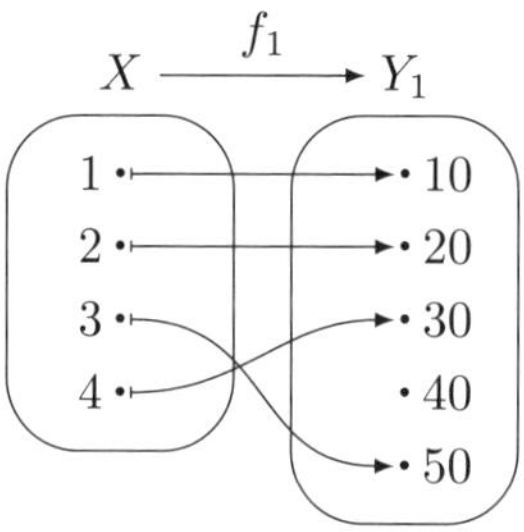


**例 2-11**（氏名から名字を得る写像）

あるクラスにいる生徒の氏名全体の集合を $X$ とし、そのクラスにいる生徒の名字全体の集合を $Y$ とします。このとき氏名から名字を得る写像 $f\colon X \longrightarrow Y$ は全射になります。

## 2.10 全単射

次の写像 $f_3\colon X \longrightarrow Y_3$ は全射でしょうか。また単射でしょうか。

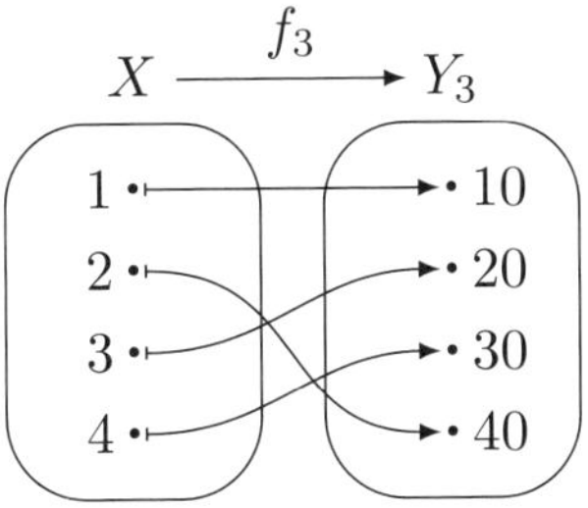


写像 $f_3$ では、終域 $Y_3$ の任意の元に対して、$f_3$ で移されてくる定義域 $X$ の元が存在します。ですから、$f_3$ は全射です。

さらに写像 $f_3$ では、$X$ の異なる元は、かならず $Y_3$ の異なる元に移されます。つまり、$x$ と $x'$ が $X$ の元で、$x \neq x'$ ならば $f_3(x) \neq f_3(x')$ になっています。ですから、$f_3$ は単射です。

写像 $f_3$ は全射であり、単射でもあります。このような写像のことを全単射《ぜんたんしゃ》といいます。

**定義**（全単射）
写像 $f\colon X \longrightarrow Y$ が全射かつ単射のとき、写像 $f$ を**全単射《ぜんたんしゃ》**といいます。

**ちょっと一言**

全単射は「もれもなく、だぶりもない写像」といえます。また、集合 $X$ から集合 $Y$ への全単射が存在するとき、$X$ の元は $Y$ の元と「一対一《いちたいいち》に対応している」ということもあります。たとえば、学校の生徒に対してその氏名を対応させるなら、その対応は「生徒全体の集合」から「生徒の氏名全体の集合」への写像になります。もしも同姓同名の生徒がいなければ、その写像は全単射になり、生徒はその氏名と一対一に対応しています。

$X$ と $Y$ がどちらも有限集合のとき、「$X$ と $Y$ の元の個数が等しい」つまり $|X| = |Y|$ という主張は、「$X$ から $Y$ への全単射が存在する」と言い換えることができます。ふだん何気なく扱っている「個数」が「写像の言葉」を使って表されるのはおもしろいですね。

**例 2-12**（恒等写像は全単射）

$\mathbb{Z}$ 上の恒等写像 $\mathrm{id}_{\mathbb{Z}}\colon n \longmapsto n$ は、全射かつ単射なので全単射です。

## 2.11 合成写像

写像 $f\colon X \longrightarrow Y$ は $X$ の元を $Y$ の元に移します。また、写像 $g\colon Y \longrightarrow Z$ は $Y$ の元を $Z$ の元に移します。ですから、二つの写像 $f$ と $g$ をこの順序でつなげるならば、$X$ の元を $Z$ の元に移すことができます。つまりそれは、$X$ から $Z$ への写像を作っていることに他なりません。二つの写像からこのようにして作られた写像を合成写像《ごうせいしゃぞう》といいます。

合成写像を定義しましょう。

> **定義**（合成写像）
>
> 二つの写像 $f\colon X \longrightarrow Y$ と $g\colon Y \longrightarrow Z$ に対して、写像 $h\colon X \longrightarrow Z$ を
>
> $$h(x) = g(f(x))$$
>
> で定義します。この写像 $h$ を、$f$ と $g$ の**合成写像**《ごうせいしゃぞう》といい、
>
> $$g \circ f$$
>
> と表記します。すなわち、任意の $x \in X$ に対して、
>
> $$(g \circ f)(x) = g(f(x))$$
>
> です。写像 $f$ と $g$ から合成写像 $g \circ f$ を作ることを写像の**合成**《ごうせい》といいます。

合成写像の定義は上で述べた通りですが、しっかりと理解するため、写像を合成する様子を一歩一歩解説します。

二つの写像 $f\colon X \longrightarrow Y$ と $g\colon Y \longrightarrow Z$ との合成写像 $g \circ f$ のイメージ図は次のようになります。

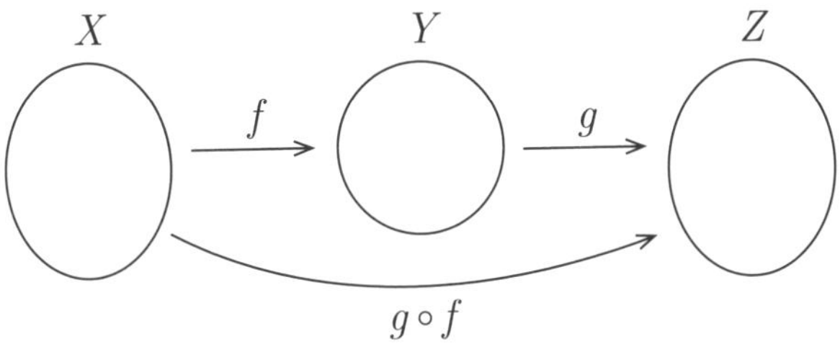


合成写像 $g \circ f$

二つの写像 $f$ と $g$ の合成写像 $g \circ f$ は定義より、$X$ の元 $x$ を $g(f(x))$ に移します。すなわち、

$$g \circ f \colon x \longmapsto g(f(x))$$

です。この $g(f(x))$ をよく読みましょう。

写像 $f$ は $x \in X$ を $f(x)$ に移します。そして $f(x) \in Y$ です。なぜなら写像 $f \colon X \longrightarrow Y$ の終域は $Y$ だからです。

さらに、写像 $g$ は $f(x) \in Y$ を $g(f(x))$ に移します。そして $g(f(x)) \in Z$ です。なぜなら写像 $g \colon Y \longrightarrow Z$ の終域は $Z$ だからです。

ここで $x$ と $g(f(x))$ に注目すると、任意の $x \in X$ に対して $g(f(x)) \in Z$ がたった一つ定まりますので、この対応は $X$ から $Z$ への写像となります。この写像が $f$ と $g$ の合成写像 $g \circ f$ です。$g \circ f$ は $x \in X$ を $g(f(x)) \in Z$ に移す写像ですから、

$$\begin{aligned} g \circ f \colon X &\longrightarrow Z \\ g \circ f \colon \ x &\longmapsto g(f(x)) \end{aligned}$$

となります。

いま話した内容をイメージ図に描くと次のようになります。

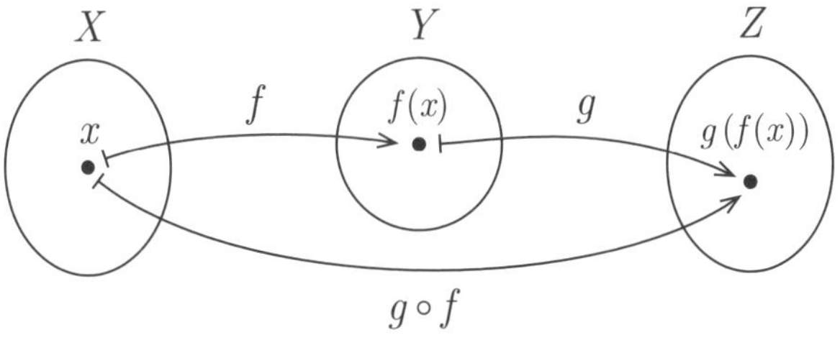


$g \circ f \colon x \longmapsto g(f(x))$

> **ちょっと一言**
>
> 合成写像 $g \circ f$ の「$\circ$」は、二つの写像 $f$ と $g$ を「つなげる」記号と考えてください。二つの写像から一つの写像を作る演算子と考えることもできます。

‖**注意**‖ $f$ と $g$ の合成写像 $g \circ f$ では、$f$ と $g$ の順序に注意してください。$g \circ f$ では、まず $x$ を $f(x)$ に移し、その $f(x)$ を $g(f(x))$ に移します。

**例 2-13**（簡単な合成写像の例）

次の図で定義されている写像 $f\colon X \longrightarrow Y$ と、写像 $g\colon Y \longrightarrow Z$ の合成写像 $g \circ f\colon X \longrightarrow Z$ を求めます。

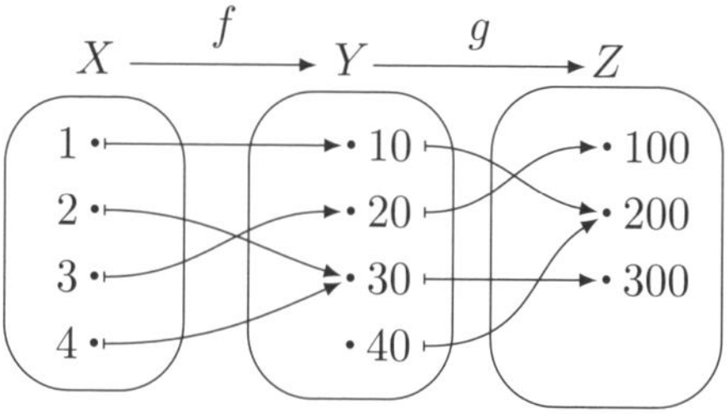


合成写像 $g \circ f$ を求めるには、$f$ と $g$ の矢印をたどり、$X$ の元 $1, 2, 3, 4$ がそれぞれ $Z$ のどの元に移るかを調べることになります。たとえば $1 \in X$ は $f$ によって $f(1) = 10 \in Y$ に移り、さらにその $10 \in Y$ は $g$ によって $g(10) = 200 \in Z$ に移ります。したがって、$(g \circ f)(1) = 200$ です。$X$ の他の元についても同様に調べると、合成写像 $g \circ f$ は次の図のようになります。

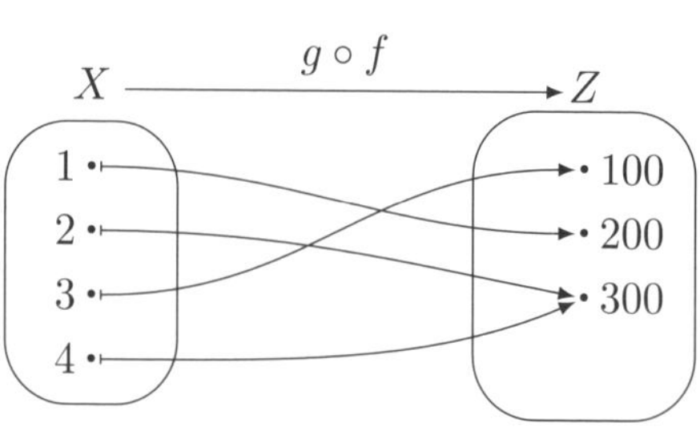

**‖注意‖** 合成写像 $g \circ f$ が作れたとしても、$f$ と $g$ を入れ換えた合成写像 $f \circ g$ が作れるとは限りません。たとえば、例 2-13 の $g$ と $f$ を使って合成写像 $f \circ g$ は作れません。$g$ の値域 $\{100, 200, 300\}$ が $f$ の定義域 $\{1, 2, 3, 4\}$ に含まれていないので、$g$ に $f$ を「つなげる」ことができないからです。

**ちょっと一言**

p. 44 では、$f$ と $g$ の合成写像 $g \circ f$ を「写像 $f$ の終域が写像 $g$ の始域に等しいとき」に定義していました。数学書によっては、「$f$ の終域が $g$ の定義域に含まれているとき」に定義している場合もあります。

**例 2-14** ($g \circ f \neq f \circ g$ の例)

$f$ と $g$ はどちらも実数全体の集合 $\mathbb{R}$ から $\mathbb{R}$ への写像とし、$f(x) = x + 10$ で $g(x) = x^2$ とします。このとき、$f$ と $g$ の合成写像 $g \circ f$ は、

$$g \circ f \colon x \longmapsto (x + 10)^2$$

になります。なぜなら、

$$\begin{aligned} (g \circ f)(x) &= g(f(x)) && \text{合成写像の定義より} \\ &= g(x + 10) && f \text{ の定義より} \\ &= (x + 10)^2 && g \text{ の定義より} \end{aligned}$$

だからです。

ところで、合成の順序を逆にした $g$ と $f$ の合成写像 $f \circ g$ は、

$$f \circ g \colon x \longmapsto x^2 + 10$$

になります。なぜなら、

$$\begin{aligned} (f \circ g)(x) &= f(g(x)) && \text{合成写像の定義より} \\ &= f(x^2) && g \text{ の定義より} \\ &= x^2 + 10 && f \text{ の定義より} \end{aligned}$$

だからです。

したがって、例 2-14 では $g \circ f \neq f \circ g$ であることがわかります。このように、

たとえ $g \circ f$ と $f \circ g$ の両方が作れたとしても、$g \circ f$ と $f \circ g$ が等しくなるとは限りません。

**ちょっと一言**

「$g \circ f \neq f \circ g$ であることがわかります」と書かれていたときには、「それはなぜかな？」と考えましょう。二つの写像が等しいことの定義はすでに学びました(p. 36)。たとえば $(g \circ f)(0) = 100$ で、$(f \circ g)(0) = 10$ であり、$(g \circ f)(0) \neq (f \circ g)(0)$ ですから、$g \circ f \neq f \circ g$ であることがわかります。

**例 2-15** ($g \circ f = f \circ g$ の例)

$f$ と $g$ はどちらも正の実数全体の集合 $\mathbb{R}^+$ から $\mathbb{R}^+$ への写像とし、$f(x) = x^2$ で $g(x) = 1/x$ とします。このとき、$f$ と $g$ の合成写像 $g \circ f$ は、

$$g \circ f \colon x \longmapsto \frac{1}{x^2}$$

になり、$g$ と $f$ の合成写像 $f \circ g$ は、

$$f \circ g \colon x \longmapsto \left(\frac{1}{x}\right)^2$$

になります。任意の $x \in \mathbb{R}^+$ に対して

$$\frac{1}{x^2} = \left(\frac{1}{x}\right)^2$$

ですから、例 2-15 では $g \circ f = f \circ g$ であることがわかります。

## 2.12 逆写像

次の図のような写像 $f \colon X \longrightarrow Y$ と、$f$ の矢印を逆向きにした写像 $g \colon Y \longrightarrow X$ を考えます。

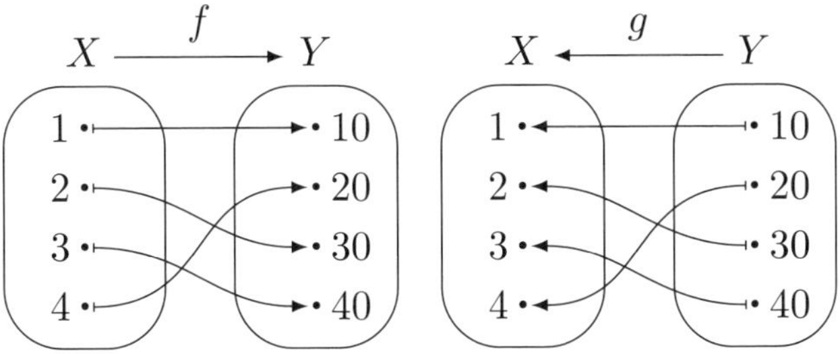


この二つの写像 $f$ と $g$ を合成すると、矢印をたどって二つの集合を往復することになりますから、

- 合成写像 $g \circ f$ は $X$ から $X$ への恒等写像 $\mathrm{id}_X : X \longrightarrow X$
- 合成写像 $f \circ g$ は $Y$ から $Y$ への恒等写像 $\mathrm{id}_Y : Y \longrightarrow Y$

になっていることがわかります。

このような写像 $g$ のことを写像 $f$ の逆写像《ぎゃくしゃぞう》といいます。

逆写像を定義しましょう。

**定義**（逆写像）

写像 $f \colon X \longrightarrow Y$ に対して、

$$g \circ f = \mathrm{id}_X \text{ かつ } f \circ g = \mathrm{id}_Y$$

を満たす写像 $g \colon Y \longrightarrow X$ を「写像 $f$ の**逆写像**《ぎゃくしゃぞう》」といい、

$$f^{-1}$$

と表記します。

どんな写像 $f$ に対しても逆写像が存在するとは限りません。逆写像が存在するのは $f$ が全単射のときだけです。$f$ が全単射なら $f$ の逆写像は存在しますし、また逆に、$f$ の逆写像が存在するなら $f$ は全単射です。すなわち、

$$f \text{ は全単射である} \iff f \text{ には逆写像が存在する}$$

です。さらに、写像 $f$ の逆写像は存在するならたった一つです。

ちょっと一言

$f$ の逆写像を $f^{-1}$ のように $f$ を使って表記できるのは、写像 $f$ の逆写像は存在するならたった一つだからといえます。

「逆写像」は相対的な概念であり、必ず「写像 $f$ の逆写像」のような形で使われます。単独で「逆写像」という写像が存在するわけではありません。それは逆写像の定義からも明らかです。

逆写像のように相対的な概念は数学のあちこちに登場します。たとえば「元」がそうです。元は、それが属している集合があって初めて意味を持ちます。また「部分集合」や「冪集合」もそうです。部分集合や冪集合という集合が単独で存在するわけではありません。

**例 2-16** (指数関数 exp と対数関数 log)

実数全体の集合を $\mathbb{R}$ とし、正の実数全体の集合を $\mathbb{R}^+$ とすると、指数関数 exp と対数関数 log はどちらも写像であり、

$$\begin{aligned} \exp\colon \mathbb{R} &\longrightarrow \mathbb{R}^+ \\ \log\colon \mathbb{R}^+ &\longrightarrow \mathbb{R} \end{aligned}$$

となります。そして、exp は log の逆写像、log は exp の逆写像になります。なぜなら、

- $x \in \mathbb{R}$ のとき $\log(\exp(x)) = x$ なので、$\log \circ \exp = \mathrm{id}_{\mathbb{R}}$ であり、
- $y \in \mathbb{R}^+$ のとき $\exp(\log(y)) = y$ なので、$\exp \circ \log = \mathrm{id}_{\mathbb{R}^+}$ だからです。

ちょっと一言

例 2-16 で述べている指数関数 $\exp(x)$ は高校で学ぶ $e^x$ のことです。また対数関数 $\log(x)$ は自然対数の底 $e$ を底とします。すなわち、

$$\begin{aligned} \exp(x) &= e^x \\ \log(x) &= \log_e x \end{aligned}$$

です。

> 私たちは「恒等写像」と「逆写像」を学びました。恒等写像は「何もしない」写像で、逆写像は「もとに戻す」写像というイメージがあります（ありませんか？）。ここで本書の「はじめに」を思い出してください。群は「何もしない」と「もとに戻す」を抽象化したものと話しました。いまここで、群がちらっと姿を見せ始めてきました。写像と群の関係について、きちんとした話は次の第 3 章でお話しします。どうぞお楽しみに。

## 2.13　集合の直積

二つの整数 3 と 2 の和 $3+2$ は、整数の 5 に等しくなります。このような整数の和を「二つの整数 3 と 2 をペアにした $(3,2)$ に対して、一つの整数 5 が定まる」と考えるなら、整数の和という演算（計算）を写像と見なすことができそうです。つまり、

$$+\colon (3,2) \longmapsto 5$$

のような写像 $+$ を考えるということです。そのためには、写像 $+$ の定義域となる集合、すなわち整数のペア $(3,2)$ を元に持つ集合を決める必要があります。そのような集合を、$\mathbb{Z}$ と $\mathbb{Z}$ の直積《ちょくせき》といいます。

集合の直積を定義しましょう。

**定義**（集合の直積）
$A, B$ を集合とします。$a \in A$ と $b \in B$ をこの順序でペアにした $(a,b)$ 全体の集合を、集合 $A$ と $B$ の**直積**《ちょくせき》といい、

$$A \times B$$

と表記します。すなわち、

$$A \times B = \{(a,b) \mid a \in A \text{ かつ } b \in B\}$$

です。$A$ と $B$ の直積 $A \times B$ を、$A$ と $B$ の**直積集合**《ちょくせきしゅうごう》ともいいます。

$(a,b)$ と $(b,a)$ とは区別します。このようなペア $(a,b)$ を**順序対**《じゅんじょつい》といいます。

整数全体の集合を $\mathbb{Z}$ として、$\mathbb{Z}$ と $\mathbb{Z}$ の直積 $\mathbb{Z}\times\mathbb{Z}$ は二つの整数 $m,n$ の組 $(m,n)$ 全体の集合になります。たとえば、$(3,2)$ は $\mathbb{Z}\times\mathbb{Z}$ の元であり、$(3,2)\in\mathbb{Z}\times\mathbb{Z}$ です。二つの整数 $a,b$ の和 $a+b$ は整数になりますから、整数の和 $+$ を写像と見なすなら、

$$
\begin{aligned}
+\colon \mathbb{Z}\times\mathbb{Z} &\longrightarrow \mathbb{Z}\\
+\colon (a,b) &\longmapsto a+b
\end{aligned}
$$

といえます。

**例 2-17**（基本的な例）

$A=\{1,2\}$ で $B=\{100,200,300\}$ のとき、$A$ と $B$ の直積は、

$$A\times B=\{(1,100),(1,200),(1,300),(2,100),(2,200),(2,300)\}$$

になります。直積 $A\times B$ が持っている元がどんなものかは、次のような表にして考えるとわかりやすいでしょう。

| | 100 | 200 | 300 |
|---|---|---|---|
| 1 | $(1,100)$ | $(1,200)$ | $(1,300)$ |
| 2 | $(2,100)$ | $(2,200)$ | $(2,300)$ |

直積 $A\times B$ では掛け算を表す記号 $\times$ を使っていますが、集合 $A$ と集合 $B$ を数のように掛け算しているわけではありません。$A\times B$ はあくまで、$a\in A$ と $b\in B$ で作った順序対 $(a,b)$ 全体からなる集合を表しているだけです。

でも、$A\times B$ が掛け算とまったく無関係というわけでもありません。なぜなら、$A$ と $B$ がどちらも有限集合ならば、集合 $A$ が持つ元の個数と集合 $B$ が持つ元の個数の積は、直積集合 $A\times B$ が持つ元の個数に等しいからです。すなわち、

$$|A|\times|B|=|A\times B|$$

が成り立ちます。この式で左辺の $\times$ は数の掛け算を表す記号で、右辺の $\times$ は集合の直積を表す記号です。

> **ちょっと一言**
>
> 集合 $S$ の冪集合 $P(S)$ を $2^S$ と表記するのも上と似ています。$S$ が有限集合なら、$S$ の冪集合が持つ元の個数は、$2^{|S|}$ に等しいからです。すなわち、
>
> $$2^{|S|} = \left|2^S\right|$$
>
> が成り立ちます。この式で左辺の $2^{|S|}$ は「2 の $|S|$ 乗」を意味しており、右辺の $2^S$ は「$S$ の冪集合」を意味しています。また、右辺の $\left|2^S\right|$ は「$S$ の冪集合 $2^S$ が持つ元の個数」（つまり $S$ の部分集合の個数）を意味しています。

**例 2-18**（座標平面）

直積 $\mathbb{R} \times \mathbb{R}$ は二つの実数 $a, b$ の組 $(a, b)$ 全体の集合になります。すると、直積 $\mathbb{R} \times \mathbb{R}$ は座標平面と見なすことができます。座標平面上の一点の $x$ 座標の値を $a$ とし、$y$ 座標の値を $b$ とすると、$(a, b) \in \mathbb{R} \times \mathbb{R}$ と考えることができるからです。

> **ちょっと一言**
>
> 直積 $\mathbb{R} \times \mathbb{R}$ を $\mathbb{R}^2$ と表記することもあります。$\mathbb{R}^2$ は実数全体の集合を数のように 2 乗しているわけではなく、あくまで直積集合 $\mathbb{R}^2 = \mathbb{R} \times \mathbb{R}$ を表していることに注意してください。しかし、数 $a$ に対して $a^2 = a \times a$ と書くことから、$\mathbb{R}^2 = \mathbb{R} \times \mathbb{R}$ を容易に類推できる表記となっています。このように、数学では同じ記号が複数の異なる意味で使われることがありますので注意してください。

**例 2-19**（グラフ）

写像 $f \colon \mathbb{R} \longrightarrow \mathbb{R}$ に対して、集合 $F$ を

$$F = \{(x, y) \in \mathbb{R} \times \mathbb{R} \mid y = f(x)\}$$

とすると、$F$ は等式 $y = f(x)$ を満たす順序対 $(x, y)$ 全体の集合となります。この集合を写像 $f$ の**グラフ**といいます。集合 $F$ は直積 $\mathbb{R} \times \mathbb{R}$ の部分集合となります。すなわち

$$F \subset \mathbb{R} \times \mathbb{R}$$

です。実数全体の集合 $\mathbb{R}$ を座標軸と同一視し、$\mathbb{R}$ と $\mathbb{R}$ の直積 $\mathbb{R} \times \mathbb{R}$ を座標平面と同一視したとき、この集合 $F$ が座標平面上に描く図形は、確かに $y = f(x)$ の

いわゆる「グラフ」です。たとえば、$f(x) = x^2$ のときの集合 $F$ は下図のような放物線を座標平面上に描きます。

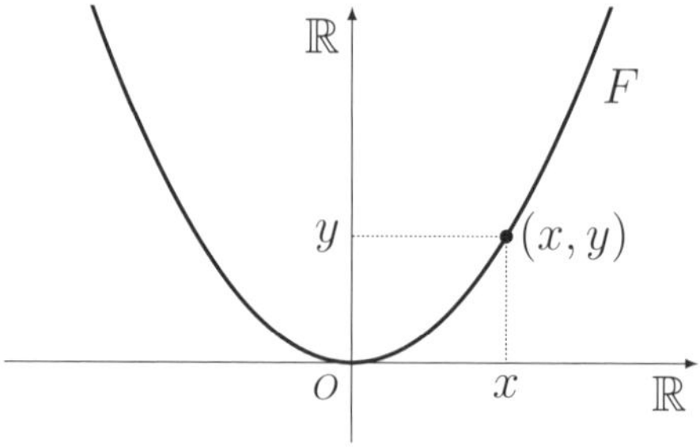


## 2.14 二項演算

前節では、整数の和 $+$ を、

$$\begin{aligned} +\colon \mathbb{Z} \times \mathbb{Z} &\longrightarrow \mathbb{Z} \\ +\colon (a, b) &\longmapsto a + b \end{aligned}$$

という写像と見なしました。$3 + 2 = 5$ ですから、$(3, 2)$ は写像 $+$ によって $5$ に移ります。

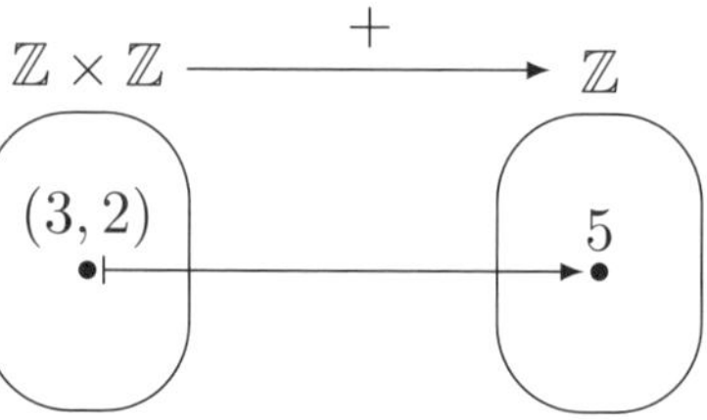


写像という観点では、加算 $+$ と乗算 $\times$ はそっくりです。なぜなら、たとえば整数同士の加算と乗算を考えた場合、

$$\begin{aligned} +\colon \mathbb{Z} \times \mathbb{Z} &\longrightarrow \mathbb{Z} \\ \times\colon \mathbb{Z} \times \mathbb{Z} &\longrightarrow \mathbb{Z} \end{aligned}$$

のように、どちらも $\mathbb{Z} \times \mathbb{Z}$ から $\mathbb{Z}$ への写像といえるからです。

整数同士の加算と乗算、実数同士の加算と乗算など、ある二つの集合の直積からその集合自身への写像はよく使われます。そのような写像を一般に二項演算《にこうえんざん》といいます。

たとえば、整数同士の加算と乗算は $\mathbb{Z}$ 上の二項演算ですし、実数同士の加算と乗算は $\mathbb{R}$ 上の二項演算になります。

> **定義**(二項演算)
> 集合 $A$ の直積 $A \times A$ から $A$ への写像
>
> $$f\colon A \times A \longrightarrow A$$
>
> を $A$ 上の**二項演算《にこうえんざん》**といいます。

加算を表す $+$ や乗算を表す $\times$ のように、二項演算を表す記号を**二項演算子《にこうえんざんし》**といいます。

さて、集合 $A$ の二つの元 $a, b$ から結果 $c$ が得られる計算があるとします。このとき「この計算は $A$ 上の二項演算を定めているだろうか」というのは重要な問いです。この問いに答えるためには、計算の結果である $c$ が、集合 $A$ に属しているかどうかを調べることになるでしょう。

一般に、直積 $A \times A$ を定義域に持つ写像 $f$ によって、任意の元 $(a, b) \in A \times A$ が $A$ の元に移るとき、集合 $A$ は写像 $f$ で**閉じている**といいます。集合 $A$ は写像 $f$ について**閉性《へいせい》**を持つともいいます。写像 $f$ が集合 $A$ 上の二項演算のとき、集合 $A$ は写像 $f$ で閉じていることになります。集合 $A$ が写像 $f$ で閉じているときと、閉じていないときのイメージ図を以下に示します。

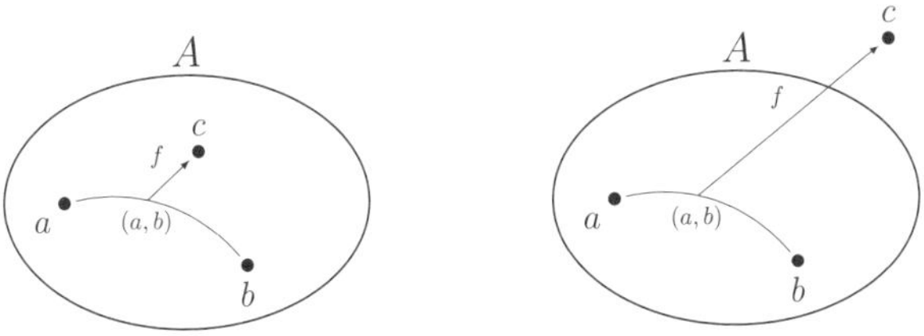


集合 $A$ が写像 $f$ で閉じているか否か

ちょっと一言

二項演算は、$+$ のような記号そのもので決まるわけではありません。あくまで、その記号が表している写像によって決まるのです。

数学では、表記とその表記が表しているものを区別することは非常に大切です。二項演算は、$+$ のような記号そのもので決まるわけではありません。写像は、$f$ や $g$ という名前で決まるわけではなく、定義域と終域が何であるか、そして定義域の元を終域のどの元に移すかで決まります。集合は、$A$ や $B$ という名前で決まるわけではなく、その集合に属している元で決まります。

演算子は省略されることもあります。たとえば $a \times b$ で乗算を表す演算子 $\times$ はしばしば省略され、$ab$ と表記します。これは表記を単純にするためですが、必要があれば、いつでも自分で補うことができるようになっている必要があります。

私たちは $+$ という演算子を整数同士の足し算にも実数同士の足し算にも使います。それは自分がどんな演算をしているかがわかっているからです。でも、二項演算を写像として考える場合には、どんな集合からどんな集合への写像であるかを意識する必要があります。

## 2.15 写像についての対話

「写像の話は、関数を考えながら聞いていたせいか難しくはありませんでした。でも、当たり前のことを小難しく話していると感じました。これは集合の話でも感じたことです」

「集合も写像も、当たり前といえばそうです。小難しく感じるのは、一つ一つの用語や言葉遣いを定義しながら進むからかも知れません」

「定義を聞いただけでは、あまりにも抽象的、一般的で何のことかわからないのが困ります。数の話なら数の話、計算の話なら計算の話とはっきりいってほしいです」

「そうですね。定義からは具体的な意味が読み取りにくいのは当然です。数学では、できるだけ具体的な意味を取り除いて定義することが多いからです。そうすることで、適用範囲をできるだけ広げているのです。これは数の話ですと限定してしまうと、数以外に適用できなくなってしまいますから」

「なるほど、そういうことですか。でも具体的な意味を取り除いたら無意味になりませんか」

「そんなことはありませんよ。むしろ、数学の定義のように抽象的に表した方が、概念の本質的な構造や骨組みがはっきりします。具体例を作るのは、その骨組みに肉付けをするようなものですね。その意味でも、自分の理解を確かめるために具体例を作ってみることが大切になります。**《例示は理解の試金石》**ですから」

「そういえば、写像は関数のことだと思っていたんですが、数列も写像と見なせると知って驚きました。学校で、関数と数列は違う単元で学びましたけれど、同じものだったんですね」

「はい。関数と数列はどちらも写像と見なすことができます。もちろん、それぞれを個別に学ぶのが悪いわけではありませんが、写像という視点に立つと、さまざまな概念を同一視することができてたいへん楽しくなります。まったく違うと思っていたものが、ちょっぴり抽象的な視点に立つだけで同じものに見えてくる。これはたいへん心躍る体験であり、数学を学ぶ喜びの一つになります」

## 2.16 この章で学んだこと

この章では、写像について学びました。

- 写像 $f\colon X \longrightarrow Y$
- 写像 $f$ の始域 $X$ と終域 $Y$
- 写像 $f$ の定義域 $X$ と値域 $\operatorname{Image} f = \{f(x) \mid x \in X\}$
- 写像の相等関係 $f = g$
- 集合 $X$ 上の恒等写像 $\mathrm{id}_X$
- 定値写像
- 単射
- 全射
- 全単射
- $f$ と $g$ の合成写像 $(g \circ f)(x) = g(f(x))$
- 写像 $f\colon X \longrightarrow Y$ の逆写像 $f^{-1}\colon Y \longrightarrow X$
- 集合 $A$ と $B$ の直積 $A \times B$
- 二項演算

第 3 章で私たちはいよいよ群について学びます。

その前に、演習問題に取り組んで写像について復習しましょう。

## 演習問題

**問題 2-1**（単射・全射・全単射）

集合 $X, Y_1, Y_2, Y_3$ と写像 $f_1, f_2, f_3$ を次のように定めます。①〜④に答えてください。

$$X = \{1, 2, 3, 4\}$$

$$Y_1 = \{10, 20, 30, 40, 50\}$$

$$Y_2 = \{10, 20, 30\}$$

$$Y_3 = \{10, 20, 30, 40\}$$

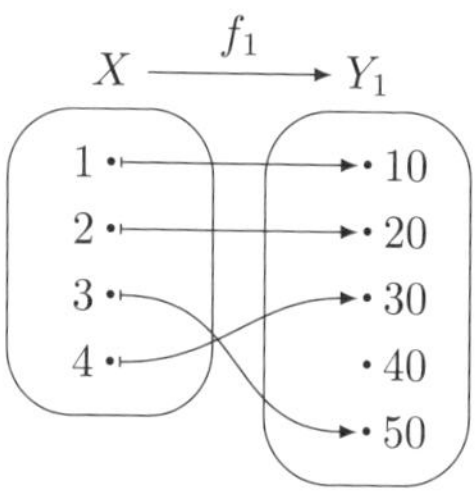


$f_1 \colon X \longrightarrow Y_1$

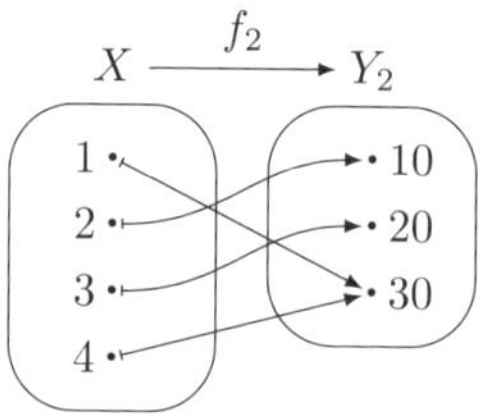


$f_2 \colon X \longrightarrow Y_2$

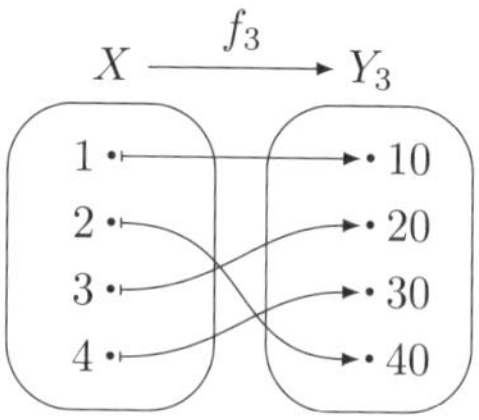


$f_3 \colon X \longrightarrow Y_3$

① 写像 $f_1$ の値域 Image $f_1$ を求めてください。

② $f_1, f_2, f_3$ のうち単射をすべて選んでください。

③ $f_1, f_2, f_3$ のうち全射をすべて選んでください。

④ $f_1, f_2, f_3$ のうち全単射をすべて選んでください。

**問題 2-2**（恒等写像と全単射）

次の①と②の主張は正しいか否かを答え、それを証明してください。

① 写像 $f \colon X \longrightarrow X$ が恒等写像ならば、$f$ は全単射である。

② 写像 $g \colon Y \longrightarrow Y$ が全単射ならば、$g$ は恒等写像である。

**問題 2-3**（写像の合成に関する結合律）

三つの写像 $f\colon A \longrightarrow B$, $g\colon B \longrightarrow C$, $h\colon C \longrightarrow D$ に対して、

$$(h \circ g) \circ f = h \circ (g \circ f)$$

が成り立つことを証明してください。

**問題 2-4**（合成写像）

$X = \{1,2,3\}$ とします。また、$X$ から $X$ への全単射全体の集合を $S$ とします。すなわち、

$$S = \left\{ f \;\middle|\; \text{写像 } f\colon X \longrightarrow X \text{ は全単射} \right\}$$

です。①〜③に答えてください。

① $X$ 上の恒等写像 $\mathrm{id}_X$ は集合 $S$ の元ですか。

② $|S|$（集合 $S$ が持つ元の個数）を求めてください。

③ 集合 $S$ は写像の合成 $\circ$ で閉じていますか。

## 演習問題の解答

### 解答 2-1（単射・全射・全単射）

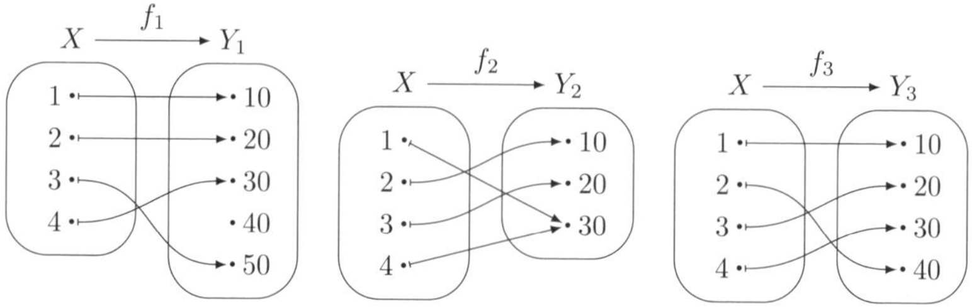


$f_1\colon X \longrightarrow Y_1$　　$f_2\colon X \longrightarrow Y_2$　　$f_3\colon X \longrightarrow Y_3$

① 写像 $f_1$ の終域 $Y_1 = \{10, 20, 30, 40, 50\}$ に属している元のうち、$f_1$ によって移ってくる $X$ の元が存在しないものは 40 だけです。したがって、$f_1$ の終域 $Y_1$ から 40 という元を除いて得られる集合が、$f_1$ の値域 $\mathrm{Image}\, f_1$ になります。

**答** $\mathrm{Image}\, f_1 = \{10, 20, 30, 50\}$

② 「$X$ の任意の元 $x$ と $x'$ について、$x \neq x'$ ならば $x$ と $x'$ をそれぞれ異なる元に移す写像」が単射なので、そのような写像を見つけます。図でいうなら、矢印の先が一つもぶつかっていない写像が単射です。

$f_1, f_2, f_3$ のうち、$f_2$ だけが単射ではありません。なぜなら、$1 \neq 4$ ですが、$f_2(1) = f_2(4)$ になっているからです。

**答** $f_1$ と $f_3$

③ 「終域の任意の元 $y$ について、$y$ に移ってくる $X$ の元が存在する写像」が全射なので、そのような写像を見つけます。図でいうなら、終域のどの元にも先が向いている矢印がある写像が全射です。

$f_1, f_2, f_3$ のうち、$f_1$ だけが全射ではありません。なぜなら、$f_1(x) = 40 \in Y_1$ を満たす $x \in X$ は存在しないからです。

**答** $f_2$ と $f_3$

④ $f_1, f_2, f_3$ のうち、単射かつ全射であるものは、②と③の結果から $f_3$ のみです。

**答** $f_3$

**解答 2-2**（恒等写像と全単射）

① 主張「写像 $f\colon X \longrightarrow X$ が恒等写像ならば、$f$ は全単射である」は正しい。

**証明**

写像 $f\colon X \longrightarrow X$ は恒等写像であると仮定します。

ⓐ（全射であることの証明）写像 $f\colon X \longrightarrow X$ は恒等写像なので、終域 $X$ の任意の元 $x$ に対して、定義域 $X$ の元である $x$ が $f$ によって移されてきます。したがって、$f$ は全射です。

ⓑ（単射であることの証明）$x$ と $x'$ がどちらも集合 $X$ の元ならば、写像 $f\colon X \longrightarrow X$ が恒等写像であることから、$f(x) = x$ および $f(x') = x'$ です。したがって、$x \neq x'$ ならば $f(x) \neq f(x')$ なので、$f$ は単射です。

ⓐとⓑより、$f$ は全射であり単射なので全単射です。

**（証明終わり）**

② 主張「写像 $g\colon Y \longrightarrow Y$ が全単射ならば、$g$ は恒等写像である」は正しくない。

**証明**

$Y = \{1, 2\}$ とし、写像 $g\colon Y \longrightarrow Y$ を、

$$g\colon 1 \longmapsto 2$$

$$g\colon 2 \longmapsto 1$$

と定義したとき、$g$ は全単射ですが、恒等写像ではありません。

**（証明終わり）**

**ちょっと一言**

②の証明では、主張「写像 $g\colon Y \longrightarrow Y$ が全単射ならば、$g$ は恒等写像である」に反する例を挙げることで、主張の否定を証明しています。このような例を**反例**《はんれい》といいます。反例を挙げることは、証明の方法の一つです。

②の証明で定義した全単射は、1 と 2 という二つの元を置き換えています。これは、第 6 章で学ぶ置換《ちかん》と呼ばれる写像の一種です。

## 解答 2-3（写像の合成に関する結合律）

ちょっと一言

二つの写像 $(h \circ g) \circ f$ と $h \circ (g \circ f)$ がどちらも、

- 定義域が $A$ であること
- 終域が $D$ であること
- $A$ の任意の元 $a$ を、$D$ の元 $h(g(f(a)))$ に移すこと

を示します。

**証明**

二つの写像 $g$ と $h$ の合成写像は、$g\colon B \longrightarrow C$ と $h\colon C \longrightarrow D$ より、

$$h \circ g\colon B \longrightarrow D$$

です。さらに $f$ と $h \circ g$ の合成写像は、$f\colon A \longrightarrow B$ と $h \circ g\colon B \longrightarrow D$ より、

$$(h \circ g) \circ f\colon A \longrightarrow D$$

です。

一方、二つの写像 $f$ と $g$ の合成写像は、$f\colon A \longrightarrow B$ と $g\colon B \longrightarrow C$ より、

$$g \circ f\colon A \longrightarrow C$$

です。さらに $g \circ f$ と $h$ の合成写像は、$g \circ f\colon A \longrightarrow C$ と $h\colon C \longrightarrow D$ より、

$$h \circ (g \circ f)\colon A \longrightarrow D$$

です。

よって、二つの写像 $(h \circ g) \circ f$ と $h \circ (g \circ f)$ の定義域はどちらも $A$ で、終域はどちらも $D$ です。

$a$ を集合 $A$ の元として、二つの写像 $(h \circ g) \circ f\colon A \longrightarrow D$ と、$h \circ (g \circ f)\colon A \longrightarrow D$ が、$a$ をそれぞれ何に移すかを調べます。

$$\begin{aligned}
((h \circ g) \circ f)(a) &= (h \circ g)(f(a)) && f \text{ と } h \circ g \text{ を合成した} \\
&= h(g(f(a))) && g \text{ と } h \text{ を合成した} \\
(h \circ (g \circ f))(a) &= h((g \circ f)(a)) && g \circ f \text{ と } h \text{ を合成した}
\end{aligned}$$

$$= h(g(f(a))) \qquad\qquad f \text{ と } g \text{ を合成した}$$

したがって、二つの写像 $(h \circ g) \circ f$ と $h \circ (g \circ f)$ はどちらも集合 $A$ の任意の元 $a$ を、集合 $D$ の元 $h(g(f(a)))$ に移すので、

$$(h \circ g) \circ f = h \circ (g \circ f)$$

が成り立ちます。 **(証明終わり)**

**ちょっと一言**

カッコが入り乱れて読みにくいですが、この証明ではカッコが三つの意味で使われていることに注意してください。$(g \circ f)(a)$ の最初の二つのカッコのように写像をまとめるためのカッコ ①と、$(h \circ g) \circ f$ のように写像の合成の順序を明示するためのカッコ ②と、$f(a)$ のように写像 $f$ が $a$ を何に移すかを表すときに使うカッコ ③です。

( ( $h \circ g$ ) $\circ f$ ) ( $a$ ) = ( $h \circ g$ ) ( $f$ ( $a$ ) )
①② ② ①③ ③ ① ①③ ③ ③③

### 解答 2-4 (合成写像)

① $X = \{1, 2, 3\}$ 上の恒等写像 $\mathrm{id}_X$ は、

$$\mathrm{id}_X(1) = 1,\ \mathrm{id}_X(2) = 2,\ \mathrm{id}_X(3) = 3$$

なので $X$ から $X$ への全単射です。したがって、$\mathrm{id}_X$ は集合 $S$ の元です。

② $f \in S$ とすると、

- $f(1)$ は $1, 2, 3$ のいずれか 3 通りで、
- $f(2)$ は $1, 2, 3$ のうち $f(1)$ 以外の 2 通りで、
- $f(3)$ は $1, 2, 3$ のうち $f(1)$ と $f(2)$ 以外の 1 通り

の場合があります。したがって、$f \in S$ は $3 \times 2 \times 1 = 6$ 通りの場合があります。よって、$|S| = 6$ です。

**ちょっと一言**

$|S|$ は $X$ の元 $1, 2, 3$ を並べる順列の個数に等しくなります。

③ 集合 $S$ は写像の合成 $\circ$ で閉じています。

**ちょっと一言**

③は、「$X$ から $X$ への全単射を二つ合成した写像もまた、$X$ から $X$ への全単射ですか」と尋ねています。$X$ から $X$ への全単射は、$1, 2, 3$ の並べ替えを行う写像ですから、合成写像も明らかに $X$ から $X$ への全単射です。なぜなら、並べ替えを続けて行うという操作もまた並べ替えだからです。でもせっかくなので、ちゃんと全単射の定義を用いて証明することにしましょう。

**証明**

$f$ と $g$ はどちらも $X$ から $X$ への全単射とします。合成写像 $g \circ f$ が $X$ から $X$ への全射であり単射であることを証明します。

①（$g \circ f$ が $X$ から $X$ への全射であることの証明）$x$ を $X$ の元とします。$g$ は全射なので $x = g(x')$ を満たす $x' \in X$ が存在します。$f$ は全射なので $x' = f(x'')$ を満たす $x'' \in X$ が存在します。したがって、$x$ に対して、$x = g(f(x'')) = (g \circ f)(x'')$ を満たす $x'' \in X$ が存在します。よって、$g \circ f$ は $X$ から $X$ への全射です。

②（$g \circ f$ が $X$ から $X$ への単射であることの証明）$x$ と $x'$ を $X$ の元とします。$f$ は単射なので、$x \neq x'$ ならば $f(x) \neq f(x')$ です。$g$ は単射なので、$f(x) \neq f(x')$ ならば $g(f(x)) \neq g(f(x'))$ です。したがって、$x \neq x'$ ならば $(g \circ f)(x) \neq (g \circ f)(x')$ です。よって、$g \circ f$ は $X$ から $X$ への単射です。

①と②より、$g \circ f$ は $X$ から $X$ への全単射であり、$f \in S$ かつ $g \in S$ ならば、$g \circ f \in S$ であることが示されました。したがって、集合 $S$ は写像の合成 $\circ$ で閉じています。

（証明終わり）

# 第3章 群

## 3.1 この章で学ぶこと

この章では、いよいよ群《ぐん》について学びます。まず、座席に着いた 3 人が行う「席替え」について、集合と写像の復習も交えながらじっくり考察します。この「席替え」は群の例になっています。続いて群の定義を学びます。これは群を学ぶ本書の中で最も大切な箇所の一つですから、丁寧に読んでいきましょう。その後は、さまざまな例を通して群の理解を深めていきます。

## 3.2 席替えと表記

1,2,3 と座席番号が付いた 3 つの座席があり、3 人がそれぞれ座っています。これから 3 人は「席替え」を行います。

席替えは、たとえば、

- 座席 1 の人は、座席 2 に移る。
- 座席 2 の人は、座席 1 に移る。
- 座席 3 の人は、座席 3 に移る（つまり、そのまま動かない）。

のような指示で与えられます。でも、これでは長すぎるので、席替えを次のように表記しましょう。

$$\begin{pmatrix}1&2&3\\2&1&3\end{pmatrix}$$

つまりこれは、

$$\begin{pmatrix}1&2&3\\\downarrow&\downarrow&\downarrow\\2&1&3\end{pmatrix}$$

のように、上に並んだ $1, 2, 3$ という番号の座席に座っていた人が、下に並んだ $2, 1, 3$ という番号の座席にそれぞれ移動する席替えのイメージです。

別の席替えとして、たとえばこんな例を考えてみます。

- 座席 1 の人は、座席 2 に移る。
- 座席 2 の人は、座席 3 に移る。
- 座席 3 の人は、座席 1 に移る。

この席替えは、

$$\begin{pmatrix}1&2&3\\2&3&1\end{pmatrix}$$

と表記します。座っていた 3 人がぐるっと席替えする様子が想像できますか。

> **ちょっと一言**
>
> ここで出てきた数字は、すべて座席の番号であり、人の番号ではないことに注意してください。

## 3.3 席替えは写像

さて、一つの席替えを一つの**写像**と見なしましょう。座席番号全体の集合を

$$X = \{1, 2, 3\}$$

とします。すると一つの席替えは、集合 $X$ から集合 $X$ への全単射であるといえますね。

**ちょっと一言**

さあ、ここが自分の理解を確かめる重要なポイントです。あなたは、上の段落を読んで「確かにそうだ」と思えますか。もしも集合、写像や全単射といった用語に引っかかりを感じるなら、読むスピードを落として、じっくりと進みましょう。

たとえば、$\binom{1\,2\,3}{2\,1\,3}$ で表される席替えは、次のような写像になります。

$\binom{1\,2\,3}{2\,1\,3} : X \longrightarrow X$　　$\binom{1\,2\,3}{2\,1\,3}$ は、$X$ から $X$ への写像である。
$\binom{1\,2\,3}{2\,1\,3} :\ 1 \longmapsto 2$　　$\binom{1\,2\,3}{2\,1\,3}$ で、座席 1 の人は、座席 2 に移る。
$\binom{1\,2\,3}{2\,1\,3} :\ 2 \longmapsto 1$　　$\binom{1\,2\,3}{2\,1\,3}$ で、座席 2 の人は、座席 1 に移る。
$\binom{1\,2\,3}{2\,1\,3} :\ 3 \longmapsto 3$　　$\binom{1\,2\,3}{2\,1\,3}$ で、座席 3 の人は、座席 3 に移る。

復習として、席替え $\binom{1\,2\,3}{2\,1\,3}$ が $X$ から $X$ への全単射であることを確かめます。

- **なぜ**、席替え $\binom{1\,2\,3}{2\,1\,3}$ が $X$ から $X$ への全単射だといえるのですか。
  **なぜなら**、この席替え $\binom{1\,2\,3}{2\,1\,3}$ は $X$ から $X$ への写像であり、しかも全射であり、単射でもあるからです。
- **なぜ**、席替え $\binom{1\,2\,3}{2\,1\,3}$ が $X$ から $X$ への写像だといえるのですか。
  **なぜなら**、集合 $X$ に属している元 $1, 2, 3$ のどれに対しても、$\binom{1\,2\,3}{2\,1\,3}$ によって集合 $X$ の元がそれぞれ一つずつ対応しているからです。
- **なぜ**、写像 $\binom{1\,2\,3}{2\,1\,3}$ が全射だといえるのですか。
  **なぜなら**、終域 $X$ に属している元 $1, 2, 3$ のどれに対しても、$\binom{1\,2\,3}{2\,1\,3}$ によって移されてくる定義域 $X$ の元が必ず存在するからです。
- **なぜ**、写像 $\binom{1\,2\,3}{2\,1\,3}$ が単射だといえるのですか。
  **なぜなら**、定義域 $X$ に属している異なる二つの元は、$\binom{1\,2\,3}{2\,1\,3}$ によって終域 $X$ の異なる元に移されるからです。

**ちょっと一言**

数学の本を読むときには、このように確かめながら進みましょう。「**なぜ**、……といえるのですか」「**なぜなら**、……だからです」のような自問自答を行うのです。確認は面倒ですけれど、定義も記憶に残りますし、自分の理解にあいまいなところがないか調べられます。数学の本では、このような確認作業はたいてい読者に一任されますが、本書では、集合と写像の復習のため確認しました。

席替えを写像として考えるとき、写像で学んだ概念が席替えでは何に相当するかを考えるのは楽しいものです。

たとえば、席替えの写像 $\binom{1\,2\,3}{2\,1\,3}$ が**全射**であることは、この席替えを行った後、空いている座席が生じる事態が起きないということに相当します。

また、席替えの写像 $\binom{1\,2\,3}{2\,1\,3}$ が**単射**であることは、この席替えを行った後、異なる二人の人が同じ座席に移される事態が起きないということに相当します。

それでは、席替えにおける**恒等写像**は何になるでしょうか。$n = 1, 2, 3$ としたとき「座席 $n$ の人は、座席 $n$ に移る（つまり、どの座席の人も動かない）」のですから、恒等写像は

$$\begin{pmatrix}1\,2\,3\\1\,2\,3\end{pmatrix}$$

です。

また、席替えの写像 $\binom{1\,2\,3}{2\,1\,3}$ の**逆写像**は何でしょうか。写像 $\binom{1\,2\,3}{2\,1\,3}$ は、座席 1 の人と座席 2 の人を交換する席替えですから、それを二回続けて行ったら誰も動かないことと同じですね。ですから、$\binom{1\,2\,3}{2\,1\,3}$ の逆写像は $\binom{1\,2\,3}{2\,1\,3}$ 自身になります。

くどい説明になりますが、いまの逆写像の話をしっかり確かめてみましょう。この写像に $a$ という名前を付けて、

$$a = \begin{pmatrix}1\,2\,3\\2\,1\,3\end{pmatrix}$$

とすると、席替えの写像 $a$ は、

$a\colon 1 \longmapsto 2$　座席 1 の人は、座席 2 に移る。
$a\colon 2 \longmapsto 1$　座席 2 の人は、座席 1 に移る。
$a\colon 3 \longmapsto 3$　座席 3 の人は、座席 3 に移る（つまり動かない）。

になります。$a$ の逆写像 $a^{-1}$ は、矢印を逆にたどって、

$a^{-1}\colon 2 \longmapsto 1$　座席 2 の人は、座席 1 に移る。
$a^{-1}\colon 1 \longmapsto 2$　座席 1 の人は、座席 2 に移る。
$a^{-1}\colon 3 \longmapsto 3$　座席 3 の人は、座席 3 に移る（つまり動かない）。

ですから、

$$a^{-1} = \begin{pmatrix} 2 & 1 & 3 \\ 1 & 2 & 3 \end{pmatrix}$$

となります。これは $a$ の表記の一行目と二行目を逆にしたものに相当します。

でも、ちょっと待ってください。

$$a = \begin{pmatrix} 1 & 2 & 3 \\ 2 & 1 & 3 \end{pmatrix} \quad と \quad a^{-1} = \begin{pmatrix} 2 & 1 & 3 \\ 1 & 2 & 3 \end{pmatrix}$$

を写像の目でよく見ると、表記こそ違いますが、$a$ と $a^{-1}$ の二つは写像として等しいことがわかります。なぜなら、$a$ と $a^{-1}$ が $X$ の元 $1, 2, 3$ をそれぞれどの元に移すかを調べてみると、

$$a(1) = 2 = a^{-1}(1)$$

$$a(2) = 1 = a^{-1}(2)$$

$$a(3) = 3 = a^{-1}(3)$$

となり、$X$ の任意の元 $n$ について $a(n) = a^{-1}(n)$ になっています。つまり、

$$\begin{pmatrix} 1 & 2 & 3 \\ 2 & 1 & 3 \end{pmatrix} = \begin{pmatrix} 2 & 1 & 3 \\ 1 & 2 & 3 \end{pmatrix} = \begin{pmatrix} 1 & 2 & 3 \\ 2 & 1 & 3 \end{pmatrix}^{-1}$$

であり、

$$a = a^{-1}$$

ということです。これで確かに、$\left(\begin{smallmatrix} 1 & 2 & 3 \\ 2 & 1 & 3 \end{smallmatrix}\right)$ の逆写像が $\left(\begin{smallmatrix} 1 & 2 & 3 \\ 2 & 1 & 3 \end{smallmatrix}\right)$ 自身になることがわかりました。

**ちょっと一言**

上では写像として等しいことを確かめるために、定義に戻って確認しました。「写像として等しい」とはどういう定義だったか覚えていますか。二つの写像が等しいことの定義は写像の相等関係（p. 36）にあります。またその箇所は、巻末の索引にある「等しい（写像）」という項目からもわかります。

練習として、3 人がぐるっと回る席替え

$$r = \begin{pmatrix} 1\,2\,3 \\ 2\,3\,1 \end{pmatrix}$$

の逆写像 $r^{-1}$ を考えてみてください。ちなみに、$r$ は “rotate”（回転する）の頭文字から付けた名前です。写像 $r$ の逆写像 $r^{-1}$ は、

$$r^{-1} = \begin{pmatrix} 2\,3\,1 \\ 1\,2\,3 \end{pmatrix}$$

となります。あるいは同じことですが、

$$r^{-1} = \begin{pmatrix} 1\,2\,3 \\ 3\,1\,2 \end{pmatrix}$$

となります。つまり $r$ は $r^{-1}$ と等しくないことがわかります。

> **ちょっと一言**
>
> 私たちはいま席替えを写像と見なしてあれこれ考えています。これは、席替えを例にして、現実世界の対象を数学的に表す練習をしているといえるでしょう。席替えの何が写像の何に対応しているか、その対応関係を丁寧に考察することは極めて大切です。これができると、現実世界の対象を数学的に考察したり、数学的に得られた結論を現実世界の対象に当てはめる手がかりになるからです。

## 3.4 席替え全体の集合

ここまでで、席替えを写像と見なすことには慣れたと思います。ここからいよいよおもしろくなってきます。

席替え全体の集合 $S_3$ は次のような 6 個の元を持つ集合になります。

$$S_3 = \left\{ \begin{pmatrix} 1\,2\,3 \\ 1\,2\,3 \end{pmatrix}, \begin{pmatrix} 1\,2\,3 \\ 2\,1\,3 \end{pmatrix}, \begin{pmatrix} 1\,2\,3 \\ 1\,3\,2 \end{pmatrix}, \begin{pmatrix} 1\,2\,3 \\ 3\,2\,1 \end{pmatrix}, \begin{pmatrix} 1\,2\,3 \\ 2\,3\,1 \end{pmatrix}, \begin{pmatrix} 1\,2\,3 \\ 3\,1\,2 \end{pmatrix} \right\}$$

$S_3$ に属している元の一つ一つに名前を付けておきましょう。

- $e = \begin{pmatrix} 1\,2\,3 \\ 1\,2\,3 \end{pmatrix}$　全員が同じ座席のまま動かない席替え。
- $a = \begin{pmatrix} 1\,2\,3 \\ 2\,1\,3 \end{pmatrix}$　座席 1 と 2 の二人が座席を交換する席替え。

- $b = \begin{pmatrix} 1\,2\,3 \\ 1\,3\,2 \end{pmatrix}$ 座席 2 と 3 の二人が座席を交換する席替え。
- $c = \begin{pmatrix} 1\,2\,3 \\ 3\,2\,1 \end{pmatrix}$ 座席 3 と 1 の二人が座席を交換する席替え。
- $r = \begin{pmatrix} 1\,2\,3 \\ 2\,3\,1 \end{pmatrix}$ 全員がぐるっと座席を入れ替わる席替え。
- $s = \begin{pmatrix} 1\,2\,3 \\ 3\,1\,2 \end{pmatrix}$ 全員がぐるっと座席を入れ替わる席替え（$r$ の逆回り）。

## 3.5 合成写像 $r \circ a$

2 回の席替えを続けて行うことは、結果として 1 回の席替えになります。これは、2 個の写像を合成した**合成写像**を求めることに他なりません。

たとえば、席替え $a$ を行ってから、席替え $r$ を行うことを考えます。これは、二つの写像 $a$ と $r$ の合成写像

$$r \circ a$$

に相当します。この表記で $a$ と $r$ の順序に注意してください。写像 $a$ と $r$ の合成写像は $r \circ a$ です。$a \circ r$ ではありません。

$a$ と $r$ の合成写像

$$r \circ a = \begin{pmatrix} 1\,2\,3 \\ 2\,3\,1 \end{pmatrix} \circ \begin{pmatrix} 1\,2\,3 \\ 2\,1\,3 \end{pmatrix}$$

がどんな写像になるかを具体的に確かめましょう。

> **ちょっと一言**
>
> 以下では、合成写像 $r \circ a$ がどんな写像になるかを、$1, 2, 3$ がそれぞれ何に移るか調べることで確かめています。でも、本書をここまで読んできたあなたなら、$r \circ a$ がどんな写像なのか、自分で確かめることができるはずです。ここで先を読むのをいったん止めて、考えてみましょう。

2 つの写像 $a$ と $r$ は、$1, 2, 3$ をそれぞれ次のように移します。

$$1 \xmapsto{a} 2 \xmapsto{r} 3 \qquad a(1) = 2 \text{ で、} r(2) = 3 \text{ なので、} r(a(1)) = 3$$

$$2 \xmapsto{a} 1 \xmapsto{r} 2 \qquad a(2) = 1 \text{ で、} r(1) = 2 \text{ なので、} r(a(2)) = 2$$

$$3 \xmapsto{a} 3 \xmapsto{r} 1 \qquad a(3) = 3 \text{ で、} r(3) = 1 \text{ なので、} r(a(3)) = 1$$

ですから、$a$ と $r$ の合成写像 $r \circ a$ は、

$$1 \xmapsto{r \circ a} 3$$

$$2 \xmapsto{r \circ a} 2$$

$$3 \xmapsto{r \circ a} 1$$

になり、

$$r \circ a = \begin{pmatrix} 1\,2\,3 \\ 3\,2\,1 \end{pmatrix}$$

と表すことができます。すなわち、

$$r \circ a = c$$

が成り立つことがわかりました！

なお、上では特に説明せず使いましたが

$$1 \xmapsto{a} 2$$

は「写像 $a$ による 1 の像が 2 であること」を表しています。

> **ちょっと一言**
>
> 上で述べている合成写像 $r \circ a$ が何になるかを確かめる作業はサボらずに行ってください。ここは急いではいけないところです。いったん一つ一つ確かめておくと、本書を読み進めるのがたいへん楽になります。

慣れてくると、

$$r \circ a = \begin{pmatrix} 1\,2\,3 \\ 2\,3\,1 \end{pmatrix} \circ \begin{pmatrix} 1\,2\,3 \\ 2\,1\,3 \end{pmatrix} = \begin{pmatrix} 1\,2\,3 \\ 3\,2\,1 \end{pmatrix} = c$$

の計算は、次のように視線を動かしてできます。

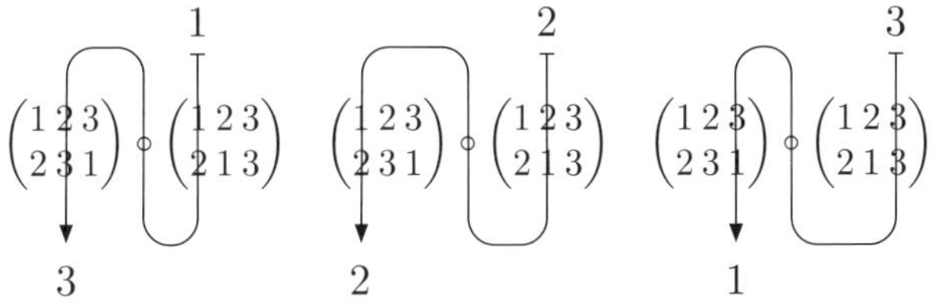


## 3.6　合成写像 $a \circ r$

別の例として、今度は $r$ と $a$ の合成写像

$$a \circ r = \begin{pmatrix} 1\,2\,3 \\ 2\,1\,3 \end{pmatrix} \circ \begin{pmatrix} 1\,2\,3 \\ 2\,3\,1 \end{pmatrix}$$

を求めます。2 つの写像 $r$ と $a$ は、$1, 2, 3$ をそれぞれ次のように移します。

$1 \xmapsto{\;r\;} 2 \xmapsto{\;a\;} 1$　　$r(1) = 2$ で、$a(2) = 1$ なので、$a(r(1)) = 1$

$2 \xmapsto{\;r\;} 3 \xmapsto{\;a\;} 3$　　$r(2) = 3$ で、$a(3) = 3$ なので、$a(r(2)) = 3$

$3 \xmapsto{\;r\;} 1 \xmapsto{\;a\;} 2$　　$r(3) = 1$ で、$a(1) = 2$ なので、$a(r(3)) = 2$

ですから、$r$ と $a$ の合成写像 $a \circ r$ は、

$$1 \xmapsto{\;a \circ r\;} 1$$

$$2 \xmapsto{\;a \circ r\;} 3$$

$$3 \xmapsto{\;a \circ r\;} 2$$

になり、

$$a \circ r = \begin{pmatrix} 1\,2\,3 \\ 1\,3\,2 \end{pmatrix}$$

と表すことができます。すなわち、

$$a \circ r = b$$

が成り立つことがわかりました。

ここまでで、$r \circ a = c$ で $a \circ r = b$ なので、

$$r \circ a \neq a \circ r$$

であることがわかりましたね。

## 3.7 合成の演算表

ここまでの成果をまとめましょう。私たちは 3 個の座席の「席替え」を写像と見なして考察を進めてきました。席替えを写像と見なすと、二つの席替えを続けて行うことは二つの写像の合成に相当します。そして二つの席替えを続けて行うことが一つの席替えと見なせるので、これは席替えの演算を行っていることになります。

席替え全体の集合 $S_3$ には 6 個の元があるので、全部で 36 個の合成写像が作れることがわかります。

$$\circ\colon S_3 \times S_3 \to S_3$$

という二項演算の演算表は次のようになります（$r \circ a = c$ と $a \circ r = b$ のところに色を付けてみました）。

| $\circ$ | $e$ | $a$ | $b$ | $c$ | $r$ | $s$ |
|---|---|---|---|---|---|---|
| $e$ | $e$ | $a$ | $b$ | $c$ | $r$ | $s$ |
| $a$ | $a$ | $e$ | $r$ | $s$ | $b$ | $c$ |
| $b$ | $b$ | $s$ | $e$ | $r$ | $c$ | $a$ |
| $c$ | $c$ | $r$ | $s$ | $e$ | $a$ | $b$ |
| $r$ | $r$ | $c$ | $a$ | $b$ | $s$ | $e$ |
| $s$ | $s$ | $b$ | $c$ | $a$ | $e$ | $r$ |

ここまでで私たちは、

- 二つの席替えから一つの席替えを作る
- 誰も動かない席替え
- 逆の席替え

ということを写像で表してきました。これらの特徴を抽象化することで、群が定義されます。

## 3.8 群の定義

**ちょっと一言**

いよいよ群の定義を示します。でも、たとえこの定義がすぐに理解できないからといって、読むのをここでやめないでください。最初から完璧に理解しなくてもいいのです。詳しい解説は次節で行いますので、理解できない部分があっても、まずは「言葉に慣れる」くらいの気持ちで読み進めてみましょう。

**定義**（群）

集合 $G$ と、$G$ 上の二項演算 $*$ が(G1), (G2), (G3)をすべて満たすとき、組 $(G, *)$ を**群**《ぐん》といいます。群 $(G, *)$ における $G$ を**台集合**《だいしゅうごう》、$*$ を**群演算**《ぐんえんざん》といいます。

(G1) $G$ の任意の元 $x, y, z$ に対して、

$$x * (y * z) = (x * y) * z$$

が成り立つ。これを**結合律**《けつごうりつ》という。

(G2) $G$ に元 $e$ が存在し、$G$ の任意の元 $x$ に対して

$$x * e = x \quad \text{かつ} \quad e * x = x$$

が成り立つ。この $e$ を**単位元**《たんいげん》という。

(G3) $G$ の任意の元 $x$ に対して、$G$ の元 $y$ が存在し、

$$x * y = e \quad \text{かつ} \quad y * x = e$$

が成り立つ（$e$ は(G2)の単位元）。この $y$ を $x$ の**逆元**《ぎゃくげん》という。

上に示したのが群の定義です。

まず群は、「集合」と「その集合上の二項演算」の組に対して定義されていることに注目してください。ですから、集合だけを持ってきて「この集合は群です」とはいえません。

また、集合 $G$ と二項演算 $*$ の組 $(G, *)$ は、(G1), (G2), (G3) をすべて満たせば群と呼ぶことができます。この(G1), (G2), (G3) を**群の公理**《こうり》といいます。群は、

群の公理によって定義されているという点を十分に理解してください。

> **ちょっと一言**
>
> 群は抽象的でわからないと感じ「結局、群とは何なのか」と疑問に思う人はたくさんいます。「群とは何か」という問いに対しては、ここに書いてある定義が答えとなります。どんな姿をしていようとも、群の公理を満たしているならば、それは群なのです。

群 $(G,*)$ の台集合 $G$ に属している元のことを、簡潔に「群 $G$ の元」といいます。また、群 $G$ の元の個数 $|G|$ を、「群 $G$ の**位数**《いすう》」といいます。位数が有限の群を有限群、それ以外の群を無限群といいます。

群の定義は次節でさらに詳しく解説しますが、その前に具体例をいくつか見ておきましょう。

**例 3-1** (席替え)

この章の冒頭から考察してきた「席替え」を、群の定義に当てはめてみましょう。三つの座席全体の集合を $X=\{1,2,3\}$ とすると、「席替え」は $X$ から $X$ への全単射になります。次に「席替え」全体の集合を考えます。「席替え」全体の集合は、$X$ から $X$ への全単射全体の集合となります。その集合を $S_3$ とすると、

$$S_3=\left\{\begin{pmatrix}1\,2\,3\\1\,2\,3\end{pmatrix},\begin{pmatrix}1\,2\,3\\2\,1\,3\end{pmatrix},\begin{pmatrix}1\,2\,3\\1\,3\,2\end{pmatrix},\begin{pmatrix}1\,2\,3\\3\,2\,1\end{pmatrix},\begin{pmatrix}1\,2\,3\\2\,3\,1\end{pmatrix},\begin{pmatrix}1\,2\,3\\3\,1\,2\end{pmatrix}\right\}$$

になります。ここで、写像の合成を表す二項演算を

$$\circ\colon S_3\times S_3\longrightarrow S_3$$

とします。すると、$(S_3,\circ)$ は群となります。$|S_3|=6$ なので、この群の位数は 6 です。

$(S_3,\circ)$ が群であることを確かめてみましょう。

- **なぜ**、$(S_3,\circ)$ が群だといえるのですか。

  **なぜなら**、$(S_3,\circ)$ は群の公理 $\boxed{\text{G1}}$,$\boxed{\text{G2}}$,$\boxed{\text{G3}}$ を満たすからです。

- **なぜ**、$(S_3,\circ)$ が $\boxed{\text{G1}}$ を満たすといえるのですか。

  **なぜなら**、写像の合成は結合律を満たすからです (p. 59 の問題 2-3)。

- **なぜ**、$(S_3, \circ)$ が $\boxed{\mathrm{G2}}$ を満たすといえるのですか。

  **なぜなら**、誰も動かない席替えを表す写像（すなわち恒等写像）

$$\begin{pmatrix} 1\,2\,3 \\ 1\,2\,3 \end{pmatrix}$$

  は、単位元の性質を満たすからです。

- **なぜ**、$(S_3, \circ)$ が $\boxed{\mathrm{G3}}$ を満たすといえるのですか。

  **なぜなら**、$\begin{pmatrix} 1\,2\,3 \\ 1\,2\,3 \end{pmatrix}, \begin{pmatrix} 1\,2\,3 \\ 2\,1\,3 \end{pmatrix}, \begin{pmatrix} 1\,2\,3 \\ 1\,3\,2 \end{pmatrix}, \begin{pmatrix} 1\,2\,3 \\ 3\,2\,1 \end{pmatrix}$ については自分自身が逆元となり、$\begin{pmatrix} 1\,2\,3 \\ 2\,3\,1 \end{pmatrix}$ と $\begin{pmatrix} 1\,2\,3 \\ 3\,1\,2 \end{pmatrix}$ については互いが互いの逆元となるので、$S_3$ の任意の元に逆元が存在するからです。

**ちょっと一言**

だいぶうるさいので、「なぜ」と「なぜなら」を紙面上で連呼するのはここまでにしておきます。でもあなたは、ここから先も自問自答しながら読み進めてください。

### 例 3-2

二つの整数 1 と −1 からなる集合 $S = \{1, -1\}$ と乗算 $\times$ の組 $(S, \times)$ は位数が 2 の群になります。群の公理 $\boxed{\mathrm{G1}}, \boxed{\mathrm{G2}}, \boxed{\mathrm{G3}}$ を確かめる前に、群の**演算表**《えんざんひょう》を作りましょう。

| $\times$ | $1$ | $-1$ |
|---|---|---|
| $1$ | $1$ | $-1$ |
| $-1$ | $-1$ | $1$ |

群 $(S, \times)$ の演算表

$\boxed{\mathrm{G1}}$ $S$ の任意の元 $x, y, z$ に対して、$x \times (y \times z) = (x \times y) \times z$ が成り立ちます。すなわち、$x, y, z$ に 1 と −1 をどのように当てはめても $x \times (y \times z) = (x \times y) \times z$ が成り立ちます。なぜなら、整数の乗算では結合律が成り立つからです。

(G2) 単位元として 1 が存在します。なぜなら、$S$ の任意の元 $x$ に対して、$x \times 1 = x$ かつ $1 \times x = x$ が成り立つからです。

(G3) $S$ の任意の元 $x$ に対して、$x$ の逆元が存在します。1 の逆元は 1 自身です。なぜなら、$1 \times 1 = 1$ だからです。$-1$ の逆元は $-1$ 自身です。なぜなら、$(-1) \times (-1) = 1$ だからです。

> **ちょっと一言**
>
> ここで例 3-2 と同じ集合 $S$ と、加算 $+$ の組 $(S, +)$ を考えましょう。すると、$(S, +)$ は**群になりません**。なぜなら、そもそも $+$ は $S$ 上の二項演算ではないからです。たとえば、$S$ の元 1 と $-1$ の和は $1 + (-1) = 0$ となりますが、0 は $S$ の元ではありません。つまり $S$ は加算 $+$ で閉じていないことになります。このように $(S, \times)$ は群ですが、$(S, +)$ は群ではありません。群が台集合と二項演算の組であることの意味がよくわかるでしょう。

### 例 3-3

実数全体の集合 $\mathbb{R}$ と、乗算 $\times$ の組 $(\mathbb{R}, \times)$ は**群になりません**。なぜなら、$\mathbb{R}$ の元である 0 には逆元が存在しないからです。単位元は存在します。実際、$x \in \mathbb{R}$ のとき、

$$x \times 1 = 1 \times x = x$$

なので、単位元の定義より 1 は単位元です。よって、0 の逆元を $y$ とすると、逆元の定義より、

$$0 \times y = y \times 0 = 1$$

になるはずです。しかし、どんな実数 $y$ についてもこれは成り立たないので、0 の逆元は存在しないことになります。したがって (G3) が満たされず、$(\mathbb{R}, \times)$ は群になりません。

このように $(\mathbb{R}, \times)$ は群になりませんが、正の実数全体の集合 $\mathbb{R}^+$ と、乗算 $\times$ の組 $(\mathbb{R}^+, \times)$ は**群になります**。1 が単位元で、$x \in \mathbb{R}^+$ の逆元は $x$ の逆数 $1/x$ です。

### 例 3-4

整数全体の集合 $\mathbb{Z}$ と、乗算 $\times$ の組 $(\mathbb{Z}, \times)$ は**群になりません**。なぜなら、1 と

$-1$ 以外の整数 $n$ には逆元が存在しないからです。単位元は存在します。実際、$x \in \mathbb{Z}$ のとき、

$$x \times 1 = 1 \times x = x$$

なので、単位元の定義より 1 は単位元です。よって、$n \in \mathbb{Z}$ の逆元を $m$ とすると、逆元の定義より

$$n \times m = m \times n = 1$$

になるはずです。しかし、これを満たすのは $n = m = 1$ か、$n = m = -1$ のときだけです。たとえば、$n = 3$ のとき

$$3 \times m = m \times 3 = 1$$

が成り立つ整数 $m$ は存在しません。したがって G3 が満たされず、$(\mathbb{Z}, \times)$ は群になりません。

また、同様の理由により、正の整数全体の集合 $\mathbb{Z}^+$ と、乗算 $\times$ の組 $(\mathbb{Z}^+, \times)$ もまた**群になりません**。

**ちょっと一言**

例 3-3 の $(\mathbb{R}^+, \times)$ で $x \in \mathbb{R}^+$ の逆元を $1/x$ としたように、例 3-4 の $(\mathbb{Z}^+, \times)$ で $n \in \mathbb{Z}^+$ の逆元を $1/n$ とすればいいと思うかもしれませんが、たとえば $n = 3$ のとき、$1/3 \notin \mathbb{Z}^+$ なので 3 の逆元は存在しません。

### 例 3-5

整数全体の集合 $\mathbb{Z}$ と、加算 $+$ の組 $(\mathbb{Z}, +)$ は**群になります**。単位元は 0 で、$x \in \mathbb{Z}$ の逆元は $-x$ です。

正の整数全体の集合 $\mathbb{Z}^+$ と、加算 $+$ の組 $(\mathbb{Z}^+, +)$ は**群になりません**。なぜなら、単位元が存在しないので G2 が満たされないからです。

### 例 3-6

整数の 0 のみからなる集合 $\{0\}$ と、加算 $+$ の組 $(\{0\}, +)$ は**群になります**。単位元は 0 で、0 の逆元は 0 自身です。これは単位元 0 のみからなる群で、位数は 1 です。

**例 3-7**

整数の 1 のみからなる集合 $\{1\}$ と、乗算 $\times$ の組 $(\{1\}, \times)$ は**群になります**。単位元は 1 で、1 の逆元は 1 自身です。これは単位元 1 のみからなる群で、位数は 1 です。

> **ちょっと一言**
>
> 例 3-6 の群 $(\{0\}, +)$ と例 3-7 の群 $(\{1\}, \times)$ は、異なる台集合と異なる群演算を持っている群ですが、この二つの群はどちらも単位元のみからなる群という意味で「同じ」ように感じます。その「同じ」という感覚は「群の同型」という数学の概念で表されます。群の同型については第 5 章「準同型」でお話しします。

**例 3-8**

空集合 $\varnothing$ を台集合に持つ群は存在しません。なぜなら、空集合は元を持たないので、単位元となる元がそもそも存在せず、(G2) が満たされないからです。

## 3.9 群の定義の解説

それでは改めて、前節で述べた群の定義を解説します。

まず、**群の表記**について。群は $(G, *)$ のように台集合と群演算の組で表します。しかし、群演算が明確なら台集合の名前だけで群を表すこともあります。つまり「群 $(G, *)$」の代わりに「群 $G$」という場合もあります。

> **ちょっと一言**
>
> さらに、$x * y$ の $*$ も省略して $xy$ と書く場合もあります。このように数学では「明確なら省略する」ことがよくあります。ただし、当然ながら明確でないなら省略はできませんし、強調するためにあえて書く場合もあります。

さて、群の定義は、

(G1) 結合律

(G2) 単位元の存在

(G3) 各元に対する逆元の存在

という三つの**群の公理**からなっています。$(G, *)$ が群の公理を満たしているとき、$(G, *)$ は群になります。

群の公理をよく読むと、すべて集合と写像の言葉で書かれているのがわかります。つまり、どこにも「数」とは書かれていません。ですから、群は「数」に限った概念ではありません。

> **ちょっと一言**
>
> 群の例として数の集合と二項演算がよく登場します。でもそれは、あくまで群の例にすぎません。群というのは数にだけ当てはまるものではありません。たとえば私たちが本章の冒頭で考えた「席替え」はいわゆる数の計算ではありませんが、例 3-1 で見たように $(S_3, \circ)$ は群になります。なぜなら、群の公理を満たしているからです。

群の公理を一つずつ読んでいきましょう。

**群の公理** $\boxed{\text{G1}}$ は、$(G, *)$ が群であるためには、二項演算 $*$ が**結合律**《けつごうりつ》を満たさなければならないと主張しています。結合律とは、$G$ の任意の元 $x, y, z$ に対して、

$$x * (y * z) = (x * y) * z$$

が成り立つ性質のことです。結合律を注意深く読むなら、$x * y * z$ を計算するときに、$x * (y * z)$ のように $y * z$ を先に計算しても、$(x * y) * z$ のように $x * y$ を先に計算しても結果は等しいという主張だとわかります。その主張は「二項演算 $*$ が結合律を満たしているならば、

$$x * y * z$$

のようにカッコを付けずに表記しても結果はあいまいにならない」と言い換えられます。結合律は**結合法則**《けつごうほうそく》や**結合則**《けつごうそく》ともいいます。いずれもまったく同じ意味です。

> **ちょっと一言**
>
> ここで「どうして群演算 $*$ では結合律が成り立つのか。その根拠は何か」という疑問を持つ人がいるかもしれません。その疑問は非常に重要ですが、方向が逆です。二項演算 $*$ で結合律が成り立たないならば、$*$ はそもそも群演算とはいえません。二項演算 $*$ が結合律を満たすこと（群の公理 $\boxed{\text{G1}}$）が、$*$ を群演算と呼ぶための条件の一つなのです。群の公理 $\boxed{\text{G1}}, \boxed{\text{G2}}, \boxed{\text{G3}}$ が群という概念を定義しているという点をよく理解してください。しつこいようですが、ここを理解できると、群に限らず数学のさまざまな定義が理解しやすくなります。

**群の公理** **G2** は、$(G, *)$ が群であるためには、$G$ には**単位元**という元が存在しなければならないと主張しています。$G$ に一つの元 $e$ が存在し、$G$ の任意の元 $x$ に対して

$$x * e = x \quad \text{かつ} \quad e * x = x$$

が成り立つとき、この $e$ を単位元といいます。

> **ちょっと一言**
>
> $e$ は単なる名前ですから重要ではありません。重要なのは「$G$ の任意の元 $x$ に対して $x * e = x$ かつ $e * x = x$ が成り立つ」という条件の方です。

> $x * e$ と $e * x$ の二つをわざわざ述べているのは、群では一般に、交換律 $x * y = y * x$ は成り立たないからです。

> 単位元は、数の足し算における 0 や掛け算における 1 を抽象化した概念といえます。でも台集合と演算を定めずに単に「1 は単位元ですか」と問うのは無意味です。たとえば、群 $(\mathbb{R}^+, \times)$ において 1 は単位元ですが、群 $(\mathbb{R}, +)$ において 1 は単位元ではありません（0 が単位元です）。

群の公理 G2 を読むと、群は単位元を少なくとも一つ持つことがわかります。単位元が一つもなかったら群と呼べないからです。でも、群が単位元を何個持っているかは G2 に書かれていません。注意深く調べると、**群の単位元は唯一である**ことが証明できます。つまり、群 $(G, *)$ の元 $e_1$ と $e_2$ がどちらも単位元の条件を満たすなら、$e_1 = e_2$ になります。このことは、問題 3-3（p. 92）で証明しましょう。

群 $(G, *)$ の単位元 $e$ は唯一です。ですから、群の単位元は $e_G$ や $1_G$ のように群 $G$ を添字にして表記することができます。

**群の公理** **G3** は、$(G, *)$ が群であるためには、$G$ の任意の元 $x$ に対して、$x$ の**逆元**という元が存在しなければならないと主張しています。$x$ の逆元とは、

$$x * y = e \quad \text{かつ} \quad y * x = e$$

が成り立つ $y \in G$ のことです。この $e$ は、G2 で述べた単位元です。

**ちょっと一言**

逆元は、数の足し算における5に対する$-5$や、掛け算における5に対する$\frac{1}{5}$を抽象化した概念です。本書の「はじめに」で、群は「何もしない」と「もとに戻す」を抽象化したものであるとお話ししました。「何もしない」は単位元を、そして「もとに戻す」は逆元を念頭に置いていたのです。

**‖注意‖** 単位元については単に「単位元」といいますが、逆元は必ず「$x$の逆元」のように、どの元に対する逆元なのかを述べている点に注意してください。言い換えると、単位元は群に対して定まるものなのに対して、逆元は個々の元ごとに定まるものです。

群の公理 (G3) を読むと、群$(G, *)$は$G$の任意の元$x$に対して、逆元を少なくとも一つ持っていることがわかります。でも、$x$に対して逆元が何個あるかは (G3) に書かれていません。注意深く調べると、**$x$の逆元は、$x$ごとに唯一である**ことが証明できます。つまり、群$(G, *)$の元$y_1$と$y_2$がどちらも$x$の逆元の性質を満たすなら、$y_1 = y_2$になります。このことは、問題3-4（p. 92）で証明しましょう。

$x$の逆元は、$x$ごとに唯一です。ですから、$x$の逆元を、

$$x^{-1}$$

のように$x$を使って表記することができます。

**ちょっと一言**

数学では、$-1$乗という表記は次のようなさまざまな意味で使われます。

- 数の乗算における$x$の逆数。$x^{-1} = 1/x$
- 写像$f\colon X \longrightarrow Y$に対する逆写像。$f^{-1}\colon Y \longrightarrow X$
- 群$(G, *)$における$x$の逆元。$x * x^{-1} = x^{-1} * x = e$（$e$は単位元）

さまざまな意味で使われるのですが、この表記がでたらめに選ばれているわけではありません。逆数が逆元に相当する場合や、逆写像が逆元に相当する場合があるからです。その意味では、整合性や関連性を持って選ばれた表記であるといえます。

群演算を行った結果を**積**《せき》と呼ぶことがあります。群 $(G,*)$ の $x*y$ を $xy$ と表記するなら、積と呼ぶことはごく自然に感じます。また、$x$ の逆元を $x^{-1}$ と表記し、さらに単位元を $1$ と表記するなら、

$$xx^{-1} = x^{-1}x = 1$$

となって、通常の数の計算のように読めます。

ただし、積という用語が常に適切とは限りません。たとえば、群 $(\mathbb{Z},+)$ の $x+y$ を積と呼ぶのは不自然に感じますし、また、この群における $x$ の逆元を $x^{-1}$ と表記するのも抵抗があります。群 $(\mathbb{Z},+)$ における $x$ の逆元は、

$$-x$$

と表記するのが普通です。

> **ちょっと一言**
>
> しかしながら、上で述べているのはすべて用語と表記の問題であり、群演算に関する数学的な内容について、一般的な群 $(G,*)$ と群 $(\mathbb{Z},+)$ とに違いがあるわけではありません。用語と表記の問題と、数学的な内容とは分けて考えましょう。

## 3.10 群についての対話

「この章に入って一気に難しくなってきました。群の定義がとても抽象的で、どう考えたらいいかわかりません」

「群の定義に出てきた群の公理 (G1), (G2), (G3) はわかりましたか」

「はい。群の公理が言っていることはわかります。結合律、単位元、逆元ですね」

「いくつか紹介した群の例を群の公理に当てはめて考えてみましたか」

「はい。それもやってみました。けれどどうしても『結局、群とは何だろうか』という疑問が消えません。結局、簡単にいうと群とは何ですか」

「それに答えるのは難しいことです。『群とは、群の定義を満たすもの』と考えるのが一番の近道であり、正しい理解です」

「具体例を見ていると、群は計算のようなものに見えます」

「群は台集合と二項演算の組に対して定義されます。ですから、二項演算を計算だと考えるなら、群が計算と関わりを持つように感じられるのは不思議ではありません。また間違ったことでもありません。群の視点で見ることで、計算とは無関係に思えるものに対して計算ができる側面もあります。たとえば、席替

えを二回続けて行ったり、もとに戻したりするのは席替えの計算をしているように感じますね」

「なるほど」

「その意味では『結合律を満たし、単位元と逆元が存在する二項演算』という群演算のポイントを押さえておくことが重要ですが、それは結局、群の定義を押さえていることに他なりません」

「群には、計算以外の側面もあるんですか」

「群は形を表していると考えることもできます。なぜなら群を使って対称性や周期性を表すことができるからです。これについては後の章で具体的にお話しします」

「まだモヤモヤしてます。『群とは○○のようなもの』と一言で言えればいいんですが」

「『群とは○○のようなもの』と考えるのもいいですが、群の姿を狭く限定してしまい、逆に理解から遠ざかる危険性もあります。『どのような姿をしていても、群の定義に当てはまるなら、それは群である』と考える方がいいでしょう」

「どのような姿をしていても？」

「そうです。どのような姿をしているものでも、台集合と二項演算を明確にして、群の公理を満たしていることが確かめられれば、それは群と見なせることになります。そして、自分が研究したい対象を群と見なすことができるなら、対象を個別に研究するのではなく、群論の成果を一気に適用できることになります」

「群論の成果とは、どういうものでしょう」

「『単位元は唯一である』や『$x$ の逆元は $x$ ごとに唯一である』は単純ですがすぐ理解できる重要な成果です。これらは、どんな群についても成り立ちます」

「なるほど？」

「また、分野が異なっており無関係と思っていた $A$ と $B$ が、群としては同じである——同型である——ことがわかれば、$A$ で成り立っていることが自動的に $B$ でも成り立つとわかります。これはときに分野を越えた発見に繋がることもあります。これらはすべて、対象が持っている群という構造を調べることから起きるのです。群の同型については第 5 章「準同型」でお話しします」

## 3.11　部分群

私たちはすでに、第 1 章で部《ぶ》分《ぶん》集《しゅう》合《ごう》について学びました。集合 $A$ の任意の元が集合 $B$ の元でもあるとき、$A$ を $B$ の部分集合というのでした。

部分集合と似た概念を群についても考えてみましょう。ただし、単に台集合の部分集合を考えるのではなく、群演算との関わりを考慮する必要があります。

群の部《ぶ》分《ぶん》群《ぐん》を定義しましょう。

> **定義**(部分群)
> $(G, *)$ を群とします。$G$ の部分集合 $H$ が①, ②, ③をすべて満たすとき、$H$ を群 $(G, *)$ の**部《ぶ》分《ぶん》群《ぐん》**といいます。
>
> ① $H$ の任意の元 $x, y$ に対して、$x * y$ も $H$ に属している。
> ② 群 $(G, *)$ の単位元 $e$ は $H$ に属している。
> ③ $H$ の任意の元 $x$ に対して、$G$ における $x$ の逆元も $H$ に属している。

### 例 3-9

$i$ を虚数単位（$i^2 = -1$）とし、

$$T = \{1, i, -1, -i\}$$

とすると、集合 $T$ と複素数の乗算 $\times$ の組 $(T, \times)$ は 1 を単位元とする群となります。演算表は次の通りです。

| $\times$ | $1$ | $i$ | $-1$ | $-i$ |
|---|---|---|---|---|
| $1$ | $1$ | $i$ | $-1$ | $-i$ |
| $i$ | $i$ | $-1$ | $-i$ | $1$ |
| $-1$ | $-1$ | $-i$ | $1$ | $i$ |
| $-i$ | $-i$ | $1$ | $i$ | $-1$ |

群 $(T, \times)$ の演算表

ここで、$T$ の部分集合 $T'$ を、

$$T' = \{1, -1\}$$

で定義します。すると、$T'$ は $(T, \times)$ の部分群です。

なぜなら、$T'$ は $T$ の部分集合であり、以下の通り、部分群の条件 ①, ②, ③をすべて満たすからです。

① $T'$ の任意の元 $x, y$ に対して、$x \times y$ も $T'$ に属している。これは、

$$\begin{aligned} 1 \times 1 &= \phantom{-}1 \in T' \\ 1 \times (-1) &= -1 \in T' \\ (-1) \times 1 &= -1 \in T' \\ (-1) \times (-1) &= \phantom{-}1 \in T' \end{aligned}$$

ということです。

② 群 $(T, \times)$ の単位元 1 は $T'$ に属している。

③ $T'$ の任意の元 $x$ に対して、$(T, \times)$ における $x$ の逆元も $T'$ に属している。1 の逆元は $1 \in T'$ で、$-1$ の逆元は $-1 \in T'$ です。

ここで、$(T, \times)$ の演算表のうち $T'$ の元同士の演算のみに注目してみましょう。

| × | 1 | | −1 | |
|---|---|---|---|---|
| 1 | 1 | | −1 | |
| | | | | |
| −1 | −1 | | 1 | |
| | | | | |

群 $(T, \times)$ の演算表のうち、$T' = \{-1, 1\}$ の元同士の演算に注目

この表を見ると、$T$ の部分集合 $T'$ は二項演算 $\times$ によって 1 を単位元とする群になっていることがわかります。なぜなら、例 3-2 の演算表（p. 77）と同じだからです。

### 例 3-10

上の例 3-9 では、$T = \{1, i, -1, -i\}$ の部分集合 $T' = \{1, -1\}$ が群 $(T, \times)$ の部分群になることを確かめましたが、$T$ の部分集合がすべて群 $(T, \times)$ の部分群になるとは限りません。たとえば、$T$ の部分集合 $T''$ を、

$$T'' = \{i, -i\}$$

で定義すると、$T''$ は $T$ の部分集合ですが、群 $(T, \times)$ の部分群ではありません。なぜなら、$i \in T''$ ですが、$i \times i = -1 \notin T''$ なので、$T''$ は二項演算 $\times$ で閉じておらず、部分群の条件①を満たさないからです。

ちょっと一言

$T''$ が $(T, \times)$ の部分群でないことをいうには、①, ②, ③のうち一つでも成り立たなければいいので、上の説明で十分ですが、勉強のため他の項目もチェックしてみましょう。群 $(T, \times)$ の単位元 1 は $T''$ に属していないので、②も満たしません。$(T, \times)$ における $i$ の逆元は $i \times (-i) = 1$ より $-i$ であり、これは $T''$ に属しています。また、$(T, \times)$ における $-i$ の逆元は $i$ であり、これも $T''$ に属しています。したがって、$T''$ は③については満たしています。

**例 3-11**（偶数全体の集合 $\mathbb{Z}_{\mathrm{even}}$ は $(\mathbb{Z}, +)$ の部分群である）

偶数全体の集合 $\mathbb{Z}_{\mathrm{even}}$ は $(\mathbb{Z}, +)$ の部分群です。なぜなら、$\mathbb{Z}_{\mathrm{even}}$ は $\mathbb{Z}$ の部分集合であり、以下の通り、部分群の条件①, ②, ③をすべて満たすからです。

① $\mathbb{Z}_{\mathrm{even}}$ の任意の元 $x, y$ に対して、$x + y$ も $\mathbb{Z}_{\mathrm{even}}$ に属している。

② 群 $(\mathbb{Z}, +)$ の単位元 0 は $\mathbb{Z}_{\mathrm{even}}$ に属している。

③ $\mathbb{Z}_{\mathrm{even}}$ の任意の元 $x$ に対して、群 $(\mathbb{Z}, +)$ における $x$ の逆元 $-x$ も $\mathbb{Z}_{\mathrm{even}}$ に属している。

**例 3-12**（奇数全体の集合 $\mathbb{Z}_{\mathrm{odd}}$ は $(\mathbb{Z}, +)$ の部分群ではない）

奇数全体の集合 $\mathbb{Z}_{\mathrm{odd}}$ は $(\mathbb{Z}, +)$ の部分群では**ありません**。なぜなら、奇数の和は偶数になるので、部分群の条件①を満たさないからです。

ちょっと一言

$\mathbb{Z}_{\mathrm{odd}}$ が $(\mathbb{Z}, +)$ の部分群でないことを証明するには、①, ②, ③のうち一つでも成り立たなければいいので、上の説明で十分ですが、勉強のため他の項目もチェックしてみましょう。群 $(\mathbb{Z}, +)$ の単位元 0 は $\mathbb{Z}_{\mathrm{odd}}$ に属していないので、②も満たしません。$\mathbb{Z}_{\mathrm{odd}}$ の任意の元 $x$ に対して、群 $(\mathbb{Z}, +)$ における $x$ の逆元 $-x$ は $\mathbb{Z}_{\mathrm{odd}}$ に属しているので、③については満たしています。

## 3.12 部分群は群になる

部分群の定義（p. 86）を注意深く読んだ人は、群 $(G, *)$ の部分群 $H$ が $G$ の部分集合として定義されており、「部分群は群である」とはどこにも書かれていないことに気付いたかもしれません。以下では、部分群の定義に書かれている①, ②,

③によって、「**部分群は群である**」ことを確かめます。より正確には、群 $(G, *)$ の群演算 $*$ を使って部分群 $H$ 上の二項演算 $*'$ を定義することにより、$(H, *')$ が群になることを確かめます。

群の定義（p. 75）と部分群の定義を読み比べると条件に違いがあることに気付きます。群の定義では、(G1)（結合律）、(G2)（単位元）、(G3)（逆元）という群の公理がありました。しかし、部分群の定義では、①（閉性）、②（単位元）、③（逆元）となっています。閉性とは、「$H$ が二項演算 $*$ で閉じている」こと、すなわち「$H$ の任意の元 $x, y$ に対して、$x * y$ も $H$ に属している」ことです。結合律が閉性になっているのはどうしてでしょうか。

部分群の条件に結合律が出てきていない理由は簡単です。$*$ は群 $(G, *)$ における群演算ですから、集合 $G$ 上の二項演算 $*: G \times G \longrightarrow G$ であり、結合律が成り立つことは保証されています。$H$ は $G$ の部分集合ですから、$H$ の任意の元 $x, y, z$ に対しても $x * (y * z) = (x * y) * z$ は成り立つことになります。ですから、わざわざ結合律を条件として提示する必要はありません。

「$H$ が二項演算 $*$ で閉じている」こと（閉性）を部分群の条件とする理由はこうです。いま私たちは $G$ の部分集合 $H$ を台集合として、$*$ を群演算に持つ群 $(H, *)$ を考えたいわけですが、$*$ は $G$ 上の二項演算ですので、そのままでは $H$ 上の二項演算とはいえません。そこで、$G$ 上の二項演算 $*$ を使って、$H$ 上の二項演算 $*': H \times H \longrightarrow H$ を

$$x *' y = x * y$$

と定義したくなります。このために、集合 $H$ が二項演算 $*$ で閉じている必要があるのです。このように考えてくると、部分群の定義における①, ②, ③によって、$(H, *')$ は群になることがわかります。

**ちょっと一言**

部分群は、もとの群の二項演算を流用して群になります。また、部分群に属している元同士で演算を行った結果が、その部分群の外に飛び出すことはありません。ですから部分群を、群の中に小さな群がすっぽり入っているイメージでとらえることもできるでしょう。

## 3.13 この章で学んだこと

この章では、群について学びました。

- 群 $(G, *)$ は台集合 $G$ と群演算 $*$ の組で、群の公理を満たすもの
- (G1) 結合律、(G2) 単位元の存在、(G3) 任意の元に対する逆元の存在
- 部分群

**ちょっと一言**

このような項目の列挙を見たときには、単に読み流してしまうのではなく、一つ一つ定義を思い出し、それぞれの実例を自分が提示できるかどうか確かめましょう。

第 4 章では、巡回群と呼ばれる群について学びます。

その前に、演習問題を使って群についての理解を確かめましょう。

## 演習問題

**ちょっと一言**

演習問題は、自分が理解したかどうかを確かめるためのものであって、解けたら勝ち、解けなかったら負けという「勝負」ではありません。ですから、答えがわからないときには、理解が足りなかったと考えて解答を読み、学び直すのがいいですね。

**問題 3-1**（トランプ）

トランプのカードに描かれる 4 種類のマーク（スート）全体の集合を

$$S = \{\spadesuit, \heartsuit, \clubsuit, \diamondsuit\}$$

とし、$S$ 上の二項演算 $*$ を次の演算表で定義します。たとえば、$\heartsuit * \diamondsuit = \spadesuit$ です。

| $*$ | $\spadesuit$ | $\heartsuit$ | $\clubsuit$ | $\diamondsuit$ |
|---|---|---|---|---|
| $\spadesuit$ | $\spadesuit$ | $\heartsuit$ | $\clubsuit$ | $\diamondsuit$ |
| $\heartsuit$ | $\heartsuit$ | $\clubsuit$ | $\diamondsuit$ | $\spadesuit$ |
| $\clubsuit$ | $\clubsuit$ | $\diamondsuit$ | $\spadesuit$ | $\heartsuit$ |
| $\diamondsuit$ | $\diamondsuit$ | $\spadesuit$ | $\heartsuit$ | $\clubsuit$ |

このとき、組 $(S, *)$ は群ですか。もしも群なら、単位元は何ですか。また、$S$ に属している 4 個の元に対する逆元はそれぞれ何ですか。

**問題 3-2**（群の確認）

①〜⑧について、群か否か、群ならば単位元と逆元が何になるかを答えてください。ただし、$\mathbb{R}$ は実数全体の集合、$\mathbb{Z}$ は整数全体の集合で、

$$\mathbb{R}^+ = \{x \in \mathbb{R} \mid x > 0\} \qquad \text{正の実数全体の集合}$$

$$\mathbb{Z}^+ = \{x \in \mathbb{Z} \mid x > 0\} \qquad \text{正の整数全体の集合}$$

とします。

① $(\mathbb{R}, \times)$

② $(\mathbb{R}, +)$

③ $(\mathbb{R}^+, \times)$

④ $(\mathbb{R}^+, +)$

⑤ $(\mathbb{Z}, \times)$

⑥ $(\mathbb{Z}, +)$

⑦ $(\mathbb{Z}^+, \times)$

⑧ $(\mathbb{Z}^+, +)$

**問題 3-3**（群の単位元は唯一）

群の単位元は唯一であることを証明してください。

**問題 3-4**（$x$ の逆元は $x$ ごとに唯一）

群の元 $x$ に対する逆元は $x$ ごとに唯一であることを証明してください。

**問題 3-5**（群の元が作る全単射）

$g$ を群 $(G, *)$ の元とします。$g$ によって定まる $G$ から $G$ への写像 $f_g$ を

$$f_g \colon x \longmapsto g * x$$

で定義します。すなわち $f_g(x) = g * x$ です。このとき写像 $f_g$ が $G$ から $G$ への全単射であることを証明してください。

**ちょっと一言**

群 $(G, *)$ で群演算 $*$ は $G$ 上の二項演算であり、台集合 $G$ は $*$ で閉じています。したがって、$G$ のどんな元 $x$ に対しても、$G$ の元 $g * x$ が一つずつ対応しますから、確かに $f_g$ は $G$ から $G$ への写像です。解答 3-5 では、$(G, *)$ が群であることを用いて、写像 $f_g$ が $G$ から $G$ への全単射であることを証明します。

## 演習問題の解答

### 解答 3-1（トランプ）

ちょっと一言

演算表を注意深く読み、群の定義と照らし合わせて考えます。

| $*$ | $\spadesuit$ | $\heartsuit$ | $\clubsuit$ | $\diamondsuit$ |
|---|---|---|---|---|
| $\spadesuit$ | $\spadesuit$ | $\heartsuit$ | $\clubsuit$ | $\diamondsuit$ |
| $\heartsuit$ | $\heartsuit$ | $\clubsuit$ | $\diamondsuit$ | $\spadesuit$ |
| $\clubsuit$ | $\clubsuit$ | $\diamondsuit$ | $\spadesuit$ | $\heartsuit$ |
| $\diamondsuit$ | $\diamondsuit$ | $\spadesuit$ | $\heartsuit$ | $\clubsuit$ |

$(S,*)$ の演算表

G1（結合律） 結合律を満たすことは、「$(S,*)$ が結合律を満たすことを確かめる表」(p. 95) を使うと総当たり的に調べることができます。

G2（単位元） 演算表を見ると、

$$\spadesuit * \spadesuit = \spadesuit * \spadesuit = \spadesuit$$

$$\spadesuit * \heartsuit = \heartsuit * \spadesuit = \heartsuit$$

$$\spadesuit * \clubsuit = \clubsuit * \spadesuit = \clubsuit$$

$$\spadesuit * \diamondsuit = \diamondsuit * \spadesuit = \diamondsuit$$

なので、単位元は $\spadesuit$ です。

G3（逆元） 演算表を見ると、逆元はそれぞれ次の通りです。

$\spadesuit * \spadesuit = \spadesuit * \spadesuit = \spadesuit$ 　により、$\spadesuit$ の逆元は $\spadesuit$ です。

$\heartsuit * \diamondsuit = \diamondsuit * \heartsuit = \spadesuit$ 　により、$\heartsuit$ の逆元は $\diamondsuit$ です。

$\clubsuit * \clubsuit = \clubsuit * \clubsuit = \spadesuit$ 　により、$\clubsuit$ の逆元は $\clubsuit$ です。

$\diamondsuit * \heartsuit = \heartsuit * \diamondsuit = \spadesuit$ 　により、$\diamondsuit$ の逆元は $\heartsuit$ です。

したがって、組 $(S,*)$ は群です。

なお、$(S,*)$ で結合律が成り立つことを総当たり的に確かめるのは大変ですが、

$$* \to \times$$

$$\spadesuit \to 1$$

$$\heartsuit \to i$$

$$\clubsuit \to -1$$

$$\diamondsuit \to -i$$

と置き換えると、$(S, *)$ の演算表は、$T = \{1, i, -1, -i\}$ としたときの群 $(T, \times)$ の演算表に一致します。よって、複素数の乗算では結合律が成り立つことから、$(S, *)$ でも結合律が成り立ちます。

| $*$ | $\spadesuit$ | $\heartsuit$ | $\clubsuit$ | $\diamondsuit$ |
|---|---|---|---|---|
| $\spadesuit$ | $\spadesuit$ | $\heartsuit$ | $\clubsuit$ | $\diamondsuit$ |
| $\heartsuit$ | $\heartsuit$ | $\clubsuit$ | $\diamondsuit$ | $\spadesuit$ |
| $\clubsuit$ | $\clubsuit$ | $\diamondsuit$ | $\spadesuit$ | $\heartsuit$ |
| $\diamondsuit$ | $\diamondsuit$ | $\spadesuit$ | $\heartsuit$ | $\clubsuit$ |

$(S, *)$ の演算表

→

| $\times$ | $1$ | $i$ | $-1$ | $-i$ |
|---|---|---|---|---|
| $1$ | $1$ | $i$ | $-1$ | $-i$ |
| $i$ | $i$ | $-1$ | $-i$ | $1$ |
| $-1$ | $-1$ | $-i$ | $1$ | $i$ |
| $-i$ | $-i$ | $1$ | $i$ | $-1$ |

群 $(T, \times)$ の演算表

**ちょっと一言**

群 $(S, *)$ と群 $(T, \times)$ の演算表が一致することは、この二つの群が「群としては同じ」であることを意味します。これを群の同型といい、第 5 章「準同型」で詳しくお話しします。

| $x$ | $y$ | $z$ | $x*y$ | $y*z$ | $x*(y*z)$ | $(x*y)*z$ |
|---|---|---|---|---|---|---|
| ♠ | ♠ | ♠ | ♠ | ♠ | ♠ | ♠ |
| ♠ | ♠ | ♡ | ♠ | ♡ | ♡ | ♡ |
| ♠ | ♠ | ♣ | ♠ | ♣ | ♣ | ♣ |
| ♠ | ♠ | ♢ | ♠ | ♢ | ♢ | ♢ |
| ♠ | ♡ | ♠ | ♡ | ♡ | ♡ | ♡ |
| ♠ | ♡ | ♡ | ♡ | ♣ | ♣ | ♣ |
| ♠ | ♡ | ♣ | ♡ | ♢ | ♢ | ♢ |
| ♠ | ♡ | ♢ | ♡ | ♠ | ♠ | ♠ |
| ♠ | ♣ | ♠ | ♣ | ♣ | ♣ | ♣ |
| ♠ | ♣ | ♡ | ♣ | ♢ | ♢ | ♢ |
| ♠ | ♣ | ♣ | ♣ | ♠ | ♠ | ♠ |
| ♠ | ♣ | ♢ | ♣ | ♡ | ♡ | ♡ |
| ♠ | ♢ | ♠ | ♢ | ♢ | ♢ | ♢ |
| ♠ | ♢ | ♡ | ♢ | ♠ | ♠ | ♠ |
| ♠ | ♢ | ♣ | ♢ | ♡ | ♡ | ♡ |
| ♠ | ♢ | ♢ | ♢ | ♣ | ♣ | ♣ |
| ♡ | ♠ | ♠ | ♡ | ♠ | ♡ | ♡ |
| ♡ | ♠ | ♡ | ♡ | ♡ | ♣ | ♣ |
| ♡ | ♠ | ♣ | ♡ | ♣ | ♢ | ♢ |
| ♡ | ♠ | ♢ | ♡ | ♢ | ♠ | ♠ |
| ♡ | ♡ | ♠ | ♣ | ♡ | ♣ | ♣ |
| ♡ | ♡ | ♡ | ♣ | ♣ | ♢ | ♢ |
| ♡ | ♡ | ♣ | ♣ | ♢ | ♠ | ♠ |
| ♡ | ♡ | ♢ | ♣ | ♠ | ♡ | ♡ |
| ♡ | ♣ | ♠ | ♢ | ♣ | ♢ | ♢ |
| ♡ | ♣ | ♡ | ♢ | ♢ | ♠ | ♠ |
| ♡ | ♣ | ♣ | ♢ | ♠ | ♡ | ♡ |
| ♡ | ♣ | ♢ | ♢ | ♡ | ♣ | ♣ |
| ♡ | ♢ | ♠ | ♠ | ♢ | ♠ | ♠ |
| ♡ | ♢ | ♡ | ♠ | ♠ | ♡ | ♡ |
| ♡ | ♢ | ♣ | ♠ | ♡ | ♣ | ♣ |
| ♡ | ♢ | ♢ | ♠ | ♣ | ♢ | ♢ |
| ♣ | ♠ | ♠ | ♣ | ♠ | ♣ | ♣ |
| ♣ | ♠ | ♡ | ♣ | ♡ | ♢ | ♢ |
| ♣ | ♠ | ♣ | ♣ | ♣ | ♠ | ♠ |
| ♣ | ♠ | ♢ | ♣ | ♢ | ♡ | ♡ |
| ♣ | ♡ | ♠ | ♢ | ♡ | ♢ | ♢ |
| ♣ | ♡ | ♡ | ♢ | ♣ | ♠ | ♠ |
| ♣ | ♡ | ♣ | ♢ | ♢ | ♡ | ♡ |
| ♣ | ♡ | ♢ | ♢ | ♠ | ♣ | ♣ |
| ♣ | ♣ | ♠ | ♠ | ♣ | ♠ | ♠ |
| ♣ | ♣ | ♡ | ♠ | ♢ | ♡ | ♡ |
| ♣ | ♣ | ♣ | ♠ | ♠ | ♣ | ♣ |
| ♣ | ♣ | ♢ | ♠ | ♡ | ♢ | ♢ |
| ♣ | ♢ | ♠ | ♡ | ♢ | ♡ | ♡ |
| ♣ | ♢ | ♡ | ♡ | ♠ | ♣ | ♣ |
| ♣ | ♢ | ♣ | ♡ | ♡ | ♢ | ♢ |
| ♣ | ♢ | ♢ | ♡ | ♣ | ♠ | ♠ |
| ♢ | ♠ | ♠ | ♢ | ♠ | ♢ | ♢ |
| ♢ | ♠ | ♡ | ♢ | ♡ | ♠ | ♠ |
| ♢ | ♠ | ♣ | ♢ | ♣ | ♡ | ♡ |
| ♢ | ♠ | ♢ | ♢ | ♢ | ♣ | ♣ |
| ♢ | ♡ | ♠ | ♠ | ♡ | ♠ | ♠ |
| ♢ | ♡ | ♡ | ♠ | ♣ | ♡ | ♡ |
| ♢ | ♡ | ♣ | ♠ | ♢ | ♣ | ♣ |
| ♢ | ♡ | ♢ | ♠ | ♠ | ♢ | ♢ |
| ♢ | ♣ | ♠ | ♡ | ♣ | ♡ | ♡ |
| ♢ | ♣ | ♡ | ♡ | ♢ | ♣ | ♣ |
| ♢ | ♣ | ♣ | ♡ | ♠ | ♢ | ♢ |
| ♢ | ♣ | ♢ | ♡ | ♡ | ♠ | ♠ |
| ♢ | ♢ | ♠ | ♣ | ♢ | ♣ | ♣ |
| ♢ | ♢ | ♡ | ♣ | ♠ | ♢ | ♢ |
| ♢ | ♢ | ♣ | ♣ | ♡ | ♠ | ♠ |
| ♢ | ♢ | ♢ | ♣ | ♣ | ♡ | ♡ |

$(S,*)$ が結合律を満たすことを確かめる表

### 解答 3-2（群の確認）

群の定義と照らし合わせて考えます。

① $(\mathbb{R}, \times)$ は群ではありません。なぜなら、0 の逆元が存在しないからです。

② $(\mathbb{R}, +)$ は群です。単位元は 0 で、$x \in \mathbb{R}$ の逆元は $-x$ です。

③ $(\mathbb{R}^+, \times)$ は群です。単位元は 1 で、$x \in \mathbb{R}^+$ の逆元は $1/x$ です。

④ $(\mathbb{R}^+, +)$ は群ではありません。なぜなら、単位元が存在しないからです。たとえば、$1 \in \mathbb{R}^+$ に対して、$1 + e = 1$ を満たす $e \in \mathbb{R}^+$ は存在しません。

⑤ $(\mathbb{Z}, \times)$ は群ではありません。なぜなら、$\mathbb{Z}$ の元のうち、1 と $-1$ 以外の元には逆元が存在しないからです。

⑥ $(\mathbb{Z}, +)$ は群です。単位元は 0 で、$x \in \mathbb{Z}$ の逆元は $-x$ です。

⑦ $(\mathbb{Z}^+, \times)$ は群ではありません。なぜなら、たとえば 2 の逆元が存在しないからです。

⑧ $(\mathbb{Z}^+, +)$ は群ではありません。なぜなら、単位元が存在しないからです。

### 解答 3-3（群の単位元は唯一）

**ちょっと一言**

いかなる群にも単位元が存在することは、群の公理に書かれていますが、群の単位元が唯一であることは、群の公理に書かれていません。しかし単位元の定義から、単位元が唯一であることを証明できます。「もしも、$e_1$ と $e_2$ が両方とも単位元ならば、$e_1 = e_2$ である」ことを示せば、単位元が唯一であると証明したことになります。

**証明**

$e_1 \in G$ と $e_2 \in G$ がどちらも群 $(G, *)$ の単位元であると仮定します。

$e_2$ は単位元なので、

$$e_1 * e_2 = e_1$$

が成り立ちます。また $e_1$ は単位元なので、

$$e_1 * e_2 = e_2$$

が成り立ちます。したがって、

$$e_1 = e_1 * e_2 = e_2$$

から

$$e_1 = e_2$$

なので、群の単位元は唯一です。

**(証明終わり)**

**解答 3-4** ($x$ の逆元は $x$ ごとに唯一)

> **ちょっと一言**
> 「もしも、$y_1$ と $y_2$ が両方とも $x$ の逆元ならば、$y_1 = y_2$ である」ことを示せば、$x$ の逆元が唯一であると証明したことになります。

**証明**

$y_1 \in G$ と $y_2 \in G$ がどちらも群 $(G, *)$ の元 $x$ の逆元であると仮定します。$e$ を $G$ の単位元とすると、逆元の定義から、

$$x * y_1 = y_1 * x = e$$

$$x * y_2 = y_2 * x = e$$

が成り立ちます。ここから以下のようにして $y_1 = y_2$ を導きます。

| | |
|---|---|
| $x * y_1 = x * y_2$ | 両辺とも $e$ に等しいから |
| $y_1 * (x * y_1) = y_1 * (x * y_2)$ | 両辺に左から $y_1$ を掛けた |
| $(y_1 * x) * y_1 = (y_1 * x) * y_2$ | 結合律より |
| $e * y_1 = e * y_2$ | $y_1$ は $x$ の逆元なので、$y_1 * x = e$ |
| $y_1 = y_2$ | $e$ は単位元だから |

したがって、$y_1$ と $y_2$ が $x$ の逆元ならば、

$$y_1 = y_2$$

が成り立ちますので、$x$ の逆元は $x$ ごとに唯一です。

**(証明終わり)**

> ちょっと一言
>
> 次のように証明することもできます。$y_1$ と $y_2$ がどちらも $x$ の逆元とすると、結合律から、
>
> $$y_1 * (x * y_2) = (y_1 * x) * y_2$$
>
> になります。$x * y_2$ と $y_1 * x$ はどちらも単位元に等しいので、
>
> $$y_1 = y_2$$
>
> がいえます。

**解答 3-5** (群の元が作る全単射)

> ちょっと一言
>
> 写像が全単射であることを証明するには、その写像が①全射であることと、②単射であることを示します。

証明

①（$f_g$ が全射であることの証明） $y$ を $G$ の元として、$x = g^{-1} * y$ とすると、$x$ は $G$ の元であり、$f_g(x) = y$ になります。なぜなら、

$$
\begin{aligned}
f_g(x) &= f_g(g^{-1} * y) && x \text{ の定義から} \\
&= g * (g^{-1} * y) && f_g \text{ の定義から} \\
&= (g * g^{-1}) * y && \text{群は結合律を満たすから} \\
&= e * y && G \text{ の単位元を } e \text{ とした} \\
&= y && \text{単位元の定義から}
\end{aligned}
$$

だからです。したがって、$f_g$ は全射です。

②（$f_g$ が単射であることの証明） $G$ の元 $x, y$ が $x \neq y$ ならば、$f_g(x) \neq f_g(y)$ であることをいえばよいので、対偶をとって、$f_g(x) = f_g(y)$ ならば $x = y$ であることを示します。

$f_g(x) = f_g(y)$ は、$g * x = g * y$ と表せます。すると、

$$g^{-1} * (g * x) = g^{-1} * (g * y) \qquad \text{両辺を } g^{-1} \text{ で移した}$$

$$(g^{-1} * g) * x = (g^{-1} * g) * y \qquad \text{群は結合律を満たすから}$$

$$e * x = e * y \qquad G \text{ の単位元を } e \text{ とした}$$

$$x = y \qquad \text{単位元の定義から}$$

となるので、$f_g$ は単射です。

①と②によって、$f_g$ は全単射です。

**（証明終わり）**

**ちょっと一言**

$(G, *)$ が群であること、すなわち G1（結合律）、G2（単位元の存在）、G3（逆元の存在）をすべて満たしていることが、解答 3-5 の証明でどのように効いているかを確かめましょう。

①で出し抜けに、$g$ の逆元 $g^{-1}$ を使って $x = g^{-1} * y$ を考えているように見えます。ここでは $y = g * x$ に移ってくる $x$ を求めるために、$g$ の逆元を使って $g^{-1} * y = g^{-1} * (g * x) = x$ と考えていたのです。解答 3-5 の証明では $f_g$ の逆写像を ${f_g}^{-1}(y) = g^{-1} * y$ と構成したといえます。ところで、$f_{g^{-1}}(y) = g^{-1} * y$ と書くことができますから、

$${f_g}^{-1} = f_{g^{-1}}$$

が成り立つことがわかります（左辺の ${f_g}^{-1}$ は $f_g$ の逆写像で、右辺の $g^{-1}$ は $g$ の逆元）。$g$ の働きを逆元 $g^{-1}$ が「もとに戻す」ことと、$f_g$ の逆写像 ${f_g}^{-1}$ とが対応している点をよく観察してください。このように、群の元を写像と見なす考え方は第 9 章「作用」にも登場します。

# 第 4 章　巡回群

## 4.1　この章で学ぶこと

私たちはここまでの章で集合と写像を学び、さらに群の定義を学びました。また、群の具体例にもいくつか触れました。

この章では、巡回群《じゅんかいぐん》と呼ばれる群について学びましょう。

## 4.2　虚数単位 $i$ の冪乗 $i^n$

まず、群のことをいったん忘れて複素数の計算を復習しましょう。

$i$ を虚数単位とします。すなわち $i^2 = -1$ です。$n$ が整数のとき虚数単位 $i$ の冪乗《べきじょう》（$i^n$）を計算します。

$n = 1, 2, 3, \ldots$ のときは、$i^2 = -1$ を使って、次のように $i^n$ を計算できます。

$$
\begin{aligned}
i^1 &= i \\
i^2 &= -1 \\
i^3 &= i^2 \times i = (-1) \times i = -i \\
i^4 &= i^3 \times i = (-i) \times i = 1 \\
i^5 &= i^4 \times i = 1 \times i = i \\
i^6 &= i^5 \times i = i \times i = -1 \\
&\vdots
\end{aligned}
$$

$n = 0$ のときは、$i^n = 1$ と定義されています。

$$i^0 = 1$$

$n = -1, -2, -3, \ldots$ のときは、$i^{-1}$ が $i$ の逆数（$1/i$）と定義されていることを使って、次のように $i^n$ を計算できます。

$$
\begin{aligned}
i^{-1} &= \frac{1}{i} = \frac{1 \times i}{i \times i} = \frac{i}{-1} = -i \\
i^{-2} &= i^{-1} \times i^{-1} = -i \times (-i) = -1 \\
i^{-3} &= i^{-2} \times i^{-1} = -1 \times (-i) = i \\
i^{-4} &= i^{-3} \times i^{-1} = i \times (-i) = 1 \\
i^{-5} &= i^{-4} \times i^{-1} = 1 \times (-i) = -i \\
i^{-6} &= i^{-5} \times i^{-1} = -i \times (-i) = -1 \\
&\vdots
\end{aligned}
$$

ここで、$n$ が整数のときの $i^n$ 全体の集合を $X_4$ とします。すなわち、

$$X_4 = \{i^n \mid n \in \mathbb{Z}\}$$

です。すると、ここまで行ってきた計算から、

$$X_4 = \{1, i, -1, -i\}$$

であることがわかります。

さて、集合 $X_4$ と複素数の乗算 $\times$ を組にした $(X_4, \times)$ は群になりますが、群 $X_4$ のすべての元は、たった一つの元 $i$ の冪乗《べきじょう》（$i^n$）によって作り出されているといえます。このような、たった一つの元から冪乗によってすべての元が作り出される群を、巡回群《じゅんかいぐん》といいます。群 $(X_4, \times)$ は巡回群です。

ただし、ここで重要な注意があります。この節で述べてきた $i$ の冪乗（$i^n$）は複素数の乗算 $\times$ をもとにしています。ですから、群の話に一般化するために、群演算をもとにした群の元の冪乗を改めて定義する必要があります。

## 4.3 群の元 $g$ の冪乗 $g^n$

前節の内容を踏まえて、一般的な群における元の冪乗を定義します。

**定義**(群の元の冪乗)

$g$ を群 $(G, *)$ の元とし、$n$ を整数としたとき、$g^n$ を次のように定義します。

$$g^n = \begin{cases} G \text{ の単位元} & (n = 0 \text{ の場合}) \\ g & (n = 1 \text{ の場合}) \\ g \text{ の逆元} & (n = -1 \text{ の場合}) \\ g^{n-1} * g & (n = 2, 3, 4, \ldots \text{ の場合}) \\ g^{n+1} * g^{-1} & (n = -2, -3, -4, \ldots \text{ の場合}) \end{cases}$$

この定義によれば、任意の整数 $n$ について $g^n$ が何を意味するか、はっきりします。たとえば、$g^3$ は 3 個の $g$ を群演算 $*$ によって掛け合わせた元に等しくなります。つまり、

$$g^3 = g * g * g$$

です。これは次のようにして確かめられます。

$$\begin{aligned} g^3 &= g^{3-1} * g && g^n \text{ の定義で } n = 3 \text{ の場合から} \\ &= g^2 * g && 3 - 1 = 2 \text{ から} \\ &= (g^{2-1} * g) * g && g^n \text{ の定義で } n = 2 \text{ の場合から} \\ &= (g^1 * g) * g && 2 - 1 = 1 \text{ から} \\ &= (g * g) * g && g^n \text{ の定義で } n = 1 \text{ の場合から} \\ &= g * g * g \end{aligned}$$

同様に、

$$g^{-3} = g^{-1} * g^{-1} * g^{-1}$$

です。これは次のようにして確かめられます。

$$\begin{aligned} g^{-3} &= g^{-3+1} * g^{-1} && g^n \text{ の定義で } n = -3 \text{ の場合から} \\ &= g^{-2} * g^{-1} && -3 + 1 = -2 \text{ から} \\ &= (g^{-2+1} * g^{-1}) * g^{-1} && g^n \text{ の定義で } n = -2 \text{ の場合から} \end{aligned}$$

$$= (g^{-1} * g^{-1}) * g^{-1} \qquad -2+1=-1 \text{ から}$$

$$= g^{-1} * g^{-1} * g^{-1}$$

**ちょっと一言**

$g^3$ の定義が $g^2$ の定義そして $g^1$ の定義に帰着されていくこと、また $g^{-3}$ の定義が $g^{-2}$ の定義そして $g^{-1}$ の定義に帰着されていくことに注目してください。このような定義を**帰納的定義**《きのうてきていぎ》や**再帰的定義**《さいきてきていぎ》といいます。**漸化式**《ぜんかしき》による定義ということもあります。

$(g*g)*g = g*g*g$ や、$(g^{-1}*g^{-1})*g^{-1} = g^{-1}*g^{-1}*g^{-1}$ という式変形ができるのは、群演算 $*$ は結合律を満たすので、カッコを外しても意味が曖昧にならないからです。

$g^n$ を定義しましたが、$g$ は群 $(G,*)$ の元としているので、数とは限りません（数かもしれません）。$g^n$ が何を意味するかを、単位元や逆元といった「群の言葉」を使って改めて定義したことを意識しましょう。

たとえば $g$ が群の元のとき、$g^{-1}$ は $g$ の逆元を意味しており、$1/g$（$g$ の逆数）を意味するとは限りません。そもそも一般的な群 $(G,*)$ において $1/g$ は定義されていません。前節の $(X_4,\times)$ という群では $i^{-1}=1/i$ となりますが、これは群 $(X_4,\times)$ においては、元 $i$ の逆元 $i^{-1}$ が複素数の逆数 $1/i$ となるからに過ぎないのです。

群 $(G,*)$ で「掛け合わせる」とあっても、数としての掛け算を行う意味になるとは限りません。あくまでその群の群演算 $*$ を行う意味になります。群演算が $+$ なら数として「足し合わせる」意味になりますし、群演算が写像の合成 $\circ$ なら写像として「合成する」意味になります。

さて、群の元 $g$ の冪乗 $g^n$ が定義できました。この定義から、$m$ と $n$ を整数としたとき、

$$g^m * g^n = g^{m+n}$$

が成り立ちます。

たとえば、具体的な整数として $m=2$ と $n=-3$ とすると、

$$g^2 * g^{-3} = g^{2+(-3)}$$

つまり、

$$g^2 * g^{-3} = g^{-1}$$

と主張していることになります。これは次のようにして確かめることができます。

$$\begin{aligned}
g^2 * g^{-3} &= (g * g) * (g^{-1} * g^{-1} * g^{-1}) && g^2 \text{ と } g^{-3} \text{ の定義から} \\
&= g * (g * g^{-1}) * g^{-1} * g^{-1} && \text{結合律から} \\
&= g * g^0 * g^{-1} * g^{-1} && g * g^{-1} = g^0 \text{（単位元）} \\
&= g * g^{-1} * g^{-1} && \text{単位元の定義から} \\
&= (g * g^{-1}) * g^{-1} && \text{結合律から} \\
&= g^0 * g^{-1} && g * g^{-1} = g^0 \text{（単位元）} \\
&= g^{-1} && \text{単位元の定義から}
\end{aligned}$$

このように、$g^2 * g^{-3} = g^{-1}$ が確かに成り立っています。

**ちょっと一言**

「$g^m * g^n = g^{m+n}$ が成り立ちます」のように書かれていたときには何気なく読み流すのではなく、何を主張しているのか上のように具体的に考えましょう。もちろん、厳密には数学的帰納法を用いて証明を行う必要がありますが、上のように具体的に確かめることは非常に大切です。特に今回の場合、$g * g^{-1}$ が単位元になり、消えていく様子が実感でき、$g^2 * g^{-3} = g^{-1}$ が深く納得できます。

さらに、$g * g^{-1}$ が単位元になって消えていく様子を実感すると、一般に、$g^n$ の逆元が $g^{-n}$ になることもまたスムーズに理解できるでしょう。

## 4.4　巡回群の定義

$g$ を群 $G$ の元とし、$g^n$ 全体からなる集合を $\langle g \rangle$ と表記します。すなわち、

$$\langle g \rangle = \{g^n \mid n \in \mathbb{Z}\}$$

です。

このとき、$\langle g \rangle$ **は $G$ の部分集合**になります。すなわち $\langle g \rangle \subset G$ です。これは、部分集合の定義から確かめることができます。

またさらに、$\langle g \rangle$ **は $G$ の部分群**になります。これも、部分群の定義から確かめることができます。

> **ちょっと一言**
>
> $\langle g \rangle = \{g^n \mid n \in \mathbb{Z}\}$ という集合を、元を列挙して表すなら、
>
> $$\langle g \rangle = \left\{\ldots, g^{-3}, g^{-2}, g^{-1}, g^0, g^1, g^2, g^3, \ldots\right\}$$
>
> となります。このように列挙すると $\langle g \rangle$ は無限集合に見えるかもしれませんが、そうとは限りません。ここに列挙した元の中には互いに等しいものが無数にあるかもしれないからです。

さてここで特に、$\langle g \rangle$ が $G$ に等しくなる場合に注目しましょう。すなわち、

$$G = \langle g \rangle$$

ということです。このような元 $g$ を持つ群のことを巡回群《じゅんかいぐん》といいます。

> **定義**(巡回群)
>
> 群 $G$ の元 $g$ が
>
> $$G = \langle g \rangle$$
>
> を満たすとき、$g$ は $G$ の**生成元《せいせいげん》**であるといいます。また、群 $G$ が生成元を持つとき、$G$ は**巡回群《じゅんかいぐん》**であるといいます。さらに、$g$ が群 $G$ の生成元であるとき、「$g$ は $G$ を**生成《せいせい》する**」や「群 $G$ は $g$ で生成される」といいます。

> **ちょっと一言**
>
> つまり、巡回群とは、任意の元が $g^n$ という形で表せるような元 $g$ を持つ群といえます。あくまでイメージですが、一つのタネから大きな木が生まれるように、一つの生成元 $g$ の冪乗によって群全体が生まれる群、それが巡回群です。

## 4.5 巡回群の例

巡回群の定義をよく理解するために、具体例を見ていきましょう。

### 例 4-1

虚数単位を $i$ で表します。すなわち $i^2 = -1$ です。集合 $X_4 = \{1, i, -1, -i\}$ を台集合とし、乗算 $\times$ を群演算とする群 $(X_4, \times)$ は巡回群です。なぜなら、$X_4$ の元 $i$ が生成する集合 $\langle i \rangle$ を考えると、

$$X_4 = \langle i \rangle$$

が成り立つからです。つまり、$i$ は $X_4$ の生成元です。実際、$X_4$ の元はすべて

$$1 = i^0,\ i = i^1,\ -1 = i^2,\ -i = i^3$$

のように $i^n$ の形で表せますし、$i^n$ はすべて $X_4$ の元のどれかに等しくなります。

$X_4$ の生成元は $i$ だけではありません。$-i$ も $X_4$ の生成元です。すなわち、

$$X_4 = \langle -i \rangle$$

が成り立ちます。実際、$X_4$ の元はすべて

$$1 = (-i)^0,\ i = (-i)^3,\ -1 = (-i)^2,\ -i = (-i)^1$$

のように $(-i)^n$ の形で表せますし、$(-i)^n$ はすべて $X_4$ の元のどれかに等しくなります。

$i$ と $-i$ は $X_4$ の生成元ですが、1 は $X_4$ の生成元ではありません。なぜなら、$i = 1^n$ を満たす整数 $n$ は存在しないからです。同様に $-1$ も $X_4$ の生成元ではありません。

まとめると、$i$ と $-i$ は $X_4$ の生成元ですが、1 と $-1$ は $X_4$ の生成元ではありません。

**ちょっと一言**

$i$ を繰り返し掛けていくと、

$$1 \to i \to -1 \to -i \to 1 \to i \to \cdots$$

のように $1, i, -1, -i$ をぐるぐる回る繰り返しがあるのを感じます。「$i$ を生成元とする巡回群」は、このような「$i$ を掛けていくとぐるぐる回る繰り返し」をきちんと述べたものといえるでしょう。実際、$1, i, -1, -i$ を複素平面上で考える（複素数 $a + bi$ を座標平面上の点 $(a, b)$ と考える）なら、下図のようにぐるぐる回る様子が観察できます。

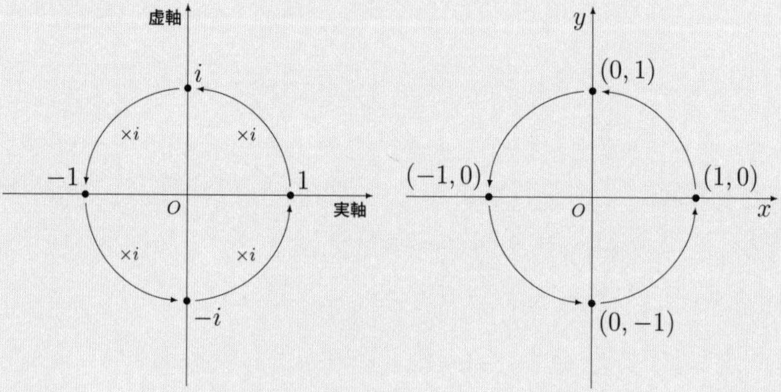


$i^n$ は整数 $n$ を 4 で割った剰《じょう》余《よ》（余り）によって、$1, i, -1, -i$ のどれに等しくなるかが決まります。$n$ を 4 で割った剰余を $n \bmod 4$ で表すことにすると、

$$i^n = \begin{cases} 1 & (n \bmod 4 = 0 \text{ の場合}) \\ i & (n \bmod 4 = 1 \text{ の場合}) \\ -1 & (n \bmod 4 = 2 \text{ の場合}) \\ -i & (n \bmod 4 = 3 \text{ の場合}) \end{cases}$$

になります。mod について詳しくは「剰余と mod」（p. 113）でお話しします。

$-1$ は $X_4$ の生成元ではありませんが、1 に対して $-1$ を繰り返し掛けていくと、

$$1 \to -1 \to 1 \to -1 \to 1 \to \cdots$$

のように 1 と $-1$ を行ったり来たりします。これも $1, -1$ をぐるぐる回る繰り返しとして表せそうです。それが次の例 4-2 です。

### 例 4-2

整数 1 と $-1$ を元に持つ集合 $X_2 = \{1, -1\}$ を台集合とし、乗算 $\times$ を群演算とする群 $(X_2, \times)$ は巡回群です。なぜなら、

$$X_2 = \langle -1 \rangle$$

が成り立つからです。すなわち $-1$ は群 $X_2$ の生成元です。実際、$X_2$ に属している二つの元 1 と $-1$ はどちらも

$$1 = (-1)^0,\ -1 = (-1)^1$$

のように $(-1)^n$ の形で表せるし、$(-1)^n$ は $X_2$ の元のどちらかに等しくなるからです。

1 は $X_2$ の生成元ではありません。なぜなら、$1^n$ はすべて 1 に等しくなるので、$-1 = 1^n$ を満たす $n \in \mathbb{Z}$ は存在せず、$X_2 = \langle 1 \rangle$ にならないからです。

**ちょっと一言**

$X_2$ は例 4-1 の群 $(X_4, \times)$ の部分群になっています。また、例 4-1 のときと同様にぐるぐる回る（二点を往復する）様子が観察できます。

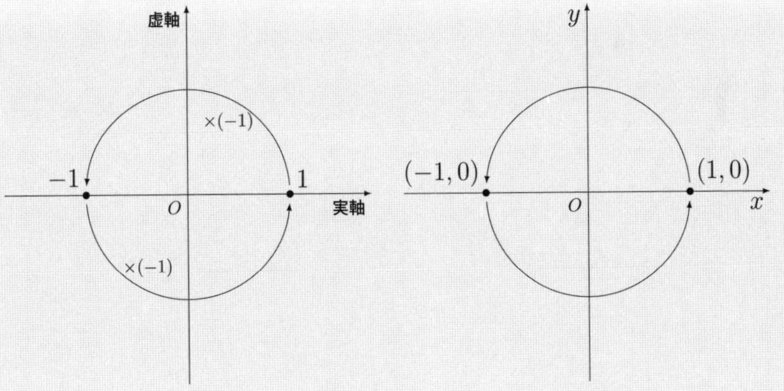


### 例 4-3

整数 1 のみからなる一点集合 $X_1 = \{1\}$ を台集合とし、乗算 $\times$ を群演算とする群 $(X_1, \times)$ は巡回群になります。生成元は 1 で、$X_1 = \langle 1 \rangle$ です。

**ちょっと一言**

$X_1$ は例 4-1 の群 $(X_4, \times)$ の部分群でもあり、例 4-2 の群 $(X_2, \times)$ の部分群でもあります。

上で述べた例 4-1〜4-3 の巡回群の相互関係に注目しましょう。$X_1$ は $X_2$ の部分集合であり、$X_2$ は $X_4$ の部分集合であるという関係だけではなく、$X_1$ は $X_2$ の部分群であり、$X_2$ は $X_4$ の部分群であるという関係があります。

ちょっと数学から離れて比喩的に考えてみましょう。ネジや歯車などの部品がバラバラと袋に入っているとします。その袋は部品の集まりであり、そこから部品を何個か取り出して袋にいれたものもまた部品の集まりになります。でも、個々の部品はあくまでバラバラです。この様子は、集合と部分集合の関係に似ています。さて、ネジや歯車などの部品が噛み合って精巧な動きをしている機械があり、そこから部品の集まりをうまく取り出したところ、それもまた精巧な動きをする機械になっていたとしましょう。この様子は、群と部分群の関係に似ています。あくまでイメージに過ぎませんが、「集合と部分集合の関係」と「群と部分群の関係」との間には、そんな違いがあります。

群 $X_4, X_2, X_1$ を観察しましたが、演習問題 4-1 の解答では、群 $X_{12}$ について同様の観察を行います。

### 例 4-4

整数全体の集合 $\mathbb{Z}$ を台集合とし、加算 $+$ を群演算とする群 $(\mathbb{Z}, +)$ は巡回群になります。1 は $\mathbb{Z}$ の生成元の一つです。すなわち、

$$\mathbb{Z} = \langle 1 \rangle$$

です。また $-1$ も $\mathbb{Z}$ の生成元の一つです。すなわち、

$$\mathbb{Z} = \langle -1 \rangle$$

です。群 $(\mathbb{Z}, +)$ は無限群であり、しかも巡回群でもあります。このような群を**無《む》限《げん》巡《じゅん》回《かい》群《ぐん》**といいます。

**ちょっと一言**

「$\mathbb{Z} = \langle 1 \rangle$ です」とさらっと書きましたが、$\mathbb{Z} = \langle 1 \rangle$ は、1 が $\mathbb{Z}$ を生成してい

ることを主張しています。そのことを確かめましょう。群 $(\mathbb{Z}, +)$ の単位元は $0$ で、$1$ の逆元は $-1$ ですから、$\langle 1 \rangle$ という集合は、$0$ と、$1+1+\cdots+1$ と、$(-1)+(-1)+\cdots+(-1)$ という $\mathbb{Z}$ の元全体からなる集合になります。確かに、そのような $\langle 1 \rangle$ は $\mathbb{Z}$ 自身に他なりません。$\mathbb{Z} = \langle 1 \rangle = \langle -1 \rangle$ は以下のようなイメージです。

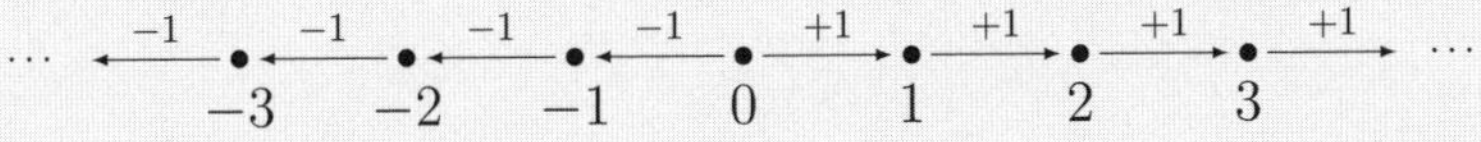


群 $(G, *)$ の元の冪乗を定義するとき、$g * g * g$ を $g^3$ と書きましたが、群 $(\mathbb{Z}, +)$ では群演算が $+$ ですから、$1+1+1$ は $1^3$ と書けます。ただし $1^3$ は通常 $1 \times 1 \times 1$ の意味に誤解される危険性があります。群演算の記号が $+$ である場合には、$g+g+g=3g$ のように $n$ 倍の表記にした方がわかりやすいでしょう。また、その場合には $3$ 個の $g$ を「掛け合わせる」ではなく「足し合わせる」という方がピンと来るでしょう。

### 例 4-5

$2$ の冪乗全体からなる集合を $B$ とします。すなわち、

$$\begin{aligned} B &= \{2^n \mid n \in \mathbb{Z}\} \\ &= \{\ldots, 2^{-3}, 2^{-2}, 2^{-1}, 2^0, 2^1, 2^2, 2^3, \ldots\} \\ &= \left\{\ldots, \frac{1}{2^3}, \frac{1}{2^2}, \frac{1}{2}, 1, 2, 4, 8, \ldots\right\} \\ &= \left\{\ldots, \frac{1}{8}, \frac{1}{4}, \frac{1}{2}, 1, 2, 4, 8, \ldots\right\} \end{aligned}$$

です。$B$ を台集合とし、乗算 $\times$ を群演算とする群 $(B, \times)$ は巡回群になります。

$2$ は $B$ の生成元の一つです。すなわち、

$$B = \langle 2 \rangle$$

です。また $2^{-1} = 1/2$ も $B$ の生成元の一つです。すなわち、

$$B = \left\langle 2^{-1} \right\rangle$$

です。群 $(B, \times)$ は無限巡回群です。

**ちょっと一言**

$B = \langle 2 \rangle = \left\langle 2^{-1} \right\rangle$ は以下のようなイメージです。

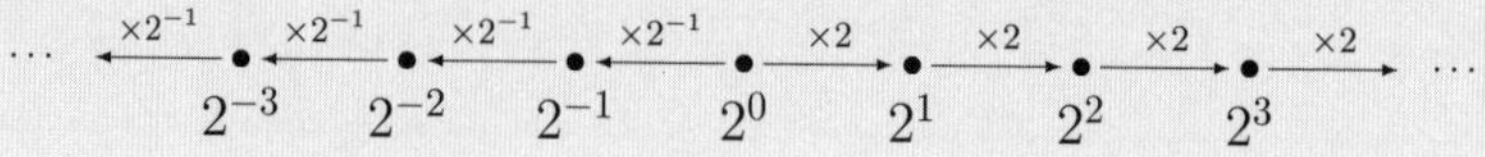


一般に、$g$ が巡回群 $G$ の生成元であるとき、$g$ の逆元 $g^{-1}$ も $G$ の生成元になります。これは $g^{-1}$ の逆元が $g$ に等しいこと、つまり $(g^{-1})^{-1} = g$ からわかります。

群 $(B, \times)$ の二つの元の積を観察しましょう。$m \in \mathbb{Z}, n \in \mathbb{Z}$ としたとき、$2^m \in B, 2^n \in B$ です。そして、

$$2^m \times 2^n = 2^{m+n}$$

が成り立ちます。これを見ると、左辺は $2^m$ と $2^n$ の積を $\times$ で得ていますが、右辺は $m$ と $n$ の和を $+$ で得てから 2 の冪乗を求めていることがわかります。つまりここには、群 $(B, \times)$ と群 $(\mathbb{Z}, +)$ の間に群演算も含めた対応関係があることが見てとれます。これは二つの群が「同型」であることを意味しています。詳しくは第 5 章「準同型」でお話しします。

**例 4-6** (4 の倍数全体の集合)

4 の倍数全体の集合を $4\mathbb{Z}$ と書くことにしましょう。すなわち、

$$4\mathbb{Z} = \{\ldots, -12, -8, -4, 0, 4, 8, 12, \ldots\} = \{4n \mid n \in \mathbb{Z}\}$$

です。このとき、$4\mathbb{Z}$ を台集合とし、加算 $+$ を群演算とする群 $(4\mathbb{Z}, +)$ は無限巡回群になります。生成元は 4 と $-4$ です。すなわち、$4\mathbb{Z} = \langle 4 \rangle = \langle -4 \rangle$ です。$4\mathbb{Z}$ は $\mathbb{Z}$ の部分群です。

**ちょっと一言**

$4\mathbb{Z} = \langle 4 \rangle = \langle -4 \rangle$ は以下のようなイメージです。

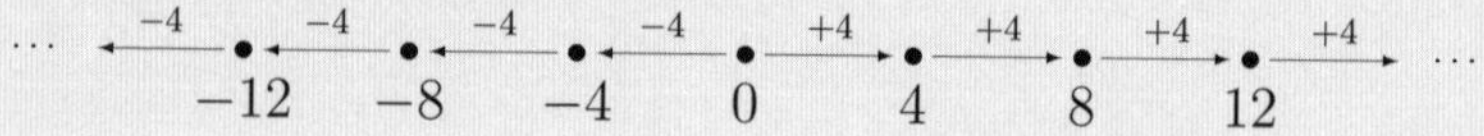

## 4.6 剰余と mod

> **ちょっと一言**
>
> 私たちはいま、巡回群について学んでいます。巡回群についてさらに深く考えるために、整数の剰《じょう》余《よ》について学びます。

任意の二つの整数 $n$ と $m$（ただし $m \neq 0$）に対して、

$$n = mq + r \qquad \text{ただし、} 0 \leqq r < |m|$$

を満たす二つの整数 $q$ と $r$ が存在します。$q$ を、$n$ を $m$ で割ったときの**商**《しょう》といい、$r$ を、$n$ を $m$ で割ったときの**剰**《じょう》**余**《よ》といいます。剰余とは「余《あま》り」のことです。整数 $n$ と $m$ に対し、商 $q$ と剰余 $r$ の組は一通りに決まります。

たとえば、$n = 13, m = 4$ とすると上の式は、

$$13 = 4q + r \qquad \text{ただし、} 0 \leqq r < |4|$$

と表せます。これを満たす二つの整数 $q$ と $r$ は、$q = 3, r = 1$ であることがわかります。これは、$n = 13$ を $m = 4$ で割ったときの商が $q = 3$ で、剰余が $r = 1$ ということです。

整数 $n$ を整数 $m$（ただし $m \neq 0$）で割ったときの剰余を

$$n \bmod m$$

で表すことにします。

> **ちょっと一言**
>
> mod は「モッド」と読み、$n \bmod m$ は「$n$ モッド $m$」と読みます。

$m = 4$ にしたときの $n \bmod m$ を表にしてみると、mod の様子がつかめるでしょう。

| $n$ | $\cdots$ | $-8$ | $-7$ | $-6$ | $-5$ | $-4$ | $-3$ | $-2$ | $-1$ | $0$ | $1$ | $2$ | $3$ | $4$ | $5$ | $6$ | $7$ | $8$ | $\cdots$ |
|---|---|---|---|---|---|---|---|---|---|---|---|---|---|---|---|---|---|---|---|
| $n \bmod 4$ | $\cdots$ | $0$ | $1$ | $2$ | $3$ | $0$ | $1$ | $2$ | $3$ | $0$ | $1$ | $2$ | $3$ | $0$ | $1$ | $2$ | $3$ | $0$ | $\cdots$ |

**ちょっと一言**

次の点に注目してください。

- $n \bmod 4$ は、必ず 0 以上 4 未満であること（$0 \leqq n \bmod 4 < 4$）。
- $n \bmod 4$ は、$n$ が増えていくと $0, 1, 2, 3$ を繰り返すこと。
- $n$ が 4 の倍数のとき、$n \bmod 4 = 0$ であること。

これらは $n$ が正の整数のときはもちろんのこと、$n$ が 0 や負の整数のときも成り立っています。それを記憶に留めてください。

## 4.7 $n$ の剰余が作る巡回群 $(Z_n, +_n)$

1 以上の整数 $n$ に対して、0 以上 $n$ 未満の整数全体からなる集合を $Z_n$ とします。すなわち、

$$Z_n = \{0, 1, 2, \ldots, n-1\} = \{x \in \mathbb{Z} \mid 0 \leqq x < n\}$$

です。

**ちょっと一言**

これから、この集合 $Z_n$ 上に、「足し算」に相当する二項演算を定義して群を作りたいのですが、整数の足し算 $+$ をそのまま使うと誤解を招くかもしれません。なぜなら、たとえば $Z_4$ の二つの元 2 と 3 の和を計算するのに $+$ をそのまま使うと、

$$2 + 3 = 5$$

となって $Z_4$ の元ではなくなってしまうからです。すなわち、$Z_4$ は整数の足し算 $+$ では閉じていません。そこで「整数の足し算を行った後に $n$ で割った剰《じょう》余《よ》を得る」という新たな「足し算」を定義することにします。このような話の流れを念頭に置いて続きを読んでください。

集合 $Z_n$ を台集合とし、群演算 $+_n$ を

$$x +_n y = (x + y) \bmod n$$

で定義すると、$(Z_n, +_n)$ は群になります。この群の単位元は 0 で、$x$ の逆元は $(n - x) \bmod n$ です。結合律が成り立つことは整数の足し算 $+$ で結合律が成り立つことから導けます。

また、群 $(Z_n, +_n)$ は巡回群になります。生成元は $n$ の値によって変わります。

**ちょっと一言**

巡回群 $(Z_n, +_n)$ の元 $x$ の逆元が $(n-x) \bmod n$ になることは、単位元が 0 であることと、

$$x + ((n-x) \bmod n) = (x+n-x) \bmod n = n \bmod n = 0$$

からわかります。

**例 4-7** (1 の剰余が作る巡回群)

集合 $Z_1 = \{0\}$ を台集合とし、1 を法とする加算 $x +_1 y = (x+y) \bmod 1$ を群演算とする群 $(Z_1, +_1)$ は巡回群になります。生成元は 0 です。すなわち、

$$Z_1 = \langle 0 \rangle$$

です。

**例 4-8** (4 の剰余が作る巡回群)

集合 $Z_4 = \{0, 1, 2, 3\}$ を台集合とし、4 を法とする加算 $x +_4 y = (x+y) \bmod 4$ を群演算とする群 $(Z_4, +_4)$ は巡回群になります。生成元は 1 または 3 です。すなわち、

$$Z_4 = \langle 1 \rangle = \langle 3 \rangle$$

です。一般に $n \geqq 2$ のとき、1 は $Z_n$ の生成元の一つです。すなわち、$Z_n = \langle 1 \rangle$ です。また、$n-1$ も $Z_n$ の生成元の一つです。すなわち、$Z_n = \langle n-1 \rangle$ です。これは、$n-1$ が 1 の逆元であることを考えればわかります。

**ちょっと一言**

巡回群 $(Z_n, +_n)$ の他の生成元については、演習問題 4-1 で考えます。

この巡回群 $(Z_4, +_4) = (\{0, 1, 2, 3\}, +_4)$ は、巡回群 $(X_4, \times) = (\{1, i, -1, -i\}, \times)$ と、台集合も群演算も異なりますが、群としては実質的に「同じ」だと感じます。台集合の元の数が $|Z_4| = |X_4|$ のように等しいという意味で「同じ」というだけではありません。$Z_4$ の生成元 1 を $+_4$ で繰り返し加えた結果と $X_4$ の生成元 $i$ を $\times$ で繰り返し掛けた結果がぴったり対応しているという点でも「同じ」です。この「同じ」については、第 5 章「準同型」で詳しくお話しします。

巡回群 $(Z_n, +_n)$ を定義するのに、$+$ という記号に $_n$ という添字が付いた見慣れない記号 $+_n$ が登場しました。姿は見慣れませんが、何を意味するかは、

$$x +_n y = (x + y) \bmod n$$

として定義されています。数学の本ではときどき見慣れない記号が登場することがありますが、それがどのように定義されているかを調べ、定義に置き換えて意味を考えることが大事です。特に、具体的な例を作ってみるとわかりやすくなります。たとえば、$x = 2, y = 3, n = 4$ とすると、定義から

$$2 +_4 3 = (2 + 3) \bmod 4$$

になります。$(2 + 3) \bmod 4 = 5 \bmod 4 = 1$ なので、

$$2 +_4 3 = 1$$

となります。

## 4.8 巡回群は可換群になる

**定義**（可換群）

群 $(G, *)$ が次の**交換律**《こうかんりつ》を満たすとき、$G$ を**可**《か》**換群**《かんぐん》といいます。

- $G$ の任意の元 $x, y$ に対して、

$$x * y = y * x$$

　　が成り立つ。

交換律は**交換法則**《こうかんほうそく》や**交換則**《こうかんそく》あるいは**可**《か》**換律**《かんりつ》ともいいます。

可換群は**アーベル群**ともいいます。

たとえば、$(\mathbb{Z}, +)$ は可換群です。なぜなら、任意の整数 $m, n$ に対して、

$$m + n = n + m$$

が成り立つからです。また、この章に登場した巡回群はすべて可換群です。実際、次の定理が成り立ちます。

**定理 4-1**（巡回群は可換群になる）
$G$ が巡回群ならば、$G$ は可換群です。

**証明**

$G$ が巡回群ならば、$G$ には生成元が存在するので、それを $g$ とします。$G = \langle g \rangle$ です。すると、$G$ の任意の元 $x, y$ に対して、

$$x = g^m$$

$$y = g^n$$

を満たす整数 $m, n$ が存在します。したがって、$G$ の群演算を $*$ とすると、

$$\begin{aligned} x * y &= g^m * g^n \\ &= g^{m+n} \\ &= g^{n+m} \\ &= g^n * g^m \\ &= y * x \end{aligned}$$

となるので、

$$x * y = y * x$$

となり、$G$ は可換群です。

**（証明終わり）**

**ちょっと一言**

この証明では、群 $(G, *)$ で交換律 $x * y = y * x$ が成り立つことを群 $(\mathbb{Z}, +)$ で交換律 $m + n = n + m$ が成り立つことに帰着しています。

## 4.9 巡回群の分類

ここまで見てきた巡回群の例の中には、見かけは異なるけれど群として「同じ」と感じられるものがありました。その感覚を数学的にきちんと述べたものが群の同型《どうけい》という概念です。群の同型については第 5 章「準同型」で定義しますが、巡

回群に関する大事な定理を証明抜きで述べておきます。

**定理 4-2**（巡回群の分類）

- 位数が $n$ の有限巡回群は、巡回群 $(Z_n, +_n)$ に同型です。
- 無限巡回群は、巡回群 $(\mathbb{Z}, +)$ に同型です。

ちょっと一言

言い換えるなら、**巡回群は本質的に** $(Z_n, +_n)$ **と** $(\mathbb{Z}, +)$ **しかない**ということです。巡回群を調べるときには、群の位数に注目することが大切だともいえます。

位数が $n$ の有限巡回群はすべて同型なので、それをまとめて一般に、

$$C_n$$

と表すことがあります。“C” は “Cyclic group”（巡回群）の頭文字です。

## 4.10 巡回群の部分群は巡回群になる

ちょっと一言

例 4-1 と例 4-2 で、巡回群 $X_4$ の部分群 $X_2$ もまた巡回群になっていることを見ました。実は、このことは一般に成り立ちます。それが次の定理 4-3「巡回群の部分群は巡回群になる」です。証明では、巡回群の部分群が生成元を持つことを示します。

**定理 4-3**（巡回群の部分群は巡回群になる）
$H$ が巡回群 $G$ の部分群ならば、$H$ も巡回群です。

**証明**

$G$ は巡回群なので $G = \langle g \rangle$ となる $G$ の元 $g$ が存在します（$g$ は $G$ の生成元)。

$|H| = 1$ のとき、$H = \langle g^0 \rangle$ なので $H$ は $g^0$ を生成元とする巡回群です（$g^0$ は $G$ の単位元)。

$|H| > 1$ のとき、$H$ には正の整数 $n$ によって $g^n$ の形で表される元が存在します（演習問題 4-3 参照）。そこで、$g^n \in H$ を満たす正の整数 $n$ のうち最小のものを $m$ とします（$m \geqq 1$）。以下では $g^m$ が $H$ の生成元の一つであること、すなわち

$$H = \langle g^m \rangle$$

を示します。そのために $\langle g^m \rangle \subset H$ と $H \subset \langle g^m \rangle$ を順に確かめます。

①（$\langle g^m \rangle \subset H$）$x \in \langle g^m \rangle$ とすると、$x = (g^m)^k$ となる整数 $k$ が存在します。$H$ は $G$ の部分群なので、$g^m \in H$ から $x = (g^m)^k \in H$ がいえます。したがって、

$$\langle g^m \rangle \subset H$$

が成り立ちます。

②（$H \subset \langle g^m \rangle$）$x$ を $H$ の元とします。すると、$x$ は巡回群 $G = \langle g \rangle$ の元でもあるので、$x = g^N \in H$ となる整数 $N$ が存在します。その整数 $N$ に対して、次の式を満たす整数 $q$ と $r$ が存在します（$q$ は $N$ を $m \geqq 1$ で割った商で、$r$ は剰余です）。

$$N = mq + r \qquad (0 \leqq r < m)$$

したがって、

$$g^N = g^{mq+r} \in H$$

です。ここから $g^N \in \langle g^m \rangle$ を示します。

$H$ は群 $G$ の部分群なので、$g^m \in H$ から $g^{-mq} \in H$ です。$G$ の群演算を $*$ で表すと、$g^n \in H$ と $g^{-mq} \in H$ から、

$$g^N * g^{-mq} \in H$$

です。ところで、

$$\begin{aligned} g^N * g^{-mq} &= g^{mq+r} * g^{-mq} \\ &= g^{(mq+r)-mq} \\ &= g^r \end{aligned}$$

となるので、

$$g^r \in H$$

です。

さて、$r$ は $0 \leqq r < m$ を満たします。ここでもしも $r > 0$ と仮定すると $m$ が $g^n \in H$ を満たす正の整数 $n$ のうち最小のものであることに矛盾します。したがって $r = 0$ です。すなわち、

$$N = mq$$

となり、

$$g^N = g^{mq} = (g^m)^q \in \langle g^m \rangle$$

から

$$g^N \in \langle g^m \rangle$$

がいえます。よって $x = g^N$ が $H$ の元ならば $x \in \langle g^m \rangle$ なので、

$$H \subset \langle g^m \rangle$$

です。

① $\langle g^m \rangle \subset H$ と② $H \subset \langle g^m \rangle$ から、

$$H = \langle g^m \rangle$$

が成り立つので、$g^m \in H$ は $H$ の生成元です。したがって、巡回群 $G$ の部分群 $H$ は巡回群であることが示されました。

**（証明終わり）**

## 4.11 巡回群についての対話

「巡回群についてはわかった感じがします。ぐるっと回ってくる群ということですね。$i$ を掛けていくと $1 \to i \to -1 \to -i \to 1$ でぐるっと回ってきます」

「イメージとしてはそうですね。ただし $(\mathbb{Z}, +)$ のような無限巡回群の場合には、ぐるっと回ってくることはありませんので、それは注意してください」

「なるほど、そういえばそうですね」

「それから『ぐるっと回ってくる』というのはあくまでイメージであって、一つの元で生成されるというのが巡回群の定義ですので、そこもきちんと押さえた

いところです」

「$g^n$ の形をしているということですよね。それはわかっています」

「そうです。すべての元が $g^n$ の形で表せるので、巡回群は扱いやすくなっています」

「といいますと？」

「巡回群について調べるときには生成元 $g$ を見つけて、その $n$ 乗に注目することになるからです。巡回群を調べていくと、結果的に $(\mathbb{Z}, +)$ か $(Z_n, +_n)$ のどちらかに帰着されます」

「ああ、生成元に注目するというのは、お話を聞いていて自分も思いました。巡回群のすべての元が生成元 $g$ に支配されているイメージがあります。生成元さえ捕まえておけばいいみたいな。それから、複素数や整数など、巡回群のいろんな例が出てくるのですが、みんな《同じ》に見えました」

「そうですね。その《同じ》というのは、何度かお話ししている《群の同型》という概念になります。任意の巡回群は $(\mathbb{Z}, +)$ と $(Z_n, +_n)$ のいずれかに同型です」

「そういえば、巡回群は可換群という話がありました」

「はい。すべての巡回群は可換群ですね。$(\mathbb{Z}, +)$ と $(Z_n, +_n)$ はどちらも可換群なので、そこに帰着できるわけですが」

「可換群は $x * y = y * x$ が成り立つ群ですよね。どうしてそれを気にするんですか」

「群では一般に、交換律は成り立たないからです。だから、交換律が成り立つかどうかはその群の大きな特徴の一つといえます」

「あれ……ちょっと待ってください。そもそも群では $x*(y*z) = (x*y)*z$ が成り立つので、どういう順序で計算してもいいはずですよね。だったら $x * y = y * x$ はいつも成り立ちませんか？」

「いいえ、結合律と交換律は違います。結合律の $x*(y*z) = (x*y)*z$ では $x, y, z$ の並び順は変わっていません。交換律の $x * y = y * x$ では並び順が変わっています」

「あっ、本当ですね。きちんと読めていませんでした」

「ところで、《巡回群ならば可換群である》というのは大事な命題ですが、この命題の**対偶**《たいぐう》である《可換群でなければ巡回群ではない》というのも大事な命題です」

「それはどうしてですか」

「命題とその対偶となる命題は、真偽が一致するからです。たとえば、何か具体的な群を調べていて $x * y \neq y * x$ が成り立つ $x, y$ が見つかったとします」

「それは交換律が成り立たないという意味ですね」

「そうです。$x * y \neq y * x$ という $x, y$ が一組でも見つかった瞬間に、その群は可換群ではないといえます。そして同時にその群は巡回群でもないといえます。つまりその群には、すべての元が $g^n$ の形に表せるような元 $g$ は存在しないし、$(\mathbb{Z}, +)$ にも $(Z_n, +_n)$ にも同型ではないということがわかります」

## 4.12 この章で学んだこと

この章では、巡回群について学びました。

- 群 $G$ の元 $g$ の冪乗 $g^n$（群演算が $+$ の場合には $ng$）
- 群 $G$ の元 $g$ が生成する $G$ の部分集合 $\langle g \rangle$（これは $G$ の部分群でもある）
- さまざまな巡回群の例
- 巡回群は可換群
- 巡回群の部分群は巡回群

巡回群 $G = \langle g \rangle$ を調べるときには、生成元 $g$ に注目することが大事です。$G$ の任意の元は $g^n$ の形で表せるからです。

また、巡回群の位数 $|G|$ に注目することも大事です。無限巡回群はすべて $(\mathbb{Z}, +)$ と「同じ」であり、位数が $n$ の巡回群はすべて $(Z_n, +_n)$ と「同じ」なので、巡回群は $(\mathbb{Z}, +)$ または $(Z_n, +_n)$ に帰着できるからです。

さて、本書ではこれまでに、二つの群が「同じ」という言い回しが何度も出てきました。いよいよ次の章「準同型」では、群として「同じ」とはどういうことかを数学的にきちんと定義します。二つの集合の元の個数が等しいだけではなく、二つの集合の間に全単射が存在して元同士が対応付けられるだけでもなく、二つの群の構造がぴったり同じであるとはどういうことなのか。その意味を考えていきましょう。

次の章に進む前に、演習問題で自分の理解を確かめてくださいね。

# 演習問題

**ちょっと一言**

演習問題は、自分が理解したかどうかを確かめるためのものであって、正解を覚えるためのものではありません。ですから、すぐに解答を読むのではなく、まずは自分で問題を読み、考えてみることが大切です。たとえ自分で答えを導くことができなくても、問題の意味をよく理解してから解答を読むのがいいですね。

**問題 4-1**（巡回群 $(Z_{12}, +_{12})$ の生成元）
巡回群 $(Z_{12}, +_{12})$ の生成元をすべて求めてください。

**ちょっと一言**

記号の意味を忘れた人のために書いておきますと、$Z_{12} = \{0, 1, 2, \ldots, 11\}$ で、$x +_{12} y = (x + y) \bmod 12$ です。

**問題 4-2**（群 $(S_3, \circ)$ の各元が生成する部分群）
第 3 章で紹介した「席替え」の写像全体が作る群 $(S_3, \circ)$ の演算表を以下に示します。これを参考にして $S_3 = \{e, a, b, c, r, s\}$ の各元が生成する部分群 $\langle e \rangle, \langle a \rangle, \langle b \rangle, \langle c \rangle, \langle r \rangle, \langle s \rangle$ をそれぞれ求めてください。

| $\circ$ | $e$ | $a$ | $b$ | $c$ | $r$ | $s$ |
|---|---|---|---|---|---|---|
| $e$ | $e$ | $a$ | $b$ | $c$ | $r$ | $s$ |
| $a$ | $a$ | $e$ | $r$ | $s$ | $b$ | $c$ |
| $b$ | $b$ | $s$ | $e$ | $r$ | $c$ | $a$ |
| $c$ | $c$ | $r$ | $s$ | $e$ | $a$ | $b$ |
| $r$ | $r$ | $c$ | $a$ | $b$ | $s$ | $e$ |
| $s$ | $s$ | $b$ | $c$ | $a$ | $e$ | $r$ |

群 $(S_3, \circ)$ の演算表

**問題 4-3**（巡回群の部分群）

$H$ が巡回群 $G$ の部分群で $|H| > 1$ のとき、$G$ の生成元を $g$ とすると、

$$g^n \in H$$

を満たす正の整数 $n$ が存在することを証明してください。

**ちょっと一言**

この演習問題の結果は、定理 4-3「巡回群の部分群は巡回群になる」（p. 118）の証明で使います。

**問題 4-4**（巡回群ではない位数 4 の群）

この章では、位数 4 の巡回群の例がいくつも登場しました。それでは、巡回群では**ない**位数 4 の群を作ってください。

## 演習問題の解答

**解答 4-1**（巡回群 $(Z_{12}, +_{12})$ の生成元）

12 個の元 $0, 1, 2, \ldots, 11$ が生成する $Z_{12}$ の部分集合が $Z_{12}$ に等しくなるかどうかを順番に調べます。すると、次のようになります。

$$
\begin{array}{rl}
\langle 0 \rangle &= \{\ 0 \ \} \\
\langle 1 \rangle &= \{\ 0,\ 1,\ 2,\ 3,\ 4,\ 5,\ 6,\ 7,\ 8,\ 9,\ 10,\ 11\ \} = Z_{12} \\
\langle 2 \rangle &= \{\ 0,\ 2,\ 4,\ 6,\ 8,\ 10\ \} \\
\langle 3 \rangle &= \{\ 0,\ 3,\ 6,\ 9\ \} \\
\langle 4 \rangle &= \{\ 0,\ 4,\ 8\ \} \\
\langle 5 \rangle &= \{\ 0,\ 1,\ 2,\ 3,\ 4,\ 5,\ 6,\ 7,\ 8,\ 9,\ 10,\ 11\ \} = Z_{12} \\
\langle 6 \rangle &= \{\ 0,\ 6\ \} \\
\langle 7 \rangle &= \{\ 0,\ 1,\ 2,\ 3,\ 4,\ 5,\ 6,\ 7,\ 8,\ 9,\ 10,\ 11\ \} = Z_{12} \\
\langle 8 \rangle &= \{\ 0,\ 4,\ 8\ \} \\
\langle 9 \rangle &= \{\ 0,\ 3,\ 6,\ 9\ \} \\
\langle 10 \rangle &= \{\ 0,\ 2,\ 4,\ 6,\ 8,\ 10\ \} \\
\langle 11 \rangle &= \{\ 0,\ 1,\ 2,\ 3,\ 4,\ 5,\ 6,\ 7,\ 8,\ 9,\ 10,\ 11\ \} = Z_{12}
\end{array}
$$

したがって、

$$Z_{12} = \langle 1 \rangle = \langle 5 \rangle = \langle 7 \rangle = \langle 11 \rangle$$

であり、巡回群 $(Z_{12}, +_{12})$ の生成元は1,5,7,11の 4 個です。

**ちょっと一言**

「問題を解く」という意味では、話は以上で終わりですが、上の式を注意深く観察すると、次のことがわかります。$x = 1, 2, \ldots, 11$ のとき、12 と $x$ の**最大公約数**を $\gcd(12, x)$ で表すと、

$$\langle x \rangle = \langle \gcd(12, x) \rangle$$

になります。たとえば、$\gcd(12, 3) = \gcd(12, 9) = 3$ であり、確かに $\langle 3 \rangle = \langle 9 \rangle$ です。そして、$x$ が $Z_{12}$ の生成元なのは、

$$\gcd(12, x) = 1$$

であるとき、すなわち $x$ が 12 と**互《たが》いに素《そ》**のときです。

💬 一般の有限巡回群 $(Z_n, +_n)$ についても同様のことが成り立ちます。すなわち、$x = 1, 2, \ldots, n-1$ のとき、

$$\langle x \rangle = \langle \gcd(n, x) \rangle$$

であり、$x$ が $Z_n$ の生成元なのは、

$$\gcd(n, x) = 1$$

のときです。

💬 p. 108 で巡回群 $(X_4, \times) = (\{1, i, -1, -i\}, \times)$ を複素平面に描きました。ここでは巡回群 $(X_{12}, \times)$ を描きましょう。$k = 0, 1, 2, \ldots, 11$ として、12 個の複素数 $\alpha_k$ を

$$\alpha_k = \cos \frac{2\pi}{12} k + i \sin \frac{2\pi}{12} k$$

で定義します。この 12 個の複素数 $\alpha_k$ を複素平面上に描くと、原点中心で半径 1 の単位円に内接する正 12 角形の頂点に位置します。そして、集合 $X_{12}$ を

$$X_{12} = \{\alpha_0, \alpha_1, \alpha_2, \ldots, \alpha_{11}\}$$

とするとき、$(X_{12}, \times)$ は巡回群になります。そしてさらに、

$$X_{12} = \langle \alpha_1 \rangle = \langle \alpha_5 \rangle = \langle \alpha_7 \rangle = \langle \alpha_{11} \rangle$$

であり、巡回群 $(X_{12}, \times)$ の生成元は $\alpha_1, \alpha_5, \alpha_7, \alpha_{11}$ となります。$X_{12}$ の各元が生成する部分群 $\langle \alpha_0 \rangle, \langle \alpha_1 \rangle, \langle \alpha_2 \rangle, \ldots, \langle \alpha_{11} \rangle$ を図示してみましょう。

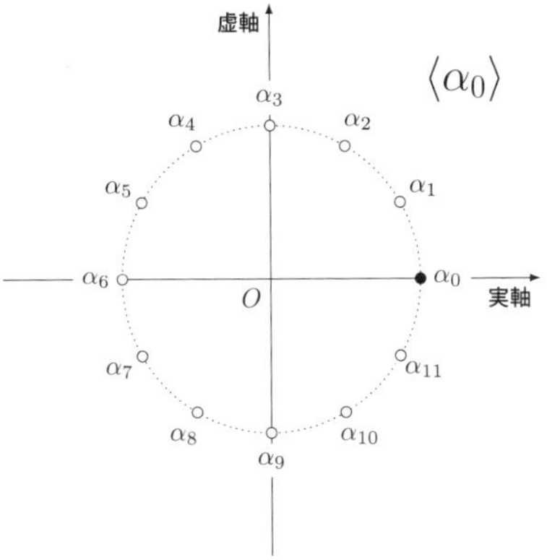
虚軸
$\langle \alpha_0 \rangle$
$\alpha_3$
$\alpha_4$
$\alpha_2$
$\alpha_5$
$\alpha_1$
$\alpha_6$
$\alpha_0$
実軸
$O$
$\alpha_7$
$\alpha_{11}$
$\alpha_8$
$\alpha_{10}$
$\alpha_9$

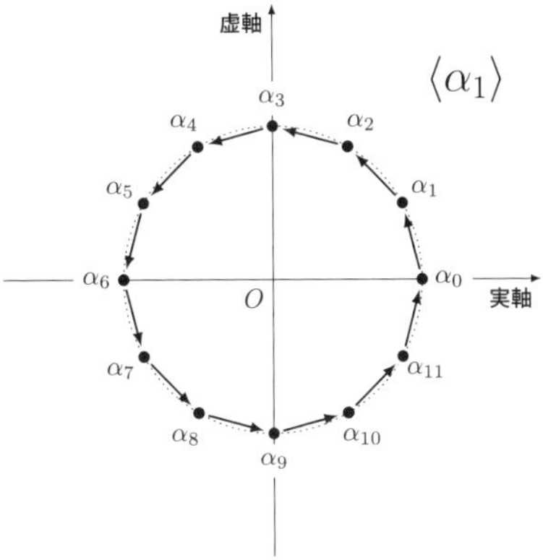
虚軸
$\langle \alpha_1 \rangle$
$\alpha_3$
$\alpha_4$
$\alpha_2$
$\alpha_5$
$\alpha_1$
$\alpha_6$
$\alpha_0$
実軸
$O$
$\alpha_7$
$\alpha_{11}$
$\alpha_8$
$\alpha_{10}$
$\alpha_9$

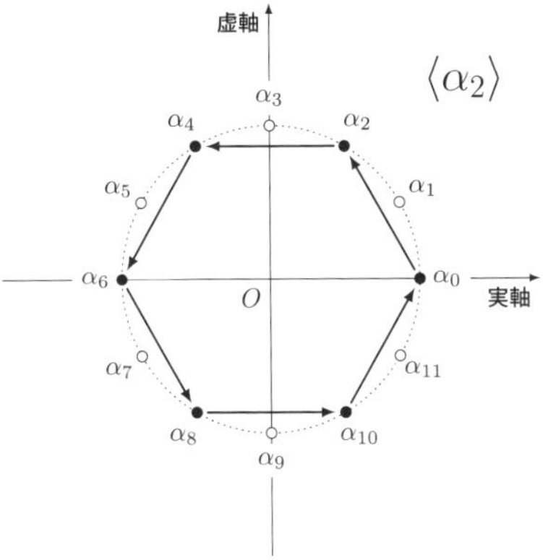
虚軸
$\langle \alpha_2 \rangle$
$\alpha_3$
$\alpha_4$
$\alpha_2$
$\alpha_5$
$\alpha_1$
$\alpha_6$
$\alpha_0$
実軸
$O$
$\alpha_7$
$\alpha_{11}$
$\alpha_8$
$\alpha_{10}$
$\alpha_9$

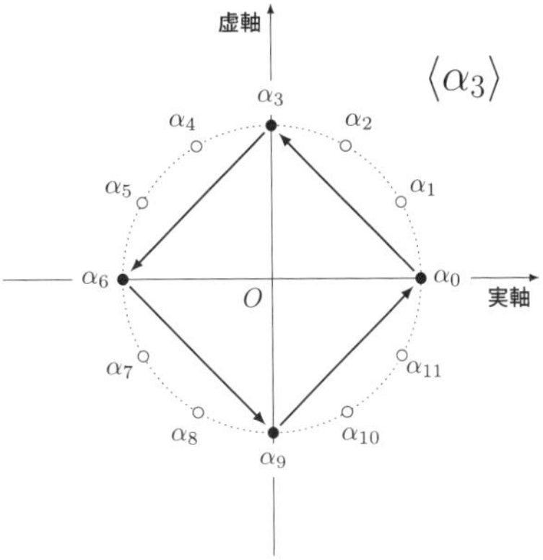
虚軸
$\langle \alpha_3 \rangle$
$\alpha_3$
$\alpha_4$
$\alpha_2$
$\alpha_5$
$\alpha_1$
$\alpha_6$
$\alpha_0$
実軸
$O$
$\alpha_7$
$\alpha_{11}$
$\alpha_8$
$\alpha_{10}$
$\alpha_9$

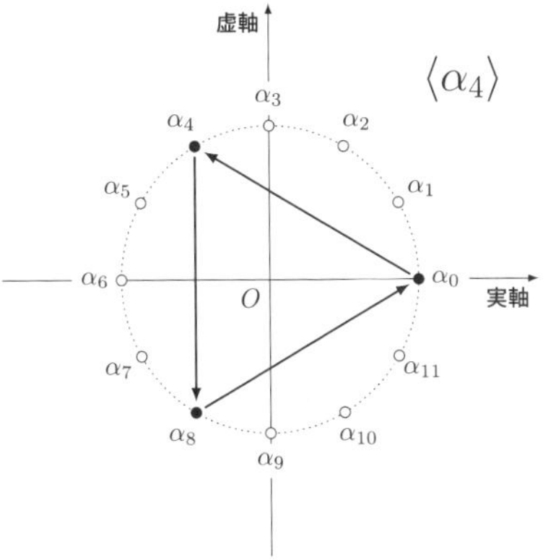
虚軸
$\langle \alpha_4 \rangle$
$\alpha_3$
$\alpha_4$
$\alpha_2$
$\alpha_5$
$\alpha_1$
$\alpha_6$
$\alpha_0$
実軸
$O$
$\alpha_7$
$\alpha_{11}$
$\alpha_8$
$\alpha_{10}$
$\alpha_9$

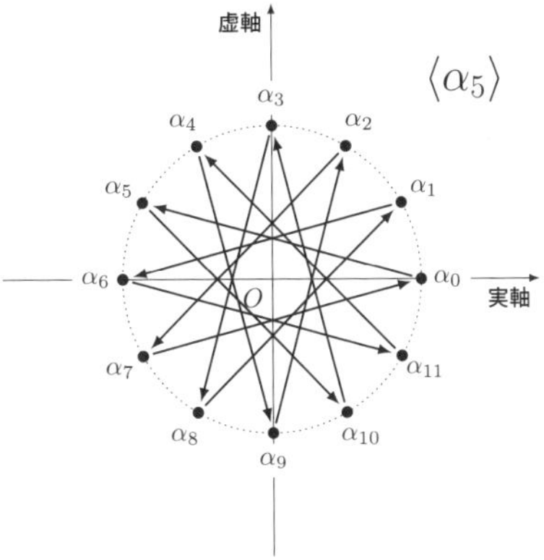
虚軸
$\langle \alpha_5 \rangle$
$\alpha_3$
$\alpha_4$
$\alpha_2$
$\alpha_5$
$\alpha_1$
$\alpha_6$
$\alpha_0$
実軸
$O$
$\alpha_7$
$\alpha_{11}$
$\alpha_8$
$\alpha_{10}$
$\alpha_9$

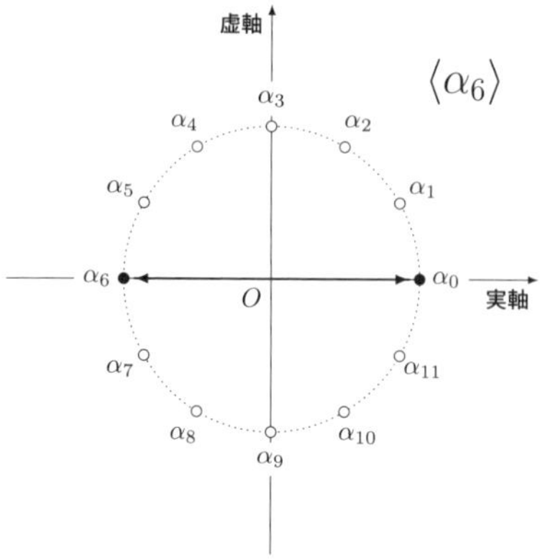
虚軸
$\langle \alpha_6 \rangle$
$\alpha_3$
$\alpha_4$
$\alpha_2$
$\alpha_5$
$\alpha_1$
$\alpha_6$
$\alpha_0$
$O$
実軸
$\alpha_7$
$\alpha_{11}$
$\alpha_8$
$\alpha_{10}$
$\alpha_9$

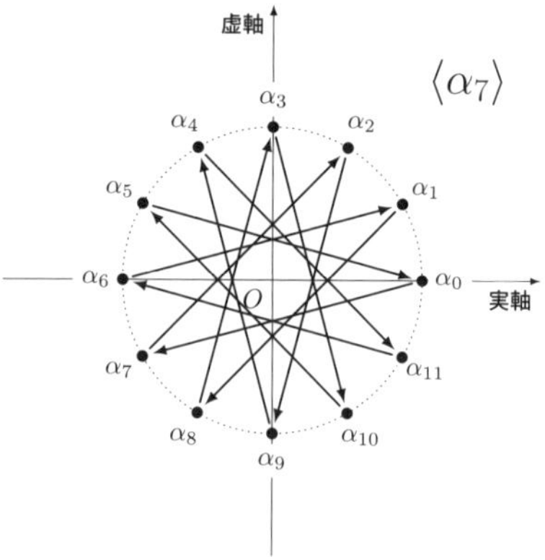
虚軸
$\langle \alpha_7 \rangle$
$\alpha_3$
$\alpha_4$
$\alpha_2$
$\alpha_5$
$\alpha_1$
$\alpha_6$
$\alpha_0$
$O$
実軸
$\alpha_7$
$\alpha_{11}$
$\alpha_8$
$\alpha_{10}$
$\alpha_9$

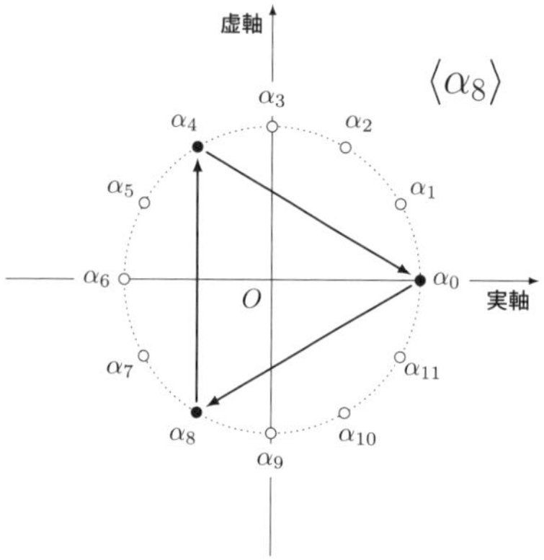
虚軸
$\langle \alpha_8 \rangle$
$\alpha_3$
$\alpha_4$
$\alpha_2$
$\alpha_5$
$\alpha_1$
$\alpha_6$
$\alpha_0$
$O$
実軸
$\alpha_7$
$\alpha_{11}$
$\alpha_8$
$\alpha_{10}$
$\alpha_9$

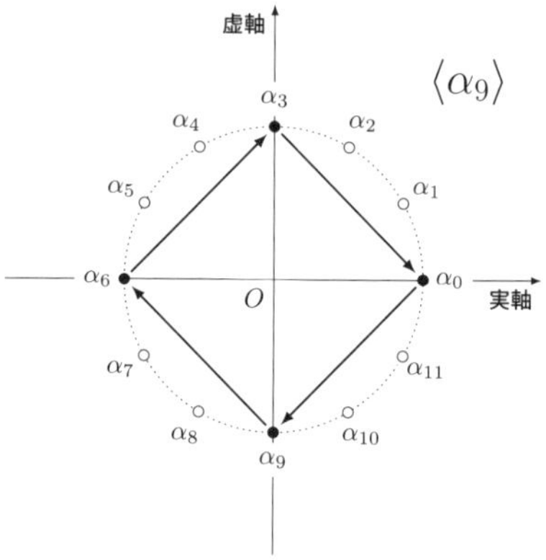
虚軸
$\langle \alpha_9 \rangle$
$\alpha_3$
$\alpha_4$
$\alpha_2$
$\alpha_5$
$\alpha_1$
$\alpha_6$
$\alpha_0$
$O$
実軸
$\alpha_7$
$\alpha_{11}$
$\alpha_8$
$\alpha_{10}$
$\alpha_9$

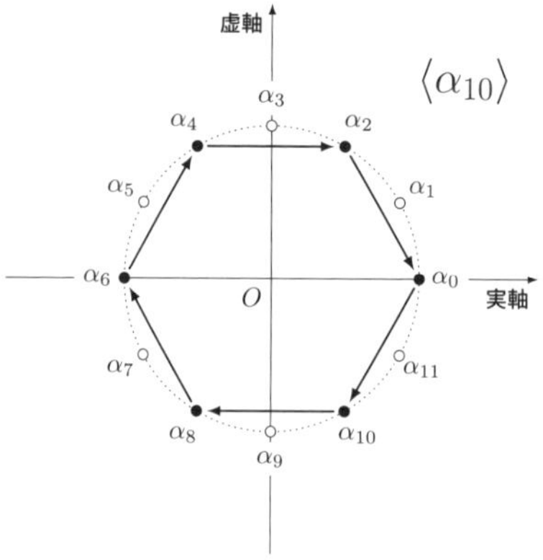
虚軸
$\langle \alpha_{10} \rangle$
$\alpha_3$
$\alpha_4$
$\alpha_2$
$\alpha_5$
$\alpha_1$
$\alpha_6$
$\alpha_0$
$O$
実軸
$\alpha_7$
$\alpha_{11}$
$\alpha_8$
$\alpha_{10}$
$\alpha_9$

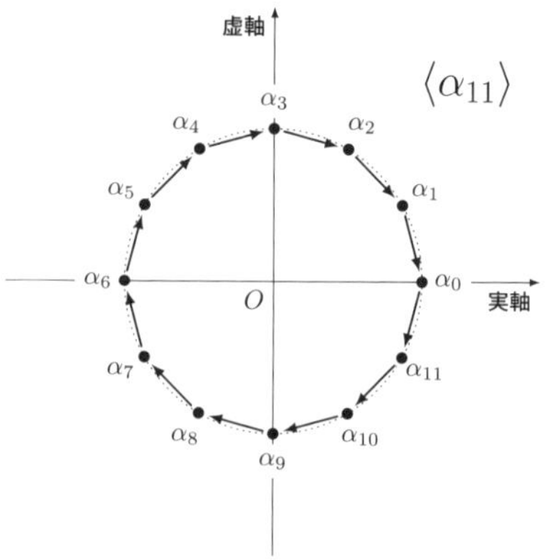
虚軸
$\langle \alpha_{11} \rangle$
$\alpha_3$
$\alpha_4$
$\alpha_2$
$\alpha_5$
$\alpha_1$
$\alpha_6$
$\alpha_0$
$O$
実軸
$\alpha_7$
$\alpha_{11}$
$\alpha_8$
$\alpha_{10}$
$\alpha_9$

ちょっと一言

p. 115 で $Z_4$ と $X_4$ が「同型」であることを述べましたが、$Z_{12}$ と $X_{12}$ も「同型」になります。また、

$$
\begin{aligned}
Z_{12} &= \langle 1 \rangle = \langle 5 \rangle = \langle 7 \rangle = \langle 11 \rangle \\
X_{12} &= \langle \alpha_1 \rangle = \langle \alpha_5 \rangle = \langle \alpha_7 \rangle = \langle \alpha_{11} \rangle
\end{aligned}
$$

のように生成元同士が対応している点にも注目してください。

**解答 4-2**（群 $(S_3, \circ)$ の各元が生成する部分群）

| $\circ$ | $e$ | $a$ | $b$ | $c$ | $r$ | $s$ |
|---|---|---|---|---|---|---|
| $e$ | $e$ | $a$ | $b$ | $c$ | $r$ | $s$ |
| $a$ | $a$ | $e$ | $r$ | $s$ | $b$ | $c$ |
| $b$ | $b$ | $s$ | $e$ | $r$ | $c$ | $a$ |
| $c$ | $c$ | $r$ | $s$ | $e$ | $a$ | $b$ |
| $r$ | $r$ | $c$ | $a$ | $b$ | $s$ | $e$ |
| $s$ | $s$ | $b$ | $c$ | $a$ | $e$ | $r$ |

群 $(S_3, \circ)$ の演算表（再掲）

上の演算表をもとにして各元の冪乗を調べます。$e^2 = e, a^2 = e, b^2 = e, c^2 = e, r^2 = s, r^3 = e, s^2 = r, s^3 = e$ であることから、$\langle e \rangle, \langle a \rangle, \langle b \rangle, \langle c \rangle, \langle r \rangle, \langle s \rangle$ はそれぞれ次の通りです。

$$
\begin{aligned}
\langle e \rangle &= \{\ e \qquad\qquad\qquad\ \} \\
\langle a \rangle &= \{\ e,\ a \qquad\qquad\quad \} \\
\langle b \rangle &= \{\ e, \qquad b \qquad\quad \} \\
\langle c \rangle &= \{\ e, \qquad\quad c \qquad \} \\
\langle r \rangle &= \{\ e, \qquad\qquad r,\ s\ \} \\
\langle s \rangle &= \{\ e, \qquad\qquad r,\ s\ \}
\end{aligned}
$$

ちょっと一言

$S_3$ の各元 $x$ に対して、$\ldots, x^{-3}, x^{-2}, x^{-1}, x^0, x^1, x^2, x^3, \ldots$ を調べて $\langle x \rangle$ を求めますが、実際には無数の $x^n$ を調べる必要はありません。なぜなら、$x^0 = e, x^1, x^2, \ldots$ と調べていって、単位元 $e$ が再度現れた時点でそれ以降は繰り返しになるからで

す。$|S_3| = 6$ ですから、最多でも $x^0, x^1, x^2, x^3, x^4, x^5$ の 6 個を調べるだけで済みます。実際に調べると、以下の表のようになります。

| $n$ | 0 | 1 | 2 | 3 | 4 | 5 | 6 | $\cdots$ |
|---|---|---|---|---|---|---|---|---|
| $e^n$ | $e$ | $e$ | $e$ | $e$ | $e$ | $e$ | $e$ | $\cdots$ |
| $a^n$ | $e$ | $a$ | $e$ | $a$ | $e$ | $a$ | $e$ | $\cdots$ |
| $b^n$ | $e$ | $b$ | $e$ | $b$ | $e$ | $b$ | $e$ | $\cdots$ |
| $c^n$ | $e$ | $c$ | $e$ | $c$ | $e$ | $c$ | $e$ | $\cdots$ |
| $r^n$ | $e$ | $r$ | $s$ | $e$ | $r$ | $s$ | $e$ | $\cdots$ |
| $s^n$ | $e$ | $s$ | $r$ | $e$ | $s$ | $r$ | $e$ | $\cdots$ |

ここで群 $(S_3, \circ)$ の各元が生成する部分群の位数を調べると、

$$\langle e \rangle = 1$$
$$\langle a \rangle = \langle b \rangle = \langle c \rangle = 2$$
$$\langle r \rangle = \langle s \rangle = 3$$

となっています。そして 1, 2, 3 はいずれも $S_3$ の位数 $|S_3| = 6$ の約数となっています。「有限群の部分群の位数は、もとになった群の約数になる」というのは、一般の有限群とその部分群で成り立ちます。詳しくは第 7 章のラグランジュの定理（p. 214）でお話しします。

**解答 4-3**（巡回群の部分群）

**証明**

$G$ の部分群 $H$ が $|H| > 1$ を満たすことから、$H$ には $G$ の単位元以外の元が存在します。その元を $h$ とします。

$H$ は、$g$ を生成元とする巡回群 $G$ の部分群なので、

$$g^x = h$$

となる整数 $x$ が存在します。

$h$ は単位元ではないので、$x \neq 0$ です。

$x > 0$ のとき、$n = x$ とすれば、$n$ は正の整数で、

$$g^n = g^x = h \in H$$

です。

$x < 0$ のとき、$n = -x$ とすれば、$n$ は正の整数で、

$$g^n = g^{-x} = (g^x)^{-1} = h^{-1} \in H$$

です。

したがって、$g^n \in H$ を満たす正の整数 $n$ が存在することが示されました。

**（証明終わり）**

**解答 4-4**（巡回群ではない位数 4 の群）

> **ちょっと一言**
>
> まずは $|S| = 4$ である集合 $S$ を用意して、群の公理を満たすような $S$ 上の二項演算 $*$ を定義します。その上で、$S$ のどの元も $S$ の生成元にならないことを確かめれば、巡回群ではない位数 4 の群 $(S, *)$ が作れたことになります。

集合 $S = \{e, a, b, c\}$ を台集合に持ち、$*$ を群演算とする群 $(S, *)$ を作っていくことにします。群の公理を満たすように表 1 に示す演算表の空欄を埋めていきましょう。説明のために、行と列に名前を付けておきます。

| $*$ | $e$ | $a$ | $b$ | $c$ | |
|---|---|---|---|---|---|
| $e$ | | | | | ←$e$ 行 |
| $a$ | | | | | ←$a$ 行 |
| $b$ | | | | | ←$b$ 行 |
| $c$ | | | | | ←$c$ 行 |
| | ↑<br>$e$<br>列 | ↑<br>$a$<br>列 | ↑<br>$b$<br>列 | ↑<br>$c$<br>列 | |

**表 1**：すべてが空欄になった演算表

闇雲に埋めていくのは大変なので、注意深く進みます。まず、**各行と各列には同じ文字が出てこない**ことがわかります。なぜなら、たとえば $a$ 行 $a$ 列と、$a$ 行 $b$ 列に同じ文字が出てきたなら、

$$a * a = a * b$$

になりますが、両辺に左から $a^{-1}$（この $a^{-1}$ は $e, a, b, c$ のいずれかです）を掛けることで

$$a = b$$

となり、$|S| = 4$ でなくなってしまうからです。言い換えると「各行と各列に並んだ 4 個の空欄には、それぞれ $e, a, b, c$ の 4 文字を並べ替えた順列が入る」ことになります（♡）。

$e, a, b, c$ のうち単位元を $e$ とすると、演算表は表 2 のようになります。

| $*$ | $e$ | $a$ | $b$ | $c$ |
|---|---|---|---|---|
| $e$ | $e$ | $a$ | $b$ | $c$ |
| $a$ | $a$ | | | |
| $b$ | $b$ | | | |
| $c$ | $c$ | | | |

**表 2：**単位元を $e$ とした演算表

先ほどの ♡ により、$a * a$ は $a$ にならないので、$e, b, c$ のいずれかです。

$a * a = e$ の場合、♡ を各行と各列に適用することにより、

$a * b = c$　　$e$ 行 $b$ 列に $b$ があるので $c$ しかありえない

$a * c = b$　　$e$ 行 $c$ 列に $c$ があるので $b$ しかありえない

$b * a = c$　　$b$ 行 $e$ 列に $b$ があるので $c$ しかありえない

$c * a = b$　　$c$ 行 $e$ 列に $c$ があるので $b$ しかありえない

となります。ここまでで演算表は表 3 のようになります。

| $*$ | $e$ | $a$ | $b$ | $c$ |
|---|---|---|---|---|
| $e$ | $e$ | $a$ | $b$ | $c$ |
| $a$ | $a$ | $e$ | $c$ | $b$ |
| $b$ | $b$ | $c$ | | |
| $c$ | $c$ | $b$ | | |

**表 3：**$a * a = e$ として演算表を埋めていく

♡ より、$b * b = e$ または $b * b = a$ のいずれかになります。

$a * a = e$ かつ $b * b = e$ の場合、演算表は表 4 となり、このとき $a^2 = e, b^2 = e, c^2 = e$ なので、$a, b, c$ の逆元がそれぞれ自分自身である群になります。そして、この群は巡回群ではありません。なぜなら、$e, a, b, c$ のいずれも $S$ を生成しない

からです。

| $*$ | $e$ | $a$ | $b$ | $c$ |
|---|---|---|---|---|
| $e$ | $e$ | $a$ | $b$ | $c$ |
| $a$ | $a$ | $e$ | $c$ | $b$ |
| $b$ | $b$ | $c$ | $e$ | $a$ |
| $c$ | $c$ | $b$ | $a$ | $e$ |

**表 4**：$a * a = e, b * b = e$ として演算表を埋めると群になり、しかも巡回群ではない

$a * a = e$ かつ $b * b = a$ の場合、演算表は表 5 となり、この群は巡回群になります。なぜなら、$b^0 = e, b^1 = b, b^2 = a, b^3 = c$ なので、$S = \langle b \rangle$ となるからです。

| $*$ | $e$ | $a$ | $b$ | $c$ |
|---|---|---|---|---|
| $e$ | $e$ | $a$ | $b$ | $c$ |
| $a$ | $a$ | $e$ | $c$ | $b$ |
| $b$ | $b$ | $c$ | $a$ | $e$ |
| $c$ | $c$ | $b$ | $e$ | $a$ |

**表 5**：$a * a = e, b * b = a$ として演算表を埋めると巡回群になる

$a * a = b$ の場合、演算表は表 6 のように埋められます。

| $*$ | $e$ | $a$ | $b$ | $c$ |
|---|---|---|---|---|
| $e$ | $e$ | $a$ | $b$ | $c$ |
| $a$ | $a$ | $b$ | $c$ | $e$ |
| $b$ | $b$ | $c$ | | |
| $c$ | $c$ | $e$ | | |

**表 6**：$a * a = b$ として演算表を埋めていく

ここで、$b * b = e$ になります。

なぜなら、

$$
\begin{aligned}
b * b &= (a * a) * b \\
&= a * (a * b)
\end{aligned}
$$

$$= a * c$$

$$= e$$

だからです。したがって、演算表は表 7 となりますが、

$$a^0 = e$$

$$a^1 = a$$

$$a^2 = a * a = b$$

$$a^3 = a^2 * a = b * a = c$$

となり、この群は巡回群になります。

| $*$ | $e$ | $a$ | $b$ | $c$ |
|---|---|---|---|---|
| $e$ | $e$ | $a$ | $b$ | $c$ |
| $a$ | $a$ | $b$ | $c$ | $e$ |
| $b$ | $b$ | $c$ | $e$ | $a$ |
| $c$ | $c$ | $e$ | $a$ | $b$ |

**表 7**：$a * a = b$ として演算表を埋めると巡回群になる

$a * a = c$ の場合、$a * a = b$ の場合と同様に考えて巡回群になります。

以上のことから、巡回群ではない位数が 4 の群は、表 8 のような演算表を持つことがわかりました。

| $*$ | $e$ | $a$ | $b$ | $c$ |
|---|---|---|---|---|
| $e$ | $e$ | $a$ | $b$ | $c$ |
| $a$ | $a$ | $e$ | $c$ | $b$ |
| $b$ | $b$ | $c$ | $e$ | $a$ |
| $c$ | $c$ | $b$ | $a$ | $e$ |

**表 8**：巡回群ではない位数が 4 の群（表 4 の再掲）

ところで表 8 の演算表は ♡ と単位元の性質を使って導きましたが、群の公理を満たしているかはまだ確かめていませんでした。

(G1)（結合律） 結合律が成り立つことは、$\{e, a, b, c\}$ の任意の元 $x, y, z$ につい

て $x*(y*z)=(x*y)*z$ が成り立つことを総当たり的に調べることになりますが、ここでは省略します。

(G2)（単位元の存在） 単位元は $e$ です。なぜなら、演算表から $\{e,a,b,c\}$ の任意の元 $x$ について $x*e=e*x=x$ が成り立つことがわかるからです。

(G3)（逆元の存在） 演算表から、

$$e^{-1}=e,\ a^{-1}=a,\ b^{-1}=b,\ c^{-1}=c$$

とわかりますので、$\{e,a,b,c\}$ のそれぞれの元について逆元が存在します。

以上により、確かに群の公理を満たすことがわかります。

なお、この群は、**四元群**《しげんぐん》と呼ばれています。四元群は、位数が 4 で、各元が自分自身の逆元になっている群です。

**ちょっと一言**

四元群は、2 ビットからなるビットパターン全体の集合 $\{00,01,10,11\}$ を台集合とし、ビット単位の排他的論理和 $\oplus$ を群演算とする群と同型になります。演算表は次の通りです。

| $\oplus$ | 00 | 01 | 10 | 11 |
|---|---|---|---|---|
| 00 | 00 | 01 | 10 | 11 |
| 01 | 01 | 00 | 11 | 10 |
| 10 | 10 | 11 | 00 | 01 |
| 11 | 11 | 10 | 01 | 00 |

ビット単位の排他的論理和 $\oplus$ は、ビット単位（各桁単位）で次の演算を行う二項演算で、プログラミングや暗号技術などでよく用いられます。

$$0\oplus 0=0$$
$$0\oplus 1=1$$
$$1\oplus 0=1$$
$$1\oplus 1=0$$

なお、

$$x\oplus y=(x+y)\bmod 2$$

と考えることもできます。mod について詳しくは「剰余と mod」（p. 113）でお話しします。また、ビット単位の演算に関しては巻末の参考文献 [4] も参照してください。

# 第5章 準同型

## 5.1 この章で学ぶこと

この章では、準同型《じゅんどうけい》について学びます。

準同型というのは、ある性質を持った写像です。この準同型という写像を使って、二つの群が本質的には《同じ》という概念を考えていきます。

写像によって集合同士の関係を表すことができたのと同じように、準同型によって群同士の関係を表すことができるのです。

準同型とはどんな性質を持つ写像なのかに注意しつつ読み進めていきましょう。

## 5.2 準同型の定義

**定義**（準同型）

二つの群 $(G,*)$ と $(G',*')$ に対し、写像 $f\colon G \longrightarrow G'$ が次の条件を満たすとき、写像 $f$ を群 $G$ から群 $G'$ への**準同型《じゅんどうけい》**といいます。

- $G$ の任意の元 $x, y$ に対して、

$$f(x * y) = f(x) *' f(y)$$

が成り立つ。

**ちょっと一言**

先を読むのを急がずに、ここで一回立ち止まりましょう。この準同型の定義を読み返し、$(G,*)$ と $(G',*')$ と $f$ はそれぞれ何であるかを確かめます。また、写像 $f$ が群 $G$ から群 $G'$ への準同型であるための条件が何を表しているかについても少しだけ時間を取って考えてみましょう。その上で先に進むことをお勧めします。

準同型の定義に出てきた $(G,*)$ は群ですから、$G$ はこの群の台集合であり、$*$ は群演算です。言い換えると、$*$ は $G$ 上の二項演算であり、$(G,*)$ は群の公理を満たしていることになります。なぜなら、それが群の定義だからです。$(G,*)$

が群であるというだけでは、$G$ という集合が具体的に何であるか、$*$ という二項演算が具体的にどんな演算なのかは何もわかりません。ただ、$(G, *)$ が群の公理を満たしていることだけはわかっています。

「群の公理」と言われたときに、結合律・単位元・逆元のことを思い出したでしょうか。もしも、結合律・単位元・逆元と言われても何のことかまったくわからないなら、ここまでの章を急いで読み過ぎた（あるいは読み飛ばした）可能性があります。その場合には、面倒でも第 3 章の群の定義（p. 75）に戻って群の定義を読み返しましょう。

準同型の定義には $(G, *)$ という群の他に $(G', *')$ という群が出てきます。$(G, *)$ と $(G', *')$ が群であるというだけでは、$G$ と $G'$ との関係はまったくわかりません。もしかしたら $G = G'$ かもしれませんし、$G \subset G'$ かもしれませんし、あるいは $G$ と $G'$ は無関係かもしれません。同様に、$*$ と $*'$ との関係もまったくわかりません。

準同型の定義には、

$$f\colon G \longrightarrow G'$$

という写像 $f$ が出てきました。つまりこの $f$ は「$G$ から $G'$ への写像」ということです。「$G$ から $G'$ への写像」と言われたときに、写像の定義を思い出すことはできますか。思い出せない場合には第 2 章の写像の定義（p. 30）を読み返してください。

$f\colon G \longrightarrow G'$ なので、写像 $f$ によって、$G$ の任意の元 $x$ に $G'$ の元が一つずつ対応することになります。$G$ の元 $x$ に対応する $G'$ の元は $f(x)$ と書けますので、

$$f\colon x \longmapsto f(x)$$

ということです。これは写像に関する表記の復習です。

ここまで、集合や写像や群の復習を兼ねてたくさんの「ちょっと一言」が続いてしまいました。全然「ちょっと一言」じゃありませんね。ごめんなさい。ここから本題に入ります。

準同型の定義を改めて読みましょう。

> **定義**（準同型、再掲）
> 二つの群 $(G, *)$ と $(G', *')$ に対し、写像 $f\colon G \longrightarrow G'$ が次の条件を満たすとき、写像 $f$ を群 $G$ から群 $G'$ への**準同型**《じゅんどうけい》といいます。
>
> - $G$ の任意の元 $x, y$ に対して、
>
> $$f(x * y) = f(x) *' f(y)$$
>
> が成り立つ。

準同型の定義に出てくる $f(x * y) = f(x) *' f(y)$ という式はどう理解したらいいでしょうか。まず、次の点を確認してください。

- $x$ と $y$ と $x * y$ は $G$ の元である。
- $f(x)$ と $f(y)$ と $f(x) *' f(y)$ は $G'$ の元である。

$x$ と $y$ は $G$ の元で、その積 $x * y$ も $G$ の元です。また、写像 $f$ で $x$ と $y$ をそれぞれ移した $f(x)$ と $f(y)$ はどちらも $G'$ の元で、その積 $f(x) *' f(y)$ も $G'$ の元です。ここまでの話はいいですね。

さてここで、$f(x * y)$ について考えてみましょう。これは $x * y$ という $G$ の元を写像 $f$ で移したものですから、$G'$ の元であることは間違いありません。しかし、$f$ が $G$ から $G'$ への写像というだけでは、$f(x * y) = f(x) *' f(y)$ が成り立つ保証はどこにもありません。

図 5-1 に、$f(x * y) \neq f(x) *' f(y)$ のイメージ図を示します。このイメージ図では $f(x * y)$ と $f(x) *' f(y)$ が異なる点として描いてあります。

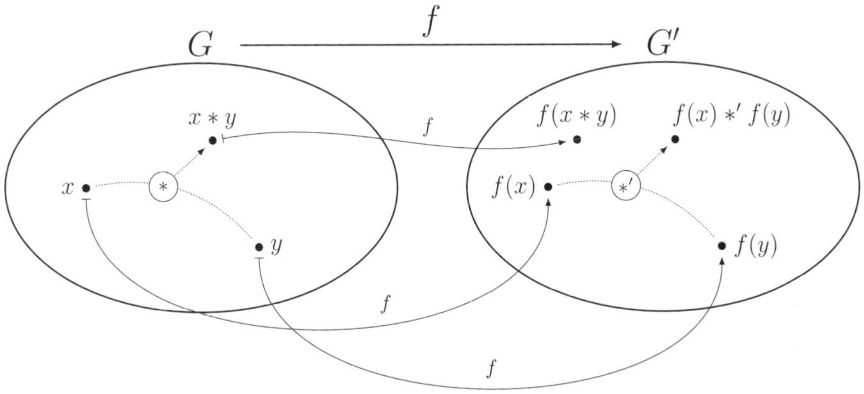


**図 5-1**：$f(x * y) \neq f(x) *' f(y)$ のイメージ図

また図 5-2 に、$f(x*y)=f(x)*'f(y)$ のイメージ図を示します。このイメージ図では $f(x*y)$ と $f(x)*'f(y)$ が同一の点として描いてあります。

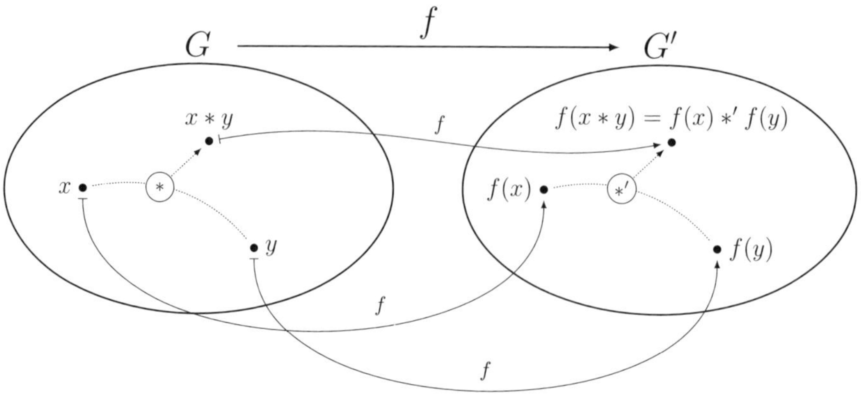


**図 5-2**：$f(x*y)=f(x)*'f(y)$ のイメージ図

$f$ が $G$ から $G'$ への写像というだけでは、$f(x*y)=f(x)*'f(y)$ が成り立つ保証はどこにもありません。しかしもしも、写像 $f$ が $G$ の任意の元 $x,y$ について

$$f(x*y)=f(x)*'f(y)$$

という条件を満たすなら、その写像 $f$ を $G$ から $G'$ への準同型と呼ぼうというのです。

**ちょっと一言**

ここまでの説明を読んでも、なかなかすぐには「ああなるほど、そういうことか！」と理解できないかもしれません。少なくとも筆者が最初に準同型の定義を読んだときには、まったく理解できませんでした。文字の意味を確かめながら図を描き、時間を掛けて式を追って初めて、準同型がどんな性質を持っている写像なのか理解できました。

準同型の定義に出てくる

$$f(x*y)=f(x)*'f(y)$$

という式は、

- $x$ と $y$ の $*$ による積 $x*y$ を $f$ で移した元 $f(x*y)$
- $x$ と $y$ をそれぞれ $f$ で移した二つの元の $*'$ による積 $f(x)*'f(y)$

の二つが等しいという式であるともいえます。ですから、準同型を標語風に表すなら、「**掛けてから移しても、移してから掛けても同じ写像**」や「**積を積に移す写像**」といえます。

$f(x*y)=f(x)*'f(y)$ は、下図のようにとらえることもできます。

$$\begin{array}{ccc} (x,y) & \overset{f\times f}{\longmapsto} & (f(x),f(y)) \\ {\scriptstyle *}\big\downarrow & & \big\downarrow{\scriptstyle *'} \\ x*y & \overset{f}{\longmapsto} & f(x*y)=f(x)*'f(y) \end{array}$$

これは、

- $(x,y)$ から、$*$ で下に進み、$f$ で右に進んで至る $f(x*y)$
- $(x,y)$ から、$f\times f$ で右に進み、$*'$ で下に進んで至る $f(x)*'f(y)$

という二つが等しいことを示す図です。
なお、この図の $f\times f$ は順序対 $(x,y)$ を順序対 $(f(x),f(y))$ に移す写像です。

準同型が持つ $f(x*y)=f(x)*'f(y)$ という性質を「**演算を保つ**」や「**積を保つ**」ということもあります。群 $G$ における演算の結果が、群 $G'$ における演算の結果に対応しているからです。

準同型は写像の一種ですから、数学書によっては準同型のことを「準同型写像」のように明示的に「写像」という言葉を付けて呼ぶ場合もあります。準同型と準同型写像はどちらもまったく同じ意味です。

この章で学んでいる「準同型」は、詳しくいうと「群の準同型」あるいは「群準同型」となります。群は、群の公理によって定義される代数系ですが、群の他にも、環《かん》や体《たい》のように代数系はたくさんあります。そして代数系のそれぞれで定義されている演算を保つ写像は、いずれもその代数系における準同型といえます。ですから、環には環の準同型（環準同型）があり、体には体の準同型（体準同型）があります。本書では群の準同型しか出てきませんので、準同型という用語を群の準同型（群準同型）の意味で使っています。

準同型の定義をよく読むと、準同型は全射とは限らないし、単射とも限らないことがわかります。

- 準同型は全射であるとは限りませんから、群 $G$ のどんな元 $x$ に対しても、$f(x) \neq x'$ となるような、そんな元 $x'$ が群 $G'$ に存在するかもしれません。
- また、準同型は単射であるとは限りませんから、$f$ が群 $G$ から群 $G'$ への準同型であっても、群 $G$ の異なる二つの元 $x, y$ に対して、$f(x) = f(y)$ となるかもしれません。

## 5.3 準同型の例

準同型の具体例を見ていきましょう。

**例 5-1** ($\mathbb{Z} \longrightarrow Z_4$)

第 4 章と同様に、$Z_4 = \{0, 1, 2, 3\}$ とし、$x +_4 y = (x + y) \bmod 4$ とします。

写像 $f\colon \mathbb{Z} \longrightarrow Z_4$ を、

$$f(x) = x \bmod 4$$

で定義すると、写像 $f$ は群 $(\mathbb{Z}, +)$ から群 $(Z_4, +_4)$ への準同型です。

イメージ図として、

$$f(2 + 7) = f(2) +_4 f(7)$$

の様子を以下に示します。$f(2 + 7) = 9 \bmod 4 = 1$ と、$f(2) +_4 f(7) = 2 +_4 3 = 5 \bmod 4 = 1$ を踏まえて眺めてみましょう。

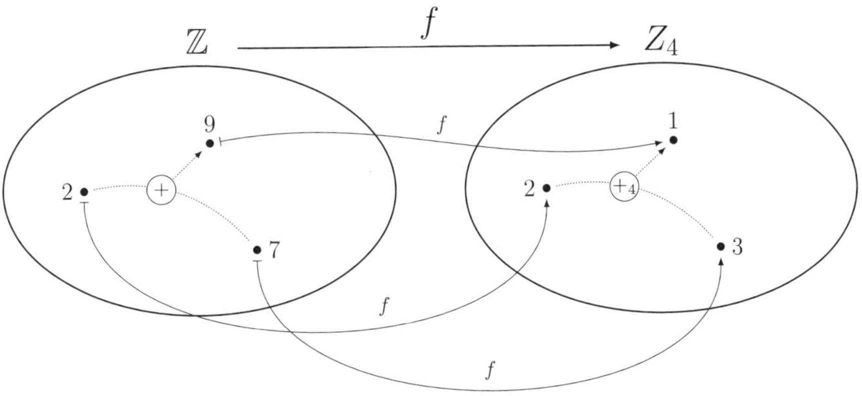


$f(2+7) = f(2) +_4 f(7)$ のイメージ図

$f(2+7) = f(2) +_4 f(7)$ であることを、このイメージ図の上で確かめます。特に、$\mathbb{Z}$ の 2 と 7 から、$Z_4$ の 1 へたどり着く次の二つの道筋を追ってください。

- 2 と 7 から $+$ によって 9 に進み、$f$ によって 1 にたどり着く道筋
- 2 と 7 が $f$ によって 2 と 3 に進み、$+_4$ によって 1 にたどり着く道筋

この二つの道筋のどちらをたどっても同じ 1 にたどり着きます。二つの道筋のどちらをたどっても同じところにたどり着く。これが 2 と 7 に限らず成り立つのが、$f$ が準同型であるということなのです。

$\mathbb{Z}$ の二つの元を $x, y$ としたとき、

$$
\begin{aligned}
f(x+y) &= (x+y) \bmod 4 && f\text{ の定義から} \\
&= ((x \bmod 4) + (y \bmod 4)) \bmod 4 && \text{演習問題 5-5 から} \\
&= (f(x) + f(y)) \bmod 4 && f\text{ の定義から} \\
&= f(x) +_4 f(y) && +_4\text{ の定義から}
\end{aligned}
$$

すなわち

$$f(x+y) = f(x) +_4 f(y)$$

なので、写像 $f\colon \mathbb{Z} \longrightarrow Z_4$ は確かに群 $(\mathbb{Z}, +)$ から群 $(Z_4, +_4)$ への準同型です。

**ちょっと一言**

準同型の定義はすでに学びましたので、「写像 $f$ は群 $(\mathbb{Z}, +)$ から群 $(Z_4, +_4)$ へ

の準同型」になっているかどうかを定義に当てはめて上のように確かめることができました。具体例を提示されたときには、「それが何の具体例であるか」と「確かに具体例になっているか」の両方を確かめるのは良い習慣です。定義を再確認し、より深く理解することができるからです。

**例 5-2**

二つの群 $(G, *)$ と $(G', *')$ があり、$G'$ は単位元 $e'$ のみからなる一点集合とします。すなわち、

$$G' = \{e'\}$$

です。このとき、$G$ から $G'$ への写像 $f\colon G \longrightarrow G'$ は準同型です。

**証明**

$x, y$ を $G$ の元とします。$G'$ の元が $e'$ のみであることから、

$$f(x) = f(y) = f(x * y) = e'$$

です。一方、$e'$ は $G'$ の単位元なので、

$$f(x) *' f(y) = e' *' e' = e'$$

です。よって、

$$f(x * y) = f(x) *' f(y)$$

が成り立ち、$f$ は $G$ から $G'$ への準同型です。

**(証明終わり)**

**ちょっと一言**

例 5-2 では $G'$ の元が一つしかないので、写像 $f$ によって $G$ の任意の元は $G'$ の単位元 $e'$ に移されます。$G$ のすべての元が $f$ によって一点に「つぶされた」イメージです。このような場合でも、写像 $f$ は準同型の定義を満たしているので準同型になります。

例 5-2 のように $|G'| = 1$ の場合、$G$ から $G'$ への写像 $f$ は一つしか存在しません。理由は考えてみてください。

例 5-2 の $(G, *)$ と $(G', *')$ では、$G$ が具体的にどのような集合であるかは何もわかりません。$|G|$ の値はわかりませんし、$G$ が有限集合か無限集合かもわかりません。わかっているのは $G' = \left\{e'\right\}$ すなわち $|G'| = 1$ だけです。ところがそれにもかかわらず、例 5-2 に述べたように $G$ から $G'$ への写像が準同型であることはわかりますし、証明もできます。それは、私たちがここまで集合と写像の言葉を使って群や準同型の定義を積み重ねてきたからです。具体的に何であるかわからない抽象的な概念であっても、論理的な議論ができるという感覚をぜひつかんでください。

**例 5-3**（恒等写像）

群 $(G, *)$ に対して、$G$ から $G$ への恒等写像

$$\mathrm{id}_G \colon G \longrightarrow G$$

は $G$ から $G$ への準同型です。なぜなら、$G$ に属している二つの元 $x, y$ に対して、

$$\mathrm{id}_G(x * y) = x * y = \mathrm{id}_G(x) * \mathrm{id}_G(y)$$

だからです。

**ちょっと一言**

準同型の定義では二つの群 $(G, *)$ と $(G', *')$ が登場しました。例 5-3 は $G = G'$ であり、$*$ と $*'$ が同じ演算である例になっています。

**例 5-4**（指数関数）

$\mathbb{R}$ は実数全体の集合、$\mathbb{R}^+$ は正の実数全体の集合、$+$ は実数同士の加算、$\times$ は実数同士の乗算を表すとします。すると、$(\mathbb{R}, +)$ は実数 $0$ を単位元とし、$r \in \mathbb{R}$ の逆元を $-r$ とする可換群になります。また、$(\mathbb{R}^+, \times)$ は実数 $1$ を単位元とし、$r \in \mathbb{R}^+$ の逆元を $1/r$ とする可換群になります。このとき、**指数関数《しすうかんすう》** $\exp \colon \mathbb{R} \longrightarrow \mathbb{R}^+$ は、群 $(\mathbb{R}, +)$ から群 $(\mathbb{R}^+, \times)$ への準同型です。

なぜなら、指数関数の性質（指数法則）により、$\mathbb{R}$ の任意の元 $x, y$ に対して

$$\exp(x + y) = \exp x \times \exp y$$

が成り立つからです。

**ちょっと一言**

$x' = \exp x$ および $y' = \exp y$ と置き、実数同士の加算と乗算をそれぞれ $*$ および $*'$ と置くと、exp が演算を保つ様子が次のように見やすくなります。

$$\begin{aligned} \exp\colon\ x + y &\longmapsto\ \exp x \times \exp y \\ \exp\colon\ x * y &\longmapsto\quad x' *' y' \end{aligned}$$

**例 5-5**（対数関数）

例 5-4 の指数関数 $\exp\colon \mathbb{R} \longrightarrow \mathbb{R}^+$ には逆関数が存在します。それは対数関数 $\log\colon \mathbb{R}^+ \longrightarrow \mathbb{R}$ です。**対数関数**《たいすうかんすう》

$$\log\colon \mathbb{R}^+ \longrightarrow \mathbb{R}$$

は、群 $(\mathbb{R}^+, \times)$ から群 $(\mathbb{R}, +)$ への準同型になります。

なぜなら、対数関数の性質により、$\mathbb{R}^+$ の任意の元 $x, y$ に対して

$$\log(x \times y) = \log x + \log y$$

が成り立つからです。

**ちょっと一言**

$x' = \log x$ および $y' = \log y$ と置き、実数同士の乗算と加算をそれぞれ $*$ および $*'$ と置くと、log が演算を保つ様子が次のように見やすくなります。

$$\begin{aligned} \log\colon\ x \times y &\longmapsto\ \log x \times \log y \\ \log\colon\ x * y &\longmapsto\quad x' *' y' \end{aligned}$$

例 5-4 の指数関数と例 5-5 の対数関数とは、互いに興味深い関係にあります。例 5-4 の指数関数 $\exp\colon \mathbb{R} \longrightarrow \mathbb{R}^+$ は準同型で、その逆関数である対数関数 $\log\colon \mathbb{R}^+ \longrightarrow \mathbb{R}$ もまた準同型になっています。指数関数 exp のように、逆写像もまた準同型である準同型を、特に同型写像《どうけいしゃぞう》といいます。対数関数 log も同型写像です。

次節では同型写像と群の同型を定義します。

## 5.4 同型の定義

**定義**（同型）

準同型 $f\colon G \longrightarrow G'$ に対して逆写像 $f^{-1}: G' \longrightarrow G$ が存在し、しかもその逆写像 $f^{-1}$ が $G'$ から $G$ への準同型になっているとします。そのとき、$f$ は**同型写像**《どうけいしゃぞう》であるといいます。もっと短く、$f$ は**同型**《どうけい》であるともいいます。

また、群 $G$ から群 $G'$ への同型写像が存在するとき、$G$ は $G'$ と**同型**《どうけい》であるといいます。群 $G$ が $G'$ と同型であることを、

$$G \cong G'$$

と表記します。

同型写像の定義から「① 準同型 $f$ が同型写像ならば、$f$ は全単射」といえます。なぜなら、準同型 $f$ が同型写像ならば $f$ の逆写像が存在し、$f$ の逆写像が存在するならば、$f$ は全単射になるからです。

また逆に「② 準同型 $f$ が全単射ならば、$f$ は同型写像」といえます。これは演習問題 5-2 で確かめます。

したがって、①と②から、

$$f \text{ は同型写像} \quad \Longleftrightarrow \quad f \text{ は全単射な準同型}$$

が成り立ちます。

### 例 5-6

例 5-4 と例 5-5 に出てきた準同型 $\exp\colon \mathbb{R} \longrightarrow \mathbb{R}^+$ には逆写像 $\log\colon \mathbb{R}^+ \longrightarrow \mathbb{R}$ が存在し、しかも log は準同型なので、exp は同型写像です。したがって、二つの群 $(\mathbb{R}, +)$ は $(\mathbb{R}^+, \times)$ と同型になります。

$$(\mathbb{R}, +) \cong (\mathbb{R}^+, \times)$$

また、exp と log の役割を入れ換えて考えると、準同型 log には逆写像 exp が存在し、しかも exp は準同型なので、log もまた同型写像になります。

### 例 5-7

巡回群 $(Z_4, +_4) = (\{0, 1, 2, 3\}, +_4)$ と巡回群 $(X_4, \times) = (\{1, i, -1, -i\}, \times)$ の演算表をそれぞれ表 1 と表 2 に示します。

| $+_4$ | 0 | 1 | 2 | 3 |
|---|---|---|---|---|
| 0 | 0 | 1 | 2 | 3 |
| 1 | 1 | 2 | 3 | 0 |
| 2 | 2 | 3 | 0 | 1 |
| 3 | 3 | 0 | 1 | 2 |

**表 1**：群 $(Z_4, +_4)$ の演算表

| $\times$ | $1$ | $i$ | $-1$ | $-i$ |
|---|---|---|---|---|
| $1$ | $1$ | $i$ | $-1$ | $-i$ |
| $i$ | $i$ | $-1$ | $-i$ | $1$ |
| $-1$ | $-1$ | $-i$ | $1$ | $i$ |
| $-i$ | $-i$ | $1$ | $i$ | $-1$ |

**表 2**：群 $(X_4, \times)$ の演算表

表 1 の $0, 1, 2, 3, +_4$ をそれぞれ $1, i, -1, -i, \times$ に置き換えると表 2 になり、また逆に、表 2 の $1, i, -1, -i, \times$ をそれぞれ $0, 1, 2, 3, +_4$ に置き換えると表 1 になりますので、群 $(Z_4, +_4)$ は群 $(X_4, \times)$ と同型です。すなわち、$Z_4 \cong X_4$ です。

なぜなら、上で述べた置き換えができるということは、写像 $f\colon Z_4 \longrightarrow X_4$ を

$$f\colon 0 \longmapsto i^0 = 1$$

$$f\colon 1 \longmapsto i^1 = i$$

$$f\colon 2 \longmapsto i^2 = -1$$

$$f\colon 3 \longmapsto i^3 = -i$$

で定義したときに、$f$ は $Z_4$ から $X_4$ への同型写像になることを意味するからです。

**ちょっと一言**

$G \cong G'$（群 $G$ は群 $G'$ に同型）の「$\cong$」は、$G = G'$（集合 $G$ は集合 $G'$ に等しい）の「$=$」と似た性質を持ちます。たとえば「$\cong$」は「$=$」と同様に、次の三つの性質が成り立ちます。

- $G \cong G$ である（反射律）。
- $G \cong G'$ ならば $G' \cong G$ である（対称律）。
- $G \cong G'$ かつ $G' \cong G''$ ならば $G \cong G''$ である（推移律）。

この三つの性質を持つ二項関係を同《どう》値《ち》関係《かんけい》といいます。詳しくは第 7 章「同値類と剰余類」でお話しします。

> 同型（≅）では対称律が成り立つので、「群 $G$ は群 $G'$ に同型である」のように向きのある言い回しだけではなく「二つの群 $G$ と $G'$ は同型である」のように並べた言い回しも安心して使えます。

> 「≅」は「=」に似ていますが同じではありません。たとえば、$G \cong G'$ だからといって $G = G'$ とは限りません。つまり、二つの群 $G$ と $G'$ が同型でも、$G$ と $G'$ が集合として等しいとは限りません。

> $G \cong G'$ のとき $G = G'$ とは限りませんが、$G$ と $G'$ は群として「同じ構造を持っている」とはいえます。群として同じ構造を持つことを保証する形でこの二つの群をつないでいるのが同型写像なのです。では、群として「同じ構造を持っている」とは具体的にどういうことでしょうか。そのために以下では、準同型が持つ性質について考えていきます。

## 5.5 準同型の性質

準同型は群 $(G, *)$ から群 $(G', *')$ への写像で、任意の $x, y \in G$ について $f(x * y) = f(x) *' f(y)$ を満たすものとして定義されました。この定義によって、準同型はどんな性質を持つことになるのでしょうか。

準同型が持つ性質を調べるため、群を学んでいるときに登場した概念である単位元、逆元、そして部分群に注目しましょう。すると、次のような問いが浮かんできます。

- 準同型は、単位元を単位元に移すだろうか。
- 準同型は、逆元を逆元に移すだろうか。
- 準同型は、部分群を部分群に移すだろうか。

そして実際、この三つの問いの答えはいずれも「はい」になります。次節以降で順番に証明していきましょう！

## 5.6 準同型は単位元を単位元に移す

**定理 5-1**（準同型は単位元を単位元に移す）

準同型 $f\colon G \longrightarrow G'$ は $G$ の単位元を $G'$ の単位元に移します。すなわち、$G$ の単位元を $e$ とし、$G'$ の単位元を $e'$ とすると、

$$f(e) = e'$$

が成り立ちます。

**証明**

$(G, *)$ と $(G', *')$ を群とし、$f$ を $G$ から $G'$ への準同型とします。また、$e$ と $e'$ をそれぞれ $G$ と $G'$ の単位元とします。すると $e * e = e$ ですから、

$$f(e * e) = f(e)$$

です。ここで、$f\colon G \longrightarrow G'$ が準同型であることから、左辺を変形すると

$$f(e) *' f(e) = f(e)$$

が成り立ちます。ここで両辺に左から $f(e)$ の逆元を掛けると、

$$e' *' f(e) = e'$$

になり、$e'$ は $G'$ の単位元なので、

$$f(e) = e'$$

がいえました。

**(証明終わり)**

上の証明で、両辺に左から $f(e)$ の逆元を掛けるところを詳しく書くと以下のようになります。

| | |
|---|---|
| $f(e) *' f(e) = f(e)$ | スタート |
| $(f(e))^{-1} *' (f(e) *' f(e)) = (f(e))^{-1} *' f(e)$ | 左から $f(e)$ の逆元 $(f(e))^{-1}$ を掛けた |
| $((f(e))^{-1} *' f(e)) *' f(e) = (f(e))^{-1} *' f(e)$ | 結合律から |
| $e' *' f(e) = e'$ | $(f(e))^{-1}$ は $f(e)$ の逆元だから |

**ちょっと一言**

$(f(e))^{-1}$ は $f(e)$ の逆元です。写像 $f$ の逆写像を表す $f^{-1}$ と混同しないようにしてください。

ところで、上のような証明はどうやって見つければいいのでしょうか。準同型と単位元についての定理を証明するのですから、準同型と単位元の定義を確かめることは理にかなっています。**《定義にかえれ》**です。

- 準同型の定義には、

$$f(x * y) = f(x) *' f(y)$$

　が出てくる。だから、$G$ に属している二つの元の積 $x * y$ を考えよう。

- 単位元の定義には、

$$x * e = e * x = x$$

　が出てくる。だから、$G$ の単位元 $e$ と $G$ に属している元の積を考えよう。

このようにして、$e * e = e$ の両辺を準同型 $f$ で移してみることを含めた試行錯誤の末に、上の証明にたどり着きました。もちろん、このような進め方でいつでも証明ができる保証はありません。しかし、考え始める手がかりにはなるでしょう。

これで、準同型は単位元を単位元に移すことがわかりました。以下に、この様子を表すイメージ図を示します。

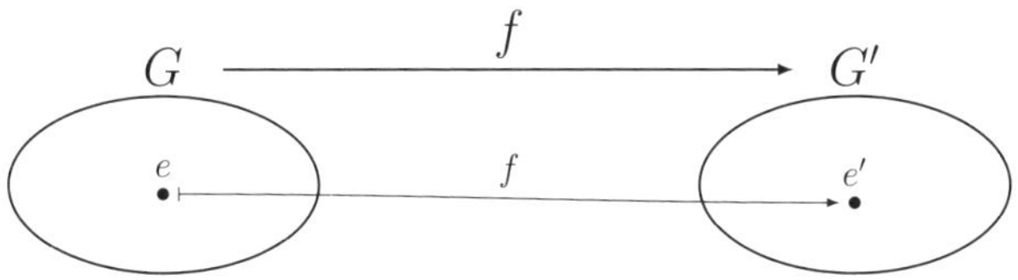


準同型 $f\colon G \longrightarrow G'$ は単位元 $e$ を単位元 $e'$ に移す

**ちょっと一言**

上の証明では、$G$ や $G'$ がどのような群であるかについては、いっさい条件が付いていません。たとえば有限群であるか否か、巡回群か否かといった条件はありません。条件は群であることだけです。また写像 $f$ に関しても $G$ から $G'$ への準同型であることだけが条件になっています。$f$ が単射であるか否か、全射であるか否かといった条件はありません。そのことをよく意識してください。自分が二つの群 $G, G'$ を研究していたとしましょう。その群がどのような群であれ、もしも $G$ から $G'$ への準同型 $f$ が見つかったなら、その瞬間、$f$ によって $G$ の単位元 $e$ が $G'$ の単位元 $e'$ に移ることもわかるのです。また、もしも $G$ から $G'$ への

> ある写像 $g$ が $g(e) \neq e'$ を満たすならば、$g$ は準同型ではないことがわかります。

> $G$ から $G'$ への準同型 $f$ は $G$ の単位元 $e$ を $G'$ の単位元 $e'$ に移すことがわかりました。ところで、こんな疑問が浮かぶかもしれません。それは「$f$ によって $e'$ に移ってくるのは、$e$ だけだろうか」という疑問です。「$f(x) = e'$ を満たす $x$ について調べたい」というのは、いわば「$f(x) = e'$ という方程式の解を調べたい」といってるわけです。方程式を満たす $x$ 全体の集合を考えるのと同様に、$f(x) = e'$ を満たす $G$ の元 $x$ 全体の集合を考えるのは大切です。この集合を準同型 $f$ の**核**《かく》といいます。群論で核はたいへん重要な役割を果たします。詳しくは、第 8 章「準同型定理」でお話しします。

定理 5-1 で、準同型は単位元を単位元に移すことがわかりました。
次は逆元について考えましょう。

## 5.7 準同型は逆元を逆元に移す

> **定理 5-2** (準同型は逆元を逆元に移す)
> 準同型 $f\colon G \longrightarrow G'$ は、$G$ の元 $a$ の逆元を、$G'$ の元 $f(a)$ の逆元に移します。すなわち、$G$ の任意の元 $a$ に対して、
>
> $$f(a^{-1}) = (f(a))^{-1}$$
>
> が成り立ちます。

**証明**

$(G, *)$ と $(G', *')$ を群とし、$f$ を $G$ から $G'$ への準同型とします。また、$e$ と $e'$ をそれぞれ $G$ と $G'$ の単位元とします。

$f$ は準同型なので、群 $G$ の任意の元 $a$ について、

$$f(a) *' f(a^{-1}) = f(a * a^{-1})$$

が成り立ちます。$a * a^{-1} = e$ なので、

$$f(a) *' f(a^{-1}) = f(e)$$

です。定理 5-1[*1] より $f(e) = e'$ なので、

---

＊1　定理 5-1「準同型は単位元を単位元に移す」(p. 149)

$$f(a) *' f(a^{-1}) = e'$$

がいえました。

$a$ と $a^{-1}$ を入れ換えて同様の議論を行うと、

$$f(a^{-1}) *' f(a) = e'$$

もいえます。

したがって、

$$f(a) *' f(a^{-1}) = f(a^{-1}) *' f(a) = e'$$

がいえて、$f(a^{-1})$ が $f(a)$ の逆元であることが示されました。

**（証明終わり）**

定理 5-2 で、準同型は逆元を逆元に移すことがわかりました。

次は部分群について考えましょう。

## 5.8　準同型は部分群を部分群に移す

**定理 5-3**（準同型は部分群を部分群に移す）

準同型 $f\colon G \longrightarrow G'$ は $G$ の部分群を $G'$ の部分群に移します。すなわち、$H$ を $G$ の部分群としたとき、$f$ による $H$ の像

$$f(H) = \{f(x) \mid x \in H\}$$

は $G'$ の部分群です。

**ちょっと一言**

まず、表記の意味を確認しておきましょう。$f\colon G \longrightarrow G'$ による $H$ の像

$$f(H) = \{f(x) \mid x \in H\}$$

は、

$$f(H) = \left\{x' \in G' \;\middle|\; x' = f(x) \text{ を満たす } H \text{ の元 } x \text{ が存在する}\right\}$$

の略記です。すなわち、$f(H)$ とは「$x' = f(x)$ を満たす集合 $H$ の元 $x$ が存在するような、$G'$ の元 $x'$ 全体の集合」のことです。

$f(x)$ は $G'$ の元であり、$f(H)$ は $G'$ の部分集合であることに注意してください。$f(H)$ をイメージ図にすると次のようになります。

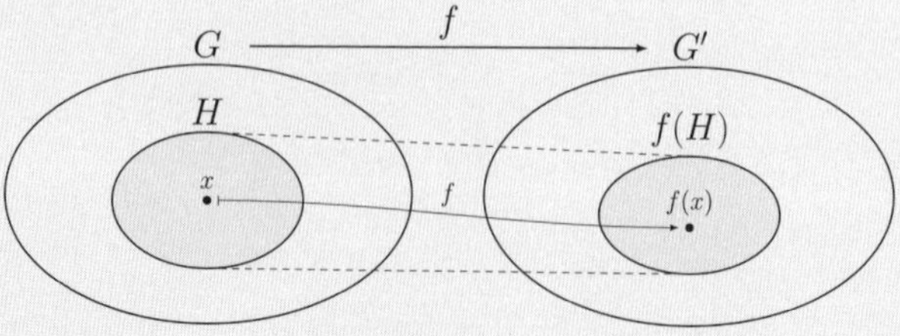


$f$ による $H$ の像 $f(H)$

$f(x)$ を「$f$ による $x$ の像」と呼び、$f(H)$ を「$f$ による $H$ の像」と呼びます。どちらにも「像」という用語が使われていますが、意味が違うので注意してください。$f(x)$ は $G'$ の元であり、$f(H)$ は $G'$ の部分集合です。この注意は第 2 章の定義域と値域（p. 33）でもお話ししました。数学書によっては、異なるものに同じ用語を使う混乱を避けるため、$f(x)$ と $f(H)$ に別の用語を使うこともありますが、それによって別の混乱が生まれる場合もあります。いずれにしても、数学書を読むときには、その本における定義を確認することが大切です。

定理 5-3「準同型は部分群を部分群に移す」の証明を読み始める前に、部分群の定義（p. 86）を思い出しましょう。なぜなら、「$f(H)$ は $G'$ の部分群である」を証明するのは、結局は「$f(H)$ は $G'$ の部分群の定義を満たしている」を証明することになるからです。つまり、部分群の定義を思い出すのは、「何を示したら、$f(H)$ が $G'$ の部分群であると証明したことになるのか」を確認するためです。

「$f(H)$ は $G'$ の部分群である」を証明することは、次の①, ②, ③を証明することです。

①（閉性）$f(H)$ の任意の元 $x', y'$ に対して、$x' *' y'$ も $f(H)$ に属している。

②（単位元）群 $(G', *')$ の単位元 $e'$ は $f(H)$ に属している。

③（逆元）$f(H)$ の任意の元 $x'$ に対して、$G'$ における $x'$ の逆元も $f(H)$ に属している。

定理 5-3 の証明を読むときには、次のようなイメージ図が助けになります。

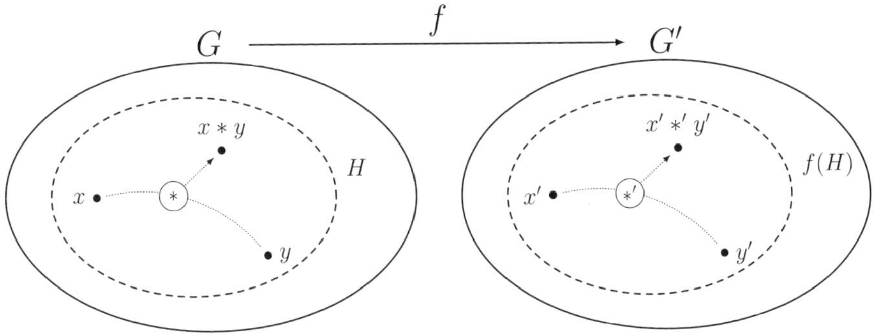


> **定理 5-3**（準同型は部分群を部分群に移す、再掲）
> 準同型 $f\colon G \longrightarrow G'$ は $G$ の部分群を $G'$ の部分群に移します。すなわち、$H$ を $G$ の部分群としたとき、$f$ による $H$ の像
>
> $$f(H) = \{f(x) \mid x \in H\}$$
>
> は $G'$ の部分群です。

**証明**

$(G, *)$ と $(G', *')$ を群とし、$e, e'$ をそれぞれ $G, G'$ の単位元とします。また、$f$ を $G$ から $G'$ への準同型とし、$H$ を $G$ の部分群とします。

① （閉性） $x'$ と $y'$ を $f(H)$ の元とします。このとき $f(H)$ の定義から、$f(x) = x'$ を満たす $H$ の元 $x$ と、$f(y) = y'$ を満たす $H$ の元 $y$ とが存在します。するとこの $x, y$ について、$H$ が $(G, *)$ の部分群であることから、

$$x * y \in H$$

が成り立ちます。よって、$f(H)$ の定義から

$$f(x * y) \in f(H)$$

です。ここで $f$ が準同型であることから、

$$f(x * y) = f(x) *' f(y) = x' *' y'$$

なので、

$$x' *' y' \in f(H)$$

です。したがって、$f(H)$ の任意の元 $x', y'$ について $x' *' y'$ もまた $f(H)$ の元であり、$f(H)$ は $G'$ の群演算 $*'$ について閉じています。

② (単位元) $H$ は $G$ の部分群なので、$e \in H$ です。$f$ は準同型なので定理 5-1 (p. 149) により $f(e) = e'$ です。したがって、$e' \in f(H)$ です。

③ (逆元) $f(H)$ の任意の元 $x'$ に対して、$x' = f(x)$ を満たす $H$ の元 $x$ が存在します。その $x \in H$ に対して、$H$ は $G$ の部分群であることから $x^{-1} \in H$ です。$f$ は準同型なので定理 5-2 (p. 152) により $f(x^{-1})$ は $x' = f(x)$ の逆元です。したがって、$f(H)$ の任意の元 $x'$ に対して、$x'$ の逆元も $f(H)$ に属しています。

以上の①, ②, ③により、$f$ による $H$ の像 $f(H)$ は $G'$ の部分群です。

**(証明終わり)**

準同型は部分群を部分群に移すことから、特別な場合として準同型 $f\colon G \longrightarrow G'$ による $G$ 全体の像 $f(G)$ もまた、$G'$ の部分群であることがわかります。なぜなら、$G$ は $G$ 自身の部分群だからです。

**ちょっと一言**

準同型 $f$ による $G$ 全体の像 $f(G)$ は、準同型 $f$ の値域 $\mathrm{Image}\, f$ です。すなわち、

$$f(G) = \mathrm{Image}\, f$$

です。したがって、準同型 $f\colon G \longrightarrow G'$ の値域 $\mathrm{Image}\, f$ は、$G'$ の部分群であるといえます。

## 5.9 準同型についての対話

「この章は証明が多くてとても難しいです」

「そうですね。この章では定理と証明がいくつか出てきました。でもその前に準同型の定義については理解できましたか」

「はい。$f(x * y) = f(x) *' f(y)$ という式については理解できたと思います。イメージ図の助けを借りましたけれど」

「人にもよりますけれど、式を追うときにイメージ図が助けになることがあります。数学の内容をすべて頭の中で処理しなければいけないというルールはあり

ませんから、理解の助けとなるようならイメージ図はどんどん描きましょう」

「イメージ図が理解の助けにならない場合もあるのですか」

「といいますか、論理を追うときにイメージ図が誤解を生む場合もあるので注意が必要ということです。集合や写像の状況をすべてイメージ図で表すことはできませんから」

「$f$ が $G$ から $G'$ への準同型であるというのは、写像 $f$ は、$G$ の $*$ による積を、$G'$ の $*'$ による積に移すという理解でいいですよね」

「はい。準同型はそういう写像です。同じことですけれど、

$$f\colon x \longmapsto x'$$

$$f\colon y \longmapsto y'$$

のときに、

$$f\colon x * y \longmapsto x' *' y'$$

になる写像ということもできます。積を積に移す写像ですね」

「準同型の定義はいいんですが、そのような写像を考える意味は何ですか。いつもそういうところが気になります」

「たとえば、二つの有限集合 $A, B$ があって、全単射 $f\colon A \longrightarrow B$ が存在したとします。そうすると二つの有限集合 $A$ と $B$ の元の個数は等しくなり、$|A| = |B|$ が成り立ちます。この例では全単射の存在によって、有限集合の元の個数が等しいという意味で二つの集合が《同じ》ことを表しているといえるでしょう」

「なるほど！ その全単射の例は理解できます。でも準同型では群の何が《同じ》になるんですか」

「準同型は $x * y$ を $x' *' y'$ に移しますので《準同型は積を保つ》といったり、もう少し抽象的に《準同型は群としての構造を保つ》といったりしますね」

「その《群としての構造》という感覚がまだわかりません」

「群としての構造を言い尽くすことはできませんが、簡単に話します。群は単なる集合ではなくて台集合と群演算の組になっており、群演算によって元は互いに関係を持っています。群の公理という制約が掛かるので、群演算を勝手に定義することはできません。その結果、群に好き勝手な性質を与えることはできないのです」

「好き勝手な性質を与えることができない？」

「たとえば、単位元を二個持つ群は作れません」

「確かにそうですね」

「群にはさまざまな性質があります。巡回群は絶対に可換群になります。またラグランジュの定理（p. 214）によれば、有限巡回群の部分群の位数はもとの群の位数の約数になります。そういった群に関する定理一つ一つは、さまざまな角度から、群という構造を表しているといえます」

「なるほど。群論で出てくる定理は群について何が成り立つか、群がどんな性質を持っているかを教えてくれて、それが群としての構造とはどういうものかを教えてくれるということだと理解しました」

「そういうことです。そこで、準同型のありがたみがわかってきます。準同型は、一つの群が持っている構造を別の群に移してくれる写像だからです。たとえばこの章で出てきた定理 5-1（準同型は単位元を単位元に移す）や、定理 5-2（準同型は逆元を逆元に移す）や、定理 5-3（準同型は部分群を部分群に移す）は構造を移す例と考えることができます」

「それは――なかなか不思議なことじゃありませんか」

「というのは？」

「準同型がやっているのは、$f(x * y) = f(x) *' f(y)$ のように積を保つだけですよね。それなのに、単位元を単位元に移したり、逆元を逆元に移したり、部分群を部分群に移すというのは、よく考えると不思議に感じます。驚きです」

「そうですね。私も驚きだと思います。しかし、次のように考えることもできます。群にとって群演算による積は、集合に属しているバラバラな元を互いに関連付けていて、比喩的にいうならバラバラのビーズ玉を結び合わせている糸のようなものです。ですから、準同型が積を移すことで、群としての構造も移されるというのは納得がいきます」

「なるほど」

「ただし、準同型がすべての性質を移すわけではありません。たとえば、有限群 $G$ から有限群 $G'$ への準同型 $f$ が存在したとしても、元の個数という性質が移されるとは限りません。つまり $|G| = |G'|$ とは限りません。$f$ が同型写像なら話は変わりますが」

「$f$ が同型写像なら？」

「$f$ が有限群 $G$ から有限群 $G'$ への同型写像なら、$f$ は全単射ですから $|G| = |G'|$ といえます。有限集合に対して《全単射は元の個数を保つ》のです」

「なるほど。お話を聞いていて思ったんですが、写像、全単射、準同型、同型写像といった一つ一つの用語をしっかり把握しておくことは大切ですね」

「そうですね。$f$ が準同型ならば、$G$ の群としての構造は $f$ の像 $f(G)$ という $G'$ の部分群に移されます。そして特に $f$ が同型写像ならば、$f(G)$ は $G'$ 全体に等しくなり、$G$ の群としての構造は $G'$ の構造とぴったり一致することになります。同型写像によって結ばれる二つの群は、どちらからどちらを見ても群としてぴったり《同じ》構造を持っているといえます。私たちはこれまでにたくさんの群の例を見てきました。そのときに、この群とこの群は《同じ》と感じることが何度もありました。同型写像はその感覚を数学的にはっきりと表してくれる写像だといえます。そのことを、『二つの群は同型である』と呼んで $G \cong G'$ と表すのです。もっとも、群の同型を群としてぴったり《同じ》ことだと説明してしまうと、せっかく数学的に厳密に表したものを、ふわっとした言い回しに戻してしまうことになりますが」

「でも、ふわっとした言い回しもイメージ図と同じで理解を助けてくれます。実際、少しわかってきました。

- $G = G'$ は集合として等しいという意味で《同じ》を表し（p. 9）、
- $|G| = |G'|$ は元の個数が等しいという意味で《同じ》を表し（p. 10）、
- $G \cong G'$ は同型写像が存在するという意味で《同じ》を表す（p. 147）。

そういうことでしょうか」

「その通りです。$G \cong G'$ を満たす二つの群 $G, G'$ があると、元《げん》の名前を付け替えてしまえば、$G$ と $G'$ は群としてまったく《同じ》です。同型写像の存在は、そんな名前の付け替えが可能であることを保証してくれるのです」

## 5.10　この章で学んだこと

この章では、準同型について学びました。

- 準同型の定義
- さまざまな準同型の例
- 同型の定義
- 準同型は単位元を単位元に移す
- 準同型は逆元を逆元に移す
- 準同型は部分群を部分群に移す

今後私たちは、調べたい対象が群という数学的構造を持つことを確かめるだけではなく、その群が、私たちの知っているどのような群に似ているか（あるいは同じか）を確かめることに関心が向いていきます。それは二つの群を結びつける準同型（あるいは同型写像）を見つけることだと言い換えられます。

次の章では第 3 章に登場した「席替え」が作る群を一般化した、対称群《たいしょうぐん》という群を学びます。

その前に、演習問題を通して準同型についての理解を深めましょう。

## 演習問題

**問題 5-1**（準同型の存在）
二つの群 $G$ と $G'$ が与えられたとき、$G$ から $G'$ への準同型は必ず存在しますか。理由と合わせて答えてください。

**問題 5-2**（全単射な準同型は同型写像）
準同型 $f\colon G \longrightarrow G'$ が全単射ならば、$f$ は同型写像であることを証明してください。

**問題 5-3**（$\mathbb{Z}$ から $n\mathbb{Z}$ への準同型）
$n$ を整数として、集合 $n\mathbb{Z}$ を

$$n\mathbb{Z} = \{nx \mid x \in \mathbb{Z}\} \qquad (n \text{ の倍数全体の集合})$$

とすると、$n\mathbb{Z}$ は群 $(\mathbb{Z}, +)$ の部分群です。ここで、写像 $f\colon \mathbb{Z} \longrightarrow n\mathbb{Z}$ を

$$f\colon x \longmapsto nx$$

で定義します。このとき、写像 $f$ が準同型であることを証明してください。

**問題 5-4**（$\mathbb{Z} \cong n\mathbb{Z}$）
問題 5-3 において、$n \neq 0$ ならば

$$\mathbb{Z} \cong n\mathbb{Z}$$

であることを証明してください。

**問題 5-5**（剰余）
$x, y$ を整数とし、$m$ を 0 以外の整数とします。このとき、

$$(x + y) \bmod m = ((x \bmod m) + (y \bmod m)) \bmod m$$

が成り立つことを証明してください。

## 演習問題の解答

### 解答 5-1（準同型の存在）

二つの群 $G$ と $G'$ が与えられたとき、$G$ から $G'$ への準同型は必ず存在します。$G$ の任意の元を $G'$ の単位元に移す写像 $f\colon G \longrightarrow G'$ を考えると、$f$ は $G$ から $G'$ への準同型になっているからです。例 5-2（p. 144）を参照してください。

> **ちょっと一言**
>
> 問題 5-1 では「$G$ から $G'$ への準同型」という数学的対象の存在が問われ、解答 5-1 では実際に「$G$ から $G'$ への準同型」を構成しました。このように、求められている数学的対象を具体的に一つ構成して存在を示すことはよくあります。

### 解答 5-2（全単射な準同型は同型写像）

> **ちょっと一言**
>
> 何を示せば証明したことになるのか、注意深く考えましょう。与えられている条件は「$f$ は全単射」と「$f$ は準同型」です。同型写像の定義を思い出すと、「$f$ の逆写像は準同型」を示せばいいことがわかります。

**証明**

群 $(G, *)$ から群 $(G', *')$ への準同型 $f\colon G \longrightarrow G'$ が全単射であると仮定します。$f$ が全単射であることから、$f$ の逆写像 $f^{-1}\colon G' \longrightarrow G$ が存在します。以下では $f^{-1}$ が $G'$ から $G$ への準同型であること、すなわち、$G'$ の任意の元 $x', y'$ に対して、

$$f^{-1}(x' *' y') = f^{-1}(x') * f^{-1}(y')$$

であることを示します。

$x', y'$ を $G'$ の元とし、$x = f^{-1}(x'), y = f^{-1}(y')$ と置くと、$f^{-1}$ は $f$ の逆写像なので、$x' = f(x), y' = f(y)$ です。したがって、

$$\begin{aligned} f^{-1}(x' *' y') &= f^{-1}(f(x) *' f(y)) && x' = f(x), y' = f(y) \text{ から} \\ &= f^{-1}(f(x * y)) && f \text{ は準同型だから} \end{aligned}$$

$$
\begin{aligned}
&= (f^{-1} \circ f)(x * y) && \text{合成写像の定義から} \\
&= \mathrm{id}_G(x * y) && f^{-1} \circ f = \mathrm{id}_G \text{ だから} \\
&= x * y && \text{恒等写像の定義から} \\
&= f^{-1}(x') * f^{-1}(y') && x = f^{-1}(x'), y = f^{-1}(y') \text{ から}
\end{aligned}
$$

となり、

$$f^{-1}(x' *' y') = f^{-1}(x') * f^{-1}(y')$$

がいえます。$f$ の逆写像が準同型なので、$f$ は同型写像です。

**（証明終わり）**

なお、$f$ が単射であることを使った次のような別の証明もできます。

**証明**

$x', y'$ を $G'$ の元とし、$x = f^{-1}(x'), y = f^{-1}(y')$ と置くと、$f^{-1}$ は $f$ の逆写像なので、$x' = f(x), y' = f(y)$ です。ここから、

$$
\begin{aligned}
f(f^{-1}(x' *' y')) &= (f \circ f^{-1})(x' *' y') && \text{合成写像の定義から} \\
&= \mathrm{id}_{G'}(x' *' y') && \text{逆写像の定義から} \\
&= \mathrm{id}_{G'}(x') *' \mathrm{id}_{G'}(y') && \text{恒等写像は準同型だから} \\
&= x' *' y' && \text{恒等写像の定義から} \\
&= f(x) *' f(y) && x' = f(x), y' = f(y) \text{ から} \\
&= f(x * y) && f \text{ は準同型だから}
\end{aligned}
$$

となり、

$$f(f^{-1}(x' *' y')) = f(x * y)$$

がいえます。$f$ は単射なので、

$$f^{-1}(x' *' y') = x * y$$

が成り立ち、$x = f^{-1}(x'), y = f^{-1}(y')$ から

$$f^{-1}(x' *' y') = f^{-1}(x') * f^{-1}(y')$$

です。したがって、$f$ の逆写像 $f^{-1}$ は準同型となり、$f$ は同型写像です。

**(証明終わり)**

**解答 5-3** ($\mathbb{Z}$ から $n\mathbb{Z}$ への準同型)

> **ちょっと一言**
>
> 準同型の定義にしたがい、$\mathbb{Z}$ の任意の元 $x, y$ に対して
>
> $$f(x+y) = f(x) + f(y)$$
>
> が成り立つことを証明します。

**証明**

$x, y$ を $\mathbb{Z}$ の元とすると、

$$\begin{aligned} f(x+y) &= n(x+y) && \text{写像 } f \text{ の定義から} \\ &= nx + ny && \text{整数の性質（分配律）から} \\ &= f(x) + f(y) && \text{写像 } f \text{ の定義から} \end{aligned}$$

となり、

$$f(x+y) = f(x) + f(y)$$

が成り立ちます。したがって、写像 $f\colon \mathbb{Z} \longmapsto n\mathbb{Z}$ は $\mathbb{Z}$ から $n\mathbb{Z}$ への準同型です。

**(証明終わり)**

**解答 5-4** ($\mathbb{Z} \cong n\mathbb{Z}$)

> **ちょっと一言**
>
> 同型の定義から、$\mathbb{Z} \cong n\mathbb{Z}$ とは $\mathbb{Z}$ から $n\mathbb{Z}$ への同型写像が存在することです。問題 5-2 の結果を使えば、$\mathbb{Z}$ から $n\mathbb{Z}$ への全単射な準同型の存在を示すことで $\mathbb{Z} \cong n\mathbb{Z}$ が証明できます。そこで、問題 5-3 の準同型 $f$ が全単射であることを示します。

証明

写像 $f\colon \mathbb{Z} \longrightarrow n\mathbb{Z}$ を、

$$f\colon x \longmapsto nx$$

で定義すると、問題 5-3 の結果より $f$ は $\mathbb{Z}$ から $n\mathbb{Z}$ への準同型です。

$n \neq 0$ のとき、写像 $g\colon n\mathbb{Z} \longrightarrow \mathbb{Z}$ を、

$$g\colon y \longmapsto y/n$$

で定義すると、$g$ は $f$ の逆写像となります。$f$ の逆写像が存在することから準同型 $f$ は全単射であり、問題 5-2 の結果より $f$ は $\mathbb{Z}$ から $n\mathbb{Z}$ への同型写像です。よって、

$$\mathbb{Z} \cong n\mathbb{Z}$$

になります。

**（証明終わり）**

ちょっと一言

$n = 3$ のときに、上の証明に出てきた二つの写像 $f, g$ は何で、$\mathbb{Z} \cong n\mathbb{Z}$ はどういうことかを確かめましょう。$f(x) = 3x$ は 3 倍する写像で、$g(y) = y/3$ は 1/3 倍する写像です。$\mathbb{Z} = \{\ldots, -3, -2, -1, 0, 1, 2, 3, \ldots\}$ で、$3\mathbb{Z} = \{\ldots, -9, -6, -3, 0, 3, 6, 9, \ldots\}$ です。$f$ と $g$ によって $\mathbb{Z}$ と $3\mathbb{Z}$ が群演算を保ちつつ互いに移り合えるというのが、$\mathbb{Z} \cong 3\mathbb{Z}$ の主張です。たとえば、$1 + 2 = 3$ は $f$ によって $3 + 6 = 9$ に移り、$3 + 6 = 9$ は $g$ によって $1 + 2 = 3$ に移ります。このように、文字 $n$ を具体的な数にして理解を確かめるのはとても大切です。

## 解答 5-5（剰余）

証明

$x$ と $y$ を $m$ で割った商をそれぞれ $q_1, q_2$ とし、剰余をそれぞれ

$$\begin{cases} r_1 = x \bmod m \\ r_2 = y \bmod m \end{cases}$$

とします。すると、

$$\begin{cases} x = mq_1 + r_1 \\ y = mq_2 + r_2 \end{cases}$$

になります。和を取って整理すると、

$$x + y = m(q_1 + q_2) + (r_1 + r_2)$$

から

$$(x + y) - (r_1 + r_2) = m(q_1 + q_2)$$

となり、$(x+y)-(r_1+r_2)$ は $m$ の倍数です。したがって、$(x+y)$ と $(r_1+r_2)$ をそれぞれ $m$ で割ったときの剰余は等しくなりますので、

$$(x + y) \bmod m = (r_1 + r_2) \bmod m$$

です。$r_1 = x \bmod m, r_2 = y \bmod m$ なので、

$$(x + y) \bmod m = ((x \bmod m) + (y \bmod m)) \bmod m$$

が成り立ちます。

**（証明終わり）**

**ちょっと一言**

解答 5-5 を準同型の観点から考えてみましょう。

$$Z_m = \{0, 1, 2, \ldots, m-1\}$$
$$x +_m y = (x + y) \bmod m$$

として、群 $(\mathbb{Z}, +)$ と群 $(Z_m, +_m)$ に対して、写像 $f\colon \mathbb{Z} \longrightarrow Z_m$ を

$$f\colon x \longmapsto x \bmod m$$

で定義します。このとき解答 5-5 は、$f$ が準同型であることの証明です。なぜなら、$x, y$ を $\mathbb{Z}$ の元としたとき、

$$(x + y) \bmod m = ((x \bmod m) + (y \bmod m)) \bmod m$$

は、

$$(x + y) \bmod m = (x \bmod m) +_m (y \bmod m)$$

であり、

$$f(x + y) = f(x) +_m f(y)$$

のことだからです。例 5-1 (p. 142) および第 4 章「$n$ の剰余が作る巡回群 $(Z_n, +_n)$」(p. 114) も参照してください。

# 第 6 章　対称群

## 6.1　この章で学ぶこと

この章では、対称群《たいしょうぐん》と呼ばれる群について学びます。

簡単な復習の後、私たちは $n$ 次対称群を定義します。そして特に 4 次対称群 $S_4$ の元について詳細に調べていきます。その過程で、$S_4$ が持つ 24 個の元の素性が次第にわかってくるでしょう。

次に、正 6 面体群 $P_6$ と呼ばれる群（立方体の回転を表す群）が 4 次対称群 $S_4$ と同型であることを見ていきます。

これらの過程は、構造を持つ数学的対象を解析する第一歩でもあります。ぜひ丁寧に追ってみてください。

## 6.2　復習

私たちは第 3 章の例 3-1 で、3 人の「席替え」全体が作る群 $S_3$ について考えました（p. 76）。実はあの $S_3$ という群は、本章で学ぶ対称群の一種で 3 次対称群と呼ばれるものです。ここで簡単に復習します。

$X_3 = \{1, 2, 3\}$ として、$X_3$ から $X_3$ への全単射全体の集合を $S_3$ とすると、

$$S_3 = \left\{ \begin{pmatrix} 1\,2\,3 \\ 1\,2\,3 \end{pmatrix}, \begin{pmatrix} 1\,2\,3 \\ 1\,3\,2 \end{pmatrix}, \begin{pmatrix} 1\,2\,3 \\ 2\,1\,3 \end{pmatrix}, \begin{pmatrix} 1\,2\,3 \\ 2\,3\,1 \end{pmatrix}, \begin{pmatrix} 1\,2\,3 \\ 3\,1\,2 \end{pmatrix}, \begin{pmatrix} 1\,2\,3 \\ 3\,2\,1 \end{pmatrix} \right\}$$

になります。写像の合成を表す二項演算を $\circ$ で表すと、$(S_3, \circ)$ は群となります。念のため、表記の意味を確認します。たとえば、

$$a = \begin{pmatrix} 1\,2\,3 \\ 2\,1\,3 \end{pmatrix}$$

とすると、$a$ は $S_3$ の元、すなわち $X_3$ から $X_3$ への写像であり、

$$\begin{aligned} a\colon 1 &\longmapsto 2 \\ a\colon 2 &\longmapsto 1 \\ a\colon 3 &\longmapsto 3 \end{aligned}$$

という全単射です。これは、

$$a(1) = 2$$

$$a(2) = 1$$

$$a(3) = 3$$

とも表記できますので、

$$\begin{pmatrix} 1\,2\,3 \\ 2\,1\,3 \end{pmatrix}$$

は、

$$\begin{pmatrix} 1 & 2 & 3 \\ a(1) & a(2) & a(3) \end{pmatrix}$$

を意味しているといえます。

> **ちょっと一言**
>
> 上記のような復習は学ぶ上で大切ですので、本書ではだいぶしつこく行っています。他の数学書を読む際には、読者が自分で積極的に復習を行ってください。

さて、$X_3$ から $X_3$ への全単射は、$1, 2, 3$ という 3 個のものを置き換える方法を定めています。そこで「$X_3$ から $X_3$ への全単射」を「3 次置換《ちかん》」と呼ぶことにします。そのようにすると、$S_3$ は「3 次置換全体の作る群」といえます。この群を「3 次対称群《たいしょうぐん》」と呼びます。

ここまでざっくり述べてきたことを、次節できちんと定義しましょう。

## 6.3 対称群の定義

> **定義**(置換)
>
> $n$ を正の整数とします。$X_n = \{1, 2, 3, \ldots, n\}$ としたとき、$X_n$ から $X_n$ への全単射を $n$ 次**置換**《ちかん》、あるいは $X_n$ の置換といいます。

**ちょっと一言**

細かい点ですが、中学・高校で学ぶ**順列《じゅんれつ》**と置換との関係を説明します。たとえば、1, 2, 3 の 3 個の数を順番に並べるとき、その一つの並びを 1, 2, 3 の順列といいます。たとえば「1, 2, 3」や「2, 1, 3」や「3, 1, 2」などはすべて 1, 2, 3 の順列です。$f$ が 3 次置換なら「$f(1), f(2), f(3)$」という並びは 1, 2, 3 の順列になりますから、「1, 2, 3 の順列」と「3 次置換」とは一対一に対応します。

**定義**（対称群）

$n$ 次置換全体の集合を $S_n$ とし、写像の合成を $\circ$ とすると、$(S_n, \circ)$ は群となります。この群を $n$ 次**対称群《たいしょうぐん》**といいます。

**定義**（置換群）

$n$ 次対称群の部分群を $n$ 次**置換群《ちかんぐん》**といいます。

## 6.4　4 次対称群 $S_4$ の解析

$X_4 = \{1, 2, 3, 4\}$ とします。4 次置換全体の集合（$X_4$ から $X_4$ への全単射全体の集合）を台集合とし、写像の合成 $\circ$ を群演算とする群 $(S_4, \circ)$ を 4 次対称群といいます。これは前節で定義した通りです。私たちはこれから、4 次対称群

$$S_4 = \left\{ \begin{pmatrix} 1\,2\,3\,4 \\ 1\,2\,3\,4 \end{pmatrix}, \begin{pmatrix} 1\,2\,3\,4 \\ 1\,2\,4\,3 \end{pmatrix}, \begin{pmatrix} 1\,2\,3\,4 \\ 1\,3\,2\,4 \end{pmatrix}, \ldots, \begin{pmatrix} 1\,2\,3\,4 \\ 4\,3\,2\,1 \end{pmatrix} \right\}$$

について調べていきます。

調べたい対象がたくさんあるとき、**個数を調べる**のは基本です。まず $S_4$ の元の個数、すなわち $S_4$ の**位数** $|S_4|$ を求めます。$|S_4|$ の値は、$X_4 = \{1, 2, 3, 4\}$ の 4 個の元を並べた順列の個数に等しいので、

$$|S_4| = 4! = 4 \times 3 \times 2 \times 1 = 24$$

になります。一般に、$n$ 次対称群の位数は $n$ の階乗《かいじょう》 $n!$ になります。すなわち、

$$|S_n| = n \times (n-1) \times \cdots \times 1 = n!$$

です。$S_4$ の元は全部で 24 個ですから、4 次置換の**すべてを列挙する**ことは難し

くありません。次の通りです。

$$
\begin{pmatrix}1\,2\,3\,4\\1\,2\,3\,4\end{pmatrix}\quad
\begin{pmatrix}1\,2\,3\,4\\1\,2\,4\,3\end{pmatrix}\quad
\begin{pmatrix}1\,2\,3\,4\\1\,3\,2\,4\end{pmatrix}\quad
\begin{pmatrix}1\,2\,3\,4\\1\,3\,4\,2\end{pmatrix}
$$

$$
\begin{pmatrix}1\,2\,3\,4\\1\,4\,2\,3\end{pmatrix}\quad
\begin{pmatrix}1\,2\,3\,4\\1\,4\,3\,2\end{pmatrix}\quad
\begin{pmatrix}1\,2\,3\,4\\2\,1\,3\,4\end{pmatrix}\quad
\begin{pmatrix}1\,2\,3\,4\\2\,1\,4\,3\end{pmatrix}
$$

$$
\begin{pmatrix}1\,2\,3\,4\\2\,3\,1\,4\end{pmatrix}\quad
\begin{pmatrix}1\,2\,3\,4\\2\,3\,4\,1\end{pmatrix}\quad
\begin{pmatrix}1\,2\,3\,4\\2\,4\,1\,3\end{pmatrix}\quad
\begin{pmatrix}1\,2\,3\,4\\2\,4\,3\,1\end{pmatrix}
$$

$$
\begin{pmatrix}1\,2\,3\,4\\3\,1\,2\,4\end{pmatrix}\quad
\begin{pmatrix}1\,2\,3\,4\\3\,1\,4\,2\end{pmatrix}\quad
\begin{pmatrix}1\,2\,3\,4\\3\,2\,1\,4\end{pmatrix}\quad
\begin{pmatrix}1\,2\,3\,4\\3\,2\,4\,1\end{pmatrix}
$$

$$
\begin{pmatrix}1\,2\,3\,4\\3\,4\,1\,2\end{pmatrix}\quad
\begin{pmatrix}1\,2\,3\,4\\3\,4\,2\,1\end{pmatrix}\quad
\begin{pmatrix}1\,2\,3\,4\\4\,1\,2\,3\end{pmatrix}\quad
\begin{pmatrix}1\,2\,3\,4\\4\,1\,3\,2\end{pmatrix}
$$

$$
\begin{pmatrix}1\,2\,3\,4\\4\,2\,1\,3\end{pmatrix}\quad
\begin{pmatrix}1\,2\,3\,4\\4\,2\,3\,1\end{pmatrix}\quad
\begin{pmatrix}1\,2\,3\,4\\4\,3\,1\,2\end{pmatrix}\quad
\begin{pmatrix}1\,2\,3\,4\\4\,3\,2\,1\end{pmatrix}
$$

4 次対称群 $S_4$ のすべての元（すべての 4 次置換）

**ちょっと一言**

ここでは、各置換の下の行に出てくる 4 個の数が

$$1234 < 1243 < 1324 < \cdots < 4321$$

という小さい順で並ぶような順序で置換を列挙しています。

さて、$S_4$ に属している 24 個の元をさらに詳しく調べていきましょう。

4 次対称群 $S_4$ の**単位元**はすぐに見つかります。$X_4$ 上の恒等写像である

$$\begin{pmatrix}1\,2\,3\,4\\1\,2\,3\,4\end{pmatrix}$$

が $S_4$ の単位元です。この置換を**恒等《こうとう》置《ち》換《かん》**といいます。本書では単位元に $e$ という名前を付けているので、$\left(\begin{smallmatrix}1\,2\,3\,4\\1\,2\,3\,4\end{smallmatrix}\right)$ にも $e$ と名前を付けることにします。24 個の置換のうち、1 個の素性がわかりました。

$$\begin{pmatrix}1&2&3&4\\1&2&3&4\end{pmatrix}=e\quad\begin{pmatrix}1&2&3&4\\1&2&4&3\end{pmatrix}=?\quad\begin{pmatrix}1&2&3&4\\1&3&2&4\end{pmatrix}=?\quad\begin{pmatrix}1&2&3&4\\1&3&4&2\end{pmatrix}=?$$

$$\begin{pmatrix}1&2&3&4\\1&4&2&3\end{pmatrix}=?\quad\begin{pmatrix}1&2&3&4\\1&4&3&2\end{pmatrix}=?\quad\begin{pmatrix}1&2&3&4\\2&1&3&4\end{pmatrix}=?\quad\begin{pmatrix}1&2&3&4\\2&1&4&3\end{pmatrix}=?$$

$$\begin{pmatrix}1&2&3&4\\2&3&1&4\end{pmatrix}=?\quad\begin{pmatrix}1&2&3&4\\2&3&4&1\end{pmatrix}=?\quad\begin{pmatrix}1&2&3&4\\2&4&1&3\end{pmatrix}=?\quad\begin{pmatrix}1&2&3&4\\2&4&3&1\end{pmatrix}=?$$

$$\begin{pmatrix}1&2&3&4\\3&1&2&4\end{pmatrix}=?\quad\begin{pmatrix}1&2&3&4\\3&1&4&2\end{pmatrix}=?\quad\begin{pmatrix}1&2&3&4\\3&2&1&4\end{pmatrix}=?\quad\begin{pmatrix}1&2&3&4\\3&2&4&1\end{pmatrix}=?$$

$$\begin{pmatrix}1&2&3&4\\3&4&1&2\end{pmatrix}=?\quad\begin{pmatrix}1&2&3&4\\3&4&2&1\end{pmatrix}=?\quad\begin{pmatrix}1&2&3&4\\4&1&2&3\end{pmatrix}=?\quad\begin{pmatrix}1&2&3&4\\4&1&3&2\end{pmatrix}=?$$

$$\begin{pmatrix}1&2&3&4\\4&2&1&3\end{pmatrix}=?\quad\begin{pmatrix}1&2&3&4\\4&2&3&1\end{pmatrix}=?\quad\begin{pmatrix}1&2&3&4\\4&3&1&2\end{pmatrix}=?\quad\begin{pmatrix}1&2&3&4\\4&3&2&1\end{pmatrix}=?$$

$S_4$ の単位元 $e$（恒等置換）

**ちょっと一言**

視点に応じて、$\begin{pmatrix}1&2&3&4\\1&2&3&4\end{pmatrix}$ はさまざまな名前で呼ぶことができます。

- $\begin{pmatrix}1&2&3&4\\1&2&3&4\end{pmatrix}$ は、群 $S_4$ の単位元
- $\begin{pmatrix}1&2&3&4\\1&2&3&4\end{pmatrix}$ は、$X_4$ から $X_4$ への写像の一つ
- $\begin{pmatrix}1&2&3&4\\1&2&3&4\end{pmatrix}$ は、$X_4$ 上の恒等写像
- $\begin{pmatrix}1&2&3&4\\1&2&3&4\end{pmatrix}$ は、4 次置換の一つ
- $\begin{pmatrix}1&2&3&4\\1&2&3&4\end{pmatrix}$ は、恒等置換

これは私たちが一人の人を名前で呼んだり、自分との関係で呼んだり、その他のさまざまな属性で呼んだりするのに似ています。

## 6.5　互換

群 $S_4$ の 24 個の元をしばらく眺めていると、二つの数を互いに入れ換えているだけの置換があることに気付きます。たとえば、

$$\begin{pmatrix}1&2&3&4\\2&1&3&4\end{pmatrix}$$

は 1 と 2 を入れ換え、3 と 4 はそのままにしています。このように、二つの数のみを互いに入れ換える置換を**互換**《ごかん》といいます。

互換は二つの数を入れ換える置換ですから、

$$\begin{pmatrix} 1\,2\,3\,4 \\ 2\,1\,3\,4 \end{pmatrix} = (1\,2) \qquad 1 \text{ と } 2 \text{ を入れ換える互換}$$

のように**入れ換える二つの数を並べて表記する**ことにします。この $(1\,2)$ は、$1 \longmapsto 2,\ 2 \longmapsto 1$ という写像を表していますので、次のようなイメージでとらえることができます。

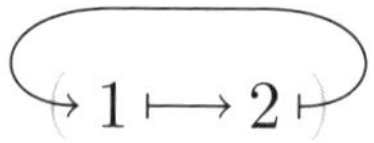


$S_4$ の 24 個の元から互換を探すと、

$$\begin{pmatrix} 1\,2\,3\,4 \\ 1\,2\,4\,3 \end{pmatrix} = (3\,4) \quad \begin{pmatrix} 1\,2\,3\,4 \\ 1\,3\,2\,4 \end{pmatrix} = (2\,3) \quad \begin{pmatrix} 1\,2\,3\,4 \\ 1\,4\,3\,2 \end{pmatrix} = (2\,4)$$

$$\begin{pmatrix} 1\,2\,3\,4 \\ 2\,1\,3\,4 \end{pmatrix} = (1\,2) \quad \begin{pmatrix} 1\,2\,3\,4 \\ 3\,2\,1\,4 \end{pmatrix} = (1\,3) \quad \begin{pmatrix} 1\,2\,3\,4 \\ 4\,2\,3\,1 \end{pmatrix} = (1\,4)$$

の 6 個が見つかります。

**ちょっと一言**

互換になっている 4 次置換の個数は、4 つの数から 2 つの数を選ぶ組み合わせの数に等しくなります。

なお、1 と 2 を入れ換える互換の表記として、$(1\,2)$ と $(2\,1)$ の二種類があることに注意してください。どちらの表記でも同じ写像を表します。すなわち、

$$\begin{pmatrix} 1\,2\,3\,4 \\ 2\,1\,3\,4 \end{pmatrix} = (1\,2) = (2\,1)$$

です。

**ちょっと一言**

$\left(\begin{smallmatrix} 1\,2\,3\,4 \\ 2\,1\,3\,4 \end{smallmatrix}\right) = (1\,2) = (2\,1)$ のイコールは、「写像として等しいこと」すなわち写像としての相等関係を表しています（p. 36 参照)。

ここまでで、24 個の置換のうち 1 個が恒等置換、6 個が互換であることがわかりました。残りは $24 - 1 - 6 = 17$ 個です。

| | | | |
|---|---|---|---|
| $\begin{pmatrix}1\,2\,3\,4\\1\,2\,3\,4\end{pmatrix}=e$ | $\begin{pmatrix}1\,2\,3\,4\\1\,2\,4\,3\end{pmatrix}=(3\,4)$ | $\begin{pmatrix}1\,2\,3\,4\\1\,3\,2\,4\end{pmatrix}=(2\,3)$ | $\begin{pmatrix}1\,2\,3\,4\\1\,3\,4\,2\end{pmatrix}=?$ |
| $\begin{pmatrix}1\,2\,3\,4\\1\,4\,2\,3\end{pmatrix}=?$ | $\begin{pmatrix}1\,2\,3\,4\\1\,4\,3\,2\end{pmatrix}=(2\,4)$ | $\begin{pmatrix}1\,2\,3\,4\\2\,1\,3\,4\end{pmatrix}=(1\,2)$ | $\begin{pmatrix}1\,2\,3\,4\\2\,1\,4\,3\end{pmatrix}=?$ |
| $\begin{pmatrix}1\,2\,3\,4\\2\,3\,1\,4\end{pmatrix}=?$ | $\begin{pmatrix}1\,2\,3\,4\\2\,3\,4\,1\end{pmatrix}=?$ | $\begin{pmatrix}1\,2\,3\,4\\2\,4\,1\,3\end{pmatrix}=?$ | $\begin{pmatrix}1\,2\,3\,4\\2\,4\,3\,1\end{pmatrix}=?$ |
| $\begin{pmatrix}1\,2\,3\,4\\3\,1\,2\,4\end{pmatrix}=?$ | $\begin{pmatrix}1\,2\,3\,4\\3\,1\,4\,2\end{pmatrix}=?$ | $\begin{pmatrix}1\,2\,3\,4\\3\,2\,1\,4\end{pmatrix}=(1\,3)$ | $\begin{pmatrix}1\,2\,3\,4\\3\,2\,4\,1\end{pmatrix}=?$ |
| $\begin{pmatrix}1\,2\,3\,4\\3\,4\,1\,2\end{pmatrix}=?$ | $\begin{pmatrix}1\,2\,3\,4\\3\,4\,2\,1\end{pmatrix}=?$ | $\begin{pmatrix}1\,2\,3\,4\\4\,1\,2\,3\end{pmatrix}=?$ | $\begin{pmatrix}1\,2\,3\,4\\4\,1\,3\,2\end{pmatrix}=?$ |
| $\begin{pmatrix}1\,2\,3\,4\\4\,2\,1\,3\end{pmatrix}=?$ | $\begin{pmatrix}1\,2\,3\,4\\4\,2\,3\,1\end{pmatrix}=(1\,4)$ | $\begin{pmatrix}1\,2\,3\,4\\4\,3\,1\,2\end{pmatrix}=?$ | $\begin{pmatrix}1\,2\,3\,4\\4\,3\,2\,1\end{pmatrix}=?$ |

$S_4$ の互換

**ちょっと一言**

以下では同様の解析が続きます。このまま読み進めても構いませんが、読むのをいったんストップして、残っている置換について自分で調べてみるのも楽しいですよ。

## 6.6　3 次巡回置換

$S_4$ の元のうち、たとえば

$$\begin{pmatrix}1\,2\,3\,4\\2\,3\,1\,4\end{pmatrix}$$

を見ると、1 は 2 に、2 は 3 に、3 は 1 にそれぞれ移り、4 はそのままです。このようなぐるっと巡り回る置換を **巡回《じゅんかい》置《ち》換《かん》**といいます。特にこの場合は 3 個の数が順番に回っていますので、3 次巡回置換といいます。

巡回置換は、

$$\begin{pmatrix}1\,2\,3\,4\\2\,3\,1\,4\end{pmatrix}=(1\,2\,3)$$

のように表記することにします。$(1\,2\,3)$ は、$1\longmapsto 2,\ 2\longmapsto 3,\ 3\longmapsto 1$ という写像を表していますので、次のようなイメージでとらえることができます。

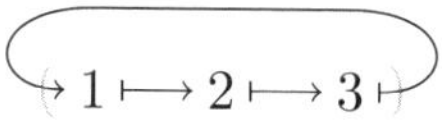


なお、(1 2 3) は、1, 2, 3 のどれから書き始めても同じ巡回置換を表しますので、

$$\begin{pmatrix}1&2&3&4\\2&3&1&4\end{pmatrix} = (1\,2\,3) = (2\,3\,1) = (3\,1\,2)$$

です。

**ちょっと一言**

ここで、

$$(1\,2\,3) = (2\,3\,1) = (3\,1\,2)$$

ですが、たとえば、

$$(1\,2\,3) \neq (1\,3\,2)$$

になります。なぜなら、

$$(1\,2\,3) = \begin{pmatrix}1&2&3&4\\2&3&1&4\end{pmatrix} \neq \begin{pmatrix}1&2&3&4\\3&1&2&4\end{pmatrix} = (1\,3\,2)$$

だからです。

24 個の 4 次置換の中から 3 次巡回置換を探すと、

$$\begin{pmatrix}1&2&3&4\\1&3&4&2\end{pmatrix} = (2\,3\,4) \quad \begin{pmatrix}1&2&3&4\\1&4&2&3\end{pmatrix} = (2\,4\,3) \quad \begin{pmatrix}1&2&3&4\\2&3&1&4\end{pmatrix} = (1\,2\,3) \quad \begin{pmatrix}1&2&3&4\\2&4&3&1\end{pmatrix} = (1\,2\,4)$$

$$\begin{pmatrix}1&2&3&4\\3&1&2&4\end{pmatrix} = (1\,3\,2) \quad \begin{pmatrix}1&2&3&4\\3&2&4&1\end{pmatrix} = (1\,3\,4) \quad \begin{pmatrix}1&2&3&4\\4&1&3&2\end{pmatrix} = (1\,4\,2) \quad \begin{pmatrix}1&2&3&4\\4&2&1&3\end{pmatrix} = (1\,4\,3)$$

の 8 個が見つかります。

なお、前節で説明した互換は、2 次巡回置換といえます。また、(1 2) という互換の表記も、(1 2 3) という 3 次巡回置換の表記と整合性があります。

ここまでで、24 個の置換のうち、1 個が恒等置換、6 個が互換（2 次巡回置換）、8 個が 3 次巡回置換であることがわかりました。残りは $24 - 1 - 6 - 8 = 9$ 個です。

$$
\begin{array}{llll}
\begin{pmatrix}1&2&3&4\\1&2&3&4\end{pmatrix}=e &
\begin{pmatrix}1&2&3&4\\1&2&4&3\end{pmatrix}=(3\,4) &
\begin{pmatrix}1&2&3&4\\1&3&2&4\end{pmatrix}=(2\,3) &
\begin{pmatrix}1&2&3&4\\1&3&4&2\end{pmatrix}=(2\,3\,4) \\
\begin{pmatrix}1&2&3&4\\1&4&2&3\end{pmatrix}=(2\,4\,3) &
\begin{pmatrix}1&2&3&4\\1&4&3&2\end{pmatrix}=(2\,4) &
\begin{pmatrix}1&2&3&4\\2&1&3&4\end{pmatrix}=(1\,2) &
\begin{pmatrix}1&2&3&4\\2&1&4&3\end{pmatrix}=? \\
\begin{pmatrix}1&2&3&4\\2&3&1&4\end{pmatrix}=(1\,2\,3) &
\begin{pmatrix}1&2&3&4\\2&3&4&1\end{pmatrix}=? &
\begin{pmatrix}1&2&3&4\\2&4&1&3\end{pmatrix}=? &
\begin{pmatrix}1&2&3&4\\2&4&3&1\end{pmatrix}=(1\,2\,4) \\
\begin{pmatrix}1&2&3&4\\3&1&2&4\end{pmatrix}=(1\,3\,2) &
\begin{pmatrix}1&2&3&4\\3&1&4&2\end{pmatrix}=? &
\begin{pmatrix}1&2&3&4\\3&2&1&4\end{pmatrix}=(1\,3) &
\begin{pmatrix}1&2&3&4\\3&2&4&1\end{pmatrix}=(1\,3\,4) \\
\begin{pmatrix}1&2&3&4\\3&4&1&2\end{pmatrix}=? &
\begin{pmatrix}1&2&3&4\\3&4&2&1\end{pmatrix}=? &
\begin{pmatrix}1&2&3&4\\4&1&2&3\end{pmatrix}=? &
\begin{pmatrix}1&2&3&4\\4&1&3&2\end{pmatrix}=(1\,4\,2) \\
\begin{pmatrix}1&2&3&4\\4&2&1&3\end{pmatrix}=(1\,4\,3) &
\begin{pmatrix}1&2&3&4\\4&2&3&1\end{pmatrix}=(1\,4) &
\begin{pmatrix}1&2&3&4\\4&3&1&2\end{pmatrix}=? &
\begin{pmatrix}1&2&3&4\\4&3&2&1\end{pmatrix}=?
\end{array}
$$

$S_4$ の 3 次巡回置換

## 6.7　4 次巡回置換

3 次巡回置換と同様に、4 次巡回置換も考えることができます。24 個の 4 次置換の中から 4 次巡回置換を探すと、

$$
\begin{array}{lll}
\begin{pmatrix}1&2&3&4\\2&3&4&1\end{pmatrix}=(1\,2\,3\,4) &
\begin{pmatrix}1&2&3&4\\2&4&1&3\end{pmatrix}=(1\,2\,4\,3) &
\begin{pmatrix}1&2&3&4\\3&1&4&2\end{pmatrix}=(1\,3\,4\,2) \\
\begin{pmatrix}1&2&3&4\\3&4&2&1\end{pmatrix}=(1\,3\,2\,4) &
\begin{pmatrix}1&2&3&4\\4&1&2&3\end{pmatrix}=(1\,4\,3\,2) &
\begin{pmatrix}1&2&3&4\\4&3&1&2\end{pmatrix}=(1\,4\,2\,3)
\end{array}
$$

の 6 個が見つかります。

ここまでで、24 個の置換のうち、1 個が恒等置換、6 個が互換（2 次巡回置換）、8 個が 3 次巡回置換、6 個が 4 次巡回置換であることがわかりました。残りは $24-1-6-8-6=3$ 個です。

| | | | |
|---|---|---|---|
| $\begin{pmatrix}1\,2\,3\,4\\1\,2\,3\,4\end{pmatrix}=e$ | $\begin{pmatrix}1\,2\,3\,4\\1\,2\,4\,3\end{pmatrix}=(3\,4)$ | $\begin{pmatrix}1\,2\,3\,4\\1\,3\,2\,4\end{pmatrix}=(2\,3)$ | $\begin{pmatrix}1\,2\,3\,4\\1\,3\,4\,2\end{pmatrix}=(2\,3\,4)$ |
| $\begin{pmatrix}1\,2\,3\,4\\1\,4\,2\,3\end{pmatrix}=(2\,4\,3)$ | $\begin{pmatrix}1\,2\,3\,4\\1\,4\,3\,2\end{pmatrix}=(2\,4)$ | $\begin{pmatrix}1\,2\,3\,4\\2\,1\,3\,4\end{pmatrix}=(1\,2)$ | $\begin{pmatrix}1\,2\,3\,4\\2\,1\,4\,3\end{pmatrix}=?$ |
| $\begin{pmatrix}1\,2\,3\,4\\2\,3\,1\,4\end{pmatrix}=(1\,2\,3)$ | $\begin{pmatrix}1\,2\,3\,4\\2\,3\,4\,1\end{pmatrix}=(1\,2\,3\,4)$ | $\begin{pmatrix}1\,2\,3\,4\\2\,4\,1\,3\end{pmatrix}=(1\,2\,4\,3)$ | $\begin{pmatrix}1\,2\,3\,4\\2\,4\,3\,1\end{pmatrix}=(1\,2\,4)$ |
| $\begin{pmatrix}1\,2\,3\,4\\3\,1\,2\,4\end{pmatrix}=(1\,3\,2)$ | $\begin{pmatrix}1\,2\,3\,4\\3\,1\,4\,2\end{pmatrix}=(1\,3\,4\,2)$ | $\begin{pmatrix}1\,2\,3\,4\\3\,2\,1\,4\end{pmatrix}=(1\,3)$ | $\begin{pmatrix}1\,2\,3\,4\\3\,2\,4\,1\end{pmatrix}=(1\,3\,4)$ |
| $\begin{pmatrix}1\,2\,3\,4\\3\,4\,1\,2\end{pmatrix}=?$ | $\begin{pmatrix}1\,2\,3\,4\\3\,4\,2\,1\end{pmatrix}=(1\,3\,2\,4)$ | $\begin{pmatrix}1\,2\,3\,4\\4\,1\,2\,3\end{pmatrix}=(1\,4\,3\,2)$ | $\begin{pmatrix}1\,2\,3\,4\\4\,1\,3\,2\end{pmatrix}=(1\,4\,2)$ |
| $\begin{pmatrix}1\,2\,3\,4\\4\,2\,1\,3\end{pmatrix}=(1\,4\,3)$ | $\begin{pmatrix}1\,2\,3\,4\\4\,2\,3\,1\end{pmatrix}=(1\,4)$ | $\begin{pmatrix}1\,2\,3\,4\\4\,3\,1\,2\end{pmatrix}=(1\,4\,2\,3)$ | $\begin{pmatrix}1\,2\,3\,4\\4\,3\,2\,1\end{pmatrix}=?$ |

$S_4$ の 4 次巡回置換

## 6.8 巡回置換の積

さて、24 個の 4 次置換のうち、素性がわかっていない残りは 3 個です。

たとえば、

$$\begin{pmatrix}1\,2\,3\,4\\2\,1\,4\,3\end{pmatrix}$$

がどのような置換か調べてみると、これは 1 と 2 を入れ換えて、3 と 4 を入れ換える置換になっていることがわかります。すなわちこの置換は、二つの互換 $(1\,2)$ と $(3\,4)$ の積（ここでは写像の合成）として、

$$\begin{pmatrix}1\,2\,3\,4\\2\,1\,4\,3\end{pmatrix}=(1\,2)\circ(3\,4)$$

と表すことができます。

写像の合成は一般に交換律が成り立ちません。しかし、$(1\,2)$ は 3 と 4 を動かさず、$(3\,4)$ は 1 と 2 を動かしませんので、

$$(1\,2)\circ(3\,4)=(3\,4)\circ(1\,2)$$

が成り立ちます。$(1\,2)$ と $(3\,4)$ のように、動かす数に重なりがない二つの置換のことを**互《たが》いに素《そ》**な置換といいます。$(1\,2)$ と $(3\,4)$ は互いに素な置換です。互いに素な二つの置換は合成の順序を交換することができます。

残っていた 3 個の置換は次のように互いに素な互換の積で表せます。

$$\begin{pmatrix}1\,2\,3\,4\\2\,1\,4\,3\end{pmatrix}=(1\,2)\circ(3\,4)\qquad\begin{pmatrix}1\,2\,3\,4\\3\,4\,1\,2\end{pmatrix}=(1\,3)\circ(2\,4)\qquad\begin{pmatrix}1\,2\,3\,4\\4\,3\,2\,1\end{pmatrix}=(1\,4)\circ(2\,3)$$

**ちょっと一言**

群演算を表す記号（ここでは写像の合成 $\circ$）を省略して、

$$\begin{pmatrix}1\,2\,3\,4\\2\,1\,4\,3\end{pmatrix}=(1\,2)(3\,4)$$

と表すこともあります。

以上の解析により、24 個の 4 次置換は、1 個が恒等置換、6 個が互換、8 個が 3 次巡回置換、6 個が 4 次巡回置換、そして 3 個が互いに素な互換の積であることがわかりました。

| | | | |
|---|---|---|---|
| $\begin{pmatrix}1\,2\,3\,4\\1\,2\,3\,4\end{pmatrix}=e$ | $\begin{pmatrix}1\,2\,3\,4\\1\,2\,4\,3\end{pmatrix}=(3\,4)$ | $\begin{pmatrix}1\,2\,3\,4\\1\,3\,2\,4\end{pmatrix}=(2\,3)$ | $\begin{pmatrix}1\,2\,3\,4\\1\,3\,4\,2\end{pmatrix}=(2\,3\,4)$ |
| $\begin{pmatrix}1\,2\,3\,4\\1\,4\,2\,3\end{pmatrix}=(2\,4\,3)$ | $\begin{pmatrix}1\,2\,3\,4\\1\,4\,3\,2\end{pmatrix}=(2\,4)$ | $\begin{pmatrix}1\,2\,3\,4\\2\,1\,3\,4\end{pmatrix}=(1\,2)$ | $\begin{pmatrix}1\,2\,3\,4\\2\,1\,4\,3\end{pmatrix}=(1\,2)\circ(3\,4)$ |
| $\begin{pmatrix}1\,2\,3\,4\\2\,3\,1\,4\end{pmatrix}=(1\,2\,3)$ | $\begin{pmatrix}1\,2\,3\,4\\2\,3\,4\,1\end{pmatrix}=(1\,2\,3\,4)$ | $\begin{pmatrix}1\,2\,3\,4\\2\,4\,1\,3\end{pmatrix}=(1\,2\,4\,3)$ | $\begin{pmatrix}1\,2\,3\,4\\2\,4\,3\,1\end{pmatrix}=(1\,2\,4)$ |
| $\begin{pmatrix}1\,2\,3\,4\\3\,1\,2\,4\end{pmatrix}=(1\,3\,2)$ | $\begin{pmatrix}1\,2\,3\,4\\3\,1\,4\,2\end{pmatrix}=(1\,3\,4\,2)$ | $\begin{pmatrix}1\,2\,3\,4\\3\,2\,1\,4\end{pmatrix}=(1\,3)$ | $\begin{pmatrix}1\,2\,3\,4\\3\,2\,4\,1\end{pmatrix}=(1\,3\,4)$ |
| $\begin{pmatrix}1\,2\,3\,4\\3\,4\,1\,2\end{pmatrix}=(1\,3)\circ(2\,4)$ | $\begin{pmatrix}1\,2\,3\,4\\3\,4\,2\,1\end{pmatrix}=(1\,3\,2\,4)$ | $\begin{pmatrix}1\,2\,3\,4\\4\,1\,2\,3\end{pmatrix}=(1\,4\,3\,2)$ | $\begin{pmatrix}1\,2\,3\,4\\4\,1\,3\,2\end{pmatrix}=(1\,4\,2)$ |
| $\begin{pmatrix}1\,2\,3\,4\\4\,2\,1\,3\end{pmatrix}=(1\,4\,3)$ | $\begin{pmatrix}1\,2\,3\,4\\4\,2\,3\,1\end{pmatrix}=(1\,4)$ | $\begin{pmatrix}1\,2\,3\,4\\4\,3\,1\,2\end{pmatrix}=(1\,4\,2\,3)$ | $\begin{pmatrix}1\,2\,3\,4\\4\,3\,2\,1\end{pmatrix}=(1\,4)\circ(2\,3)$ |

$S_4$ の元

恒等置換 $e$ は 1 次巡回置換の積 $(1)\circ(2)\circ(3)\circ(4)$ と考えることができ、互換は 2 次巡回置換と考えると、任意の 4 次置換は、**互いに素な巡回置換の積で表せる**ことがわかりました。

一般に、任意の $n$ 次置換は、互いに素な巡回置換の積で表せます。これは演習問題 6-1 で考えます。

## 6.9 正 6 面体群 $P_6$ の解析

私たちはここまで、4 次対称群 $S_4$ の元を調べてきました。ここで視点を変えて、$S_4$ と同型な別の群を紹介します。それは、**正《せい》 6 面体群《めんたいぐん》**（$P_6$）と呼ばれるもので、正 6 面体の回転対称性を表している群になります。

**正《せい》 6 面体《めんたい》**は、合同な正方形 6 枚によって囲まれた立体です。私たちに親しみのある正 6 面体としては、たとえばサイコロがあります。

> **ちょっと一言**
>
> 合同な正多角形で囲まれ、すべての頂点に同じ枚数の面が集まり、へこみがない立体を正多面体といいます。正多面体は、正 4 面体、正 6 面体、正 8 面体、正 12 面体、正 20 面体の 5 種類のみです。4, 6, 8, 12, 20 は面の数を表しています。正 6 面体は通常、**立方体《りっぽうたい》**と呼ばれますが、この章では面の数に注目したいので正 6 面体と呼ぶことにします。

正 6 面体はさまざまな**対称性《たいしょうせい》**を持っています。ここでは正 6 面体を回転させて自分自身に重なる**回転対称性《かいてんたいしょうせい》**について考えましょう。立体の回転対称性とは、その立体を回転する操作を行ったときに、自分自身にぴったりと重なる性質のことです。

正 6 面体群の台集合は、正 6 面体を自分自身にぴったりと重ねる回転操作全体の集合です。また群演算は二つの回転操作を続けて行う操作です。以下では正 6 面体群 $P_6$ を調べていきますが、正 6 面体を回す様子を想像しながら（あるいはサイコロのような立体を手元に置いて実際に回しながら）読み進めてください。

> **ちょっと一言**
>
> 数学における対称性とは、変換となる操作を行ったときに変わらない性質のことです。立体を回転させて自分自身にぴったり重なる回転対称性は、回転という操作で形が変わらない性質といえます。幾何学的な対称性として、回転による回転対称性、鏡に映す鏡映対称性、平行移動による並進対称性などがあります。巻末に挙げた参考文献の「群と対称性」のセクションも参照してください。

## 6.10 向かい合う面の中心を通る回転軸

図 6-1 のような、向かい合う面の中心を通る回転軸 $L_1$ で正 6 面体を回転させると、$90^\circ$ 回すたびに自分自身に重なります。ですから、この回転軸に関する $P_6$ の元は、$0^\circ, 90^\circ, 180^\circ, 270^\circ$ の回転という 4 個の操作です。

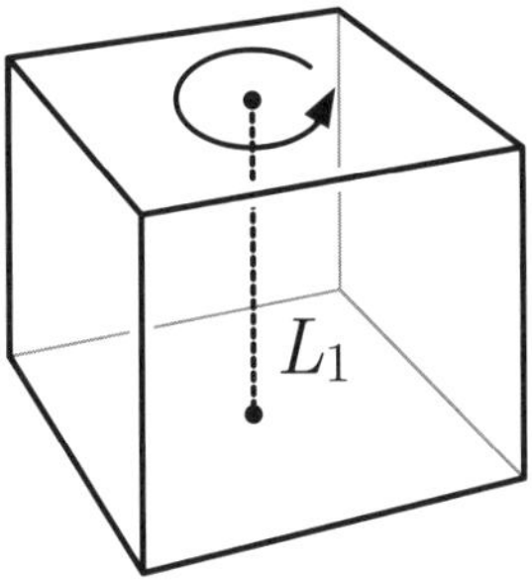


**図 6-1**：向かい合う面の中心を通る回転軸の一つ $L_1$

**ちょっと一言**

その 4 個の回転操作を思い浮かべると、$0^\circ$ の回転操作は群 $P_6$ の単位元であることがわかります。またこの 4 個の回転操作からなる集合は $P_6$ の部分群となっていることもわかります。その部分群は位数 4 の巡回群であり、生成元は $90^\circ$ もしくは $270^\circ$ の回転操作です。

回転軸 $L_1$ による 4 個の回転操作をはっきり理解するため、正 6 面体の対角線に注目します。図 6-2 を見てください。対角線がある 4 つの位置に $1, 2, 3, 4$ と名前を付け、回転操作で $1, 2, 3, 4$ の各位置にある対角線がどの位置に移るかを考えます。そうすると、正 6 面体の回転操作は $1, 2, 3, 4$ の置換として表すことができそうです。

**ちょっと一言**

正 6 面体の回転操作を「対角線が位置を移る置換」と見なすのは、第 3 章で「席替え」を「人が座席を移る写像」と見なしたのとまったく同じ考え方です。

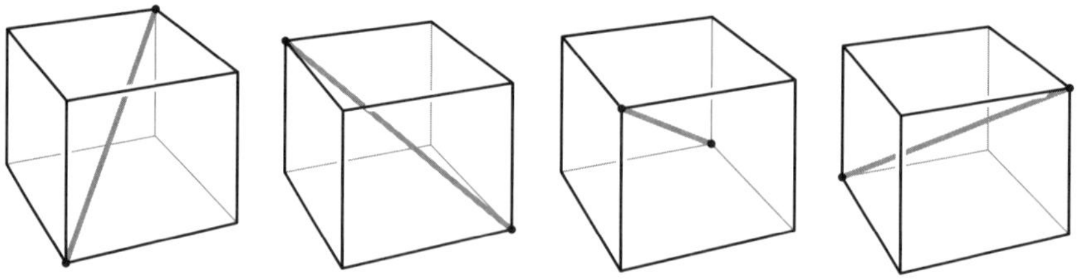

位置 1　位置 2　位置 3　位置 4

**図 6-2**：正 6 面体の対角線の位置 4 つ

たとえば、回転軸 $L_1$ による $90^\circ$ 回転によって、対角線は次のように位置が移ります。

| | |
|---|---|
| $1 \longmapsto 2$ | 位置 1 にある対角線は位置 2 に移る |
| $2 \longmapsto 3$ | 位置 2 にある対角線は位置 3 に移る |
| $3 \longmapsto 4$ | 位置 3 にある対角線は位置 4 に移る |
| $4 \longmapsto 1$ | 位置 4 にある対角線は位置 1 に移る |

したがって、回転軸 $L_1$ による $90^\circ$ 回転は

$$\begin{pmatrix} 1\,2\,3\,4 \\ 2\,3\,4\,1 \end{pmatrix} = (1\,2\,3\,4)$$

という置換を引き起こすことになります。

図 6-1 の回転軸 $L_1$ による 4 個の回転操作をまとめると、

$$\begin{pmatrix} 1\,2\,3\,4 \\ 1\,2\,3\,4 \end{pmatrix} = e \qquad L_1 \text{ による } 0^\circ \text{ 回転}$$

$$\begin{pmatrix} 1\,2\,3\,4 \\ 2\,3\,4\,1 \end{pmatrix} = (1\,2\,3\,4) \qquad L_1 \text{ による } 90^\circ \text{ 回転}$$

$$\begin{pmatrix} 1\,2\,3\,4 \\ 3\,4\,1\,2 \end{pmatrix} = (1\,3) \circ (2\,4) \qquad L_1 \text{ による } 180^\circ \text{ 回転}$$

$$\begin{pmatrix} 1\,2\,3\,4 \\ 4\,1\,2\,3 \end{pmatrix} = (1\,4\,3\,2) \qquad L_1 \text{ による } 270^\circ \text{ 回転}$$

のように表せます。

ところで、向かい合う面の中心を通る回転軸は図 6-3 に示す 3 種類 $(L_1, L_2, L_3)$

があります。それぞれに 4 個の回転操作を考えることができ、すべて置換として表せます。

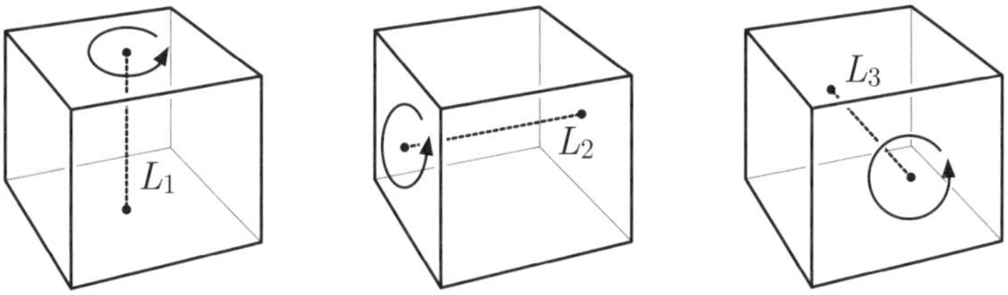


$$\begin{pmatrix}1&2&3&4\\1&2&3&4\end{pmatrix}=e \qquad \begin{pmatrix}1&2&3&4\\1&2&3&4\end{pmatrix}=e \qquad \begin{pmatrix}1&2&3&4\\1&2&3&4\end{pmatrix}=e$$

$$\begin{pmatrix}1&2&3&4\\2&3&4&1\end{pmatrix}=(1\,2\,3\,4) \qquad \begin{pmatrix}1&2&3&4\\3&4&2&1\end{pmatrix}=(1\,3\,2\,4) \qquad \begin{pmatrix}1&2&3&4\\2&4&1&3\end{pmatrix}=(1\,2\,4\,3)$$

$$\begin{pmatrix}1&2&3&4\\3&4&1&2\end{pmatrix}=(1\,3)\circ(2\,4) \qquad \begin{pmatrix}1&2&3&4\\2&1&4&3\end{pmatrix}=(1\,2)\circ(3\,4) \qquad \begin{pmatrix}1&2&3&4\\4&3&2&1\end{pmatrix}=(1\,4)\circ(2\,3)$$

$$\begin{pmatrix}1&2&3&4\\4&1&2&3\end{pmatrix}=(1\,4\,3\,2) \qquad \begin{pmatrix}1&2&3&4\\4&3&1&2\end{pmatrix}=(1\,4\,2\,3) \qquad \begin{pmatrix}1&2&3&4\\3&1&4&2\end{pmatrix}=(1\,3\,4\,2)$$

**図 6-3**：正 6 面体の向かい合う面の中心を通る回転軸

## 6.11　向かい合う辺の中点を通る回転軸

次に、向かい合う辺の中点を通る回転軸を考えます。この回転軸で正 6 面体を回すと、180° 回すたびに自分自身に重なります。ですから、この回転軸に関する $P_6$ の元は、$0°, 180°$ の回転という 2 個の操作です。回転操作で対角線がどの位置からどの位置に移るかを考えると、図 6-4 のようにまとめることができます。

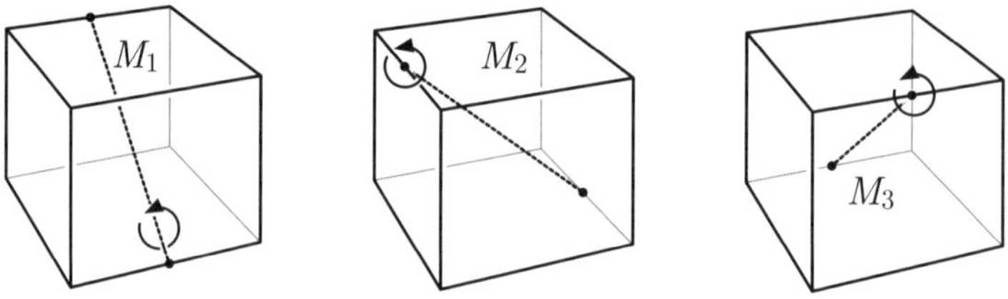


$$\begin{pmatrix}1&2&3&4\\1&2&3&4\end{pmatrix}=e \qquad \begin{pmatrix}1&2&3&4\\1&2&3&4\end{pmatrix}=e \qquad \begin{pmatrix}1&2&3&4\\1&2&3&4\end{pmatrix}=e$$

$$\begin{pmatrix}1&2&3&4\\2&1&3&4\end{pmatrix}=(1\,2) \qquad \begin{pmatrix}1&2&3&4\\1&3&2&4\end{pmatrix}=(2\,3) \qquad \begin{pmatrix}1&2&3&4\\1&2&4&3\end{pmatrix}=(3\,4)$$

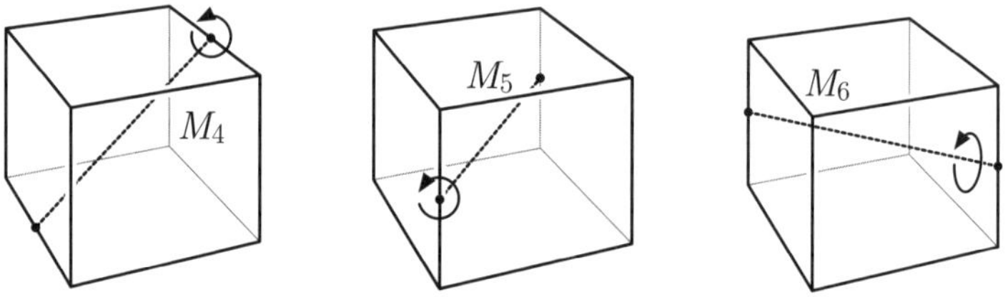


$$\begin{pmatrix}1&2&3&4\\1&2&3&4\end{pmatrix}=e \qquad \begin{pmatrix}1&2&3&4\\1&2&3&4\end{pmatrix}=e \qquad \begin{pmatrix}1&2&3&4\\1&2&3&4\end{pmatrix}=e$$

$$\begin{pmatrix}1&2&3&4\\4&2&3&1\end{pmatrix}=(1\,4) \qquad \begin{pmatrix}1&2&3&4\\3&2&1&4\end{pmatrix}=(1\,3) \qquad \begin{pmatrix}1&2&3&4\\1&4&3&2\end{pmatrix}=(2\,4)$$

**図 6-4**：正 6 面体の向かい合う辺の中点を通る回転軸

> **ちょっと一言**
>
> $M_1$ による $180^\circ$ 回転は $(1\,2)$ という置換になります。つまり、1 と 2 の位置にある対角線は交換しますが、3 と 4 の位置にある対角線はそのままです。この回転では正 6 面体のすべての頂点が動くのに、そのままの対角線があるのを不思議に感じるかもしれません。3 と 4 の位置にある対角線はどちらも、回転の前後で両端の頂点は入れ替わりますが、対角線としては同じ位置に収まっているのです。

## 6.12 向かい合う頂点を通る回転軸

次に、向かい合う頂点を通る回転軸（すなわち対角線）を考えます。この回転軸で正 6 面体を回すと、$120^\circ$ 回すたびに自分自身に重なります。ですから、この回転軸に関する $P_6$ の元は、$0^\circ, 120^\circ, 240^\circ$ の回転という 3 個の操作です。これまでと同様に調べると図 6-5 になります。

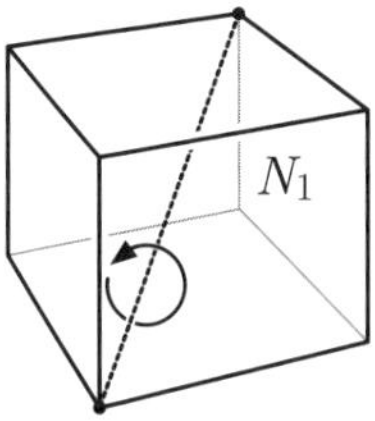


$$\begin{pmatrix}1&2&3&4\\1&2&3&4\end{pmatrix}=e$$

$$\begin{pmatrix}1&2&3&4\\1&3&4&2\end{pmatrix}=(2\,3\,4)$$

$$\begin{pmatrix}1&2&3&4\\1&4&2&3\end{pmatrix}=(2\,4\,3)$$

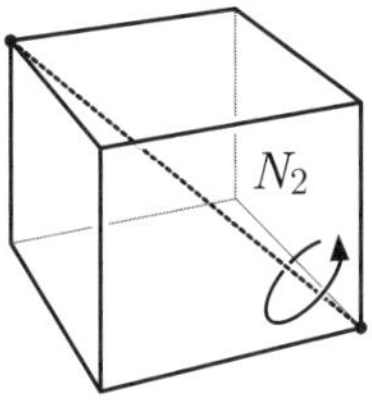


$$\begin{pmatrix}1&2&3&4\\1&2&3&4\end{pmatrix}=e$$

$$\begin{pmatrix}1&2&3&4\\4&2&1&3\end{pmatrix}=(1\,4\,3)$$

$$\begin{pmatrix}1&2&3&4\\3&2&4&1\end{pmatrix}=(1\,3\,4)$$

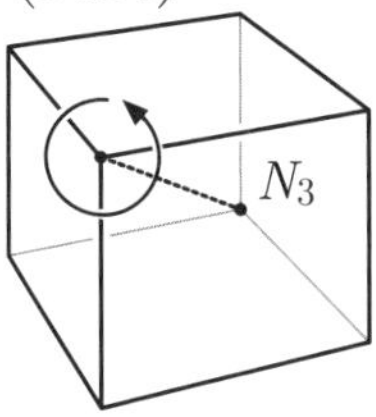


$$\begin{pmatrix}1&2&3&4\\1&2&3&4\end{pmatrix}=e$$

$$\begin{pmatrix}1&2&3&4\\4&1&3&2\end{pmatrix}=(1\,4\,2)$$

$$\begin{pmatrix}1&2&3&4\\2&4&3&1\end{pmatrix}=(1\,2\,4)$$

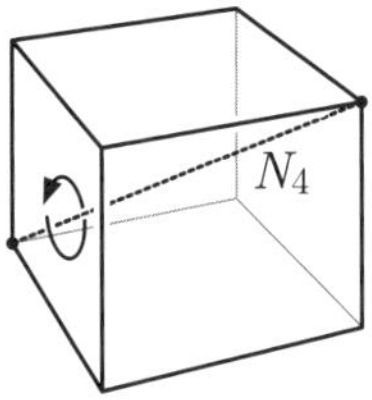


$$\begin{pmatrix}1&2&3&4\\1&2&3&4\end{pmatrix}=e$$

$$\begin{pmatrix}1&2&3&4\\3&1&2&4\end{pmatrix}=(1\,3\,2)$$

$$\begin{pmatrix}1&2&3&4\\2&3&1&4\end{pmatrix}=(1\,2\,3)$$

**図 6-5**：正 6 面体の向かい合う頂点を通る回転軸

改めて、正 6 面体の回転軸が引き起こす置換を表にまとめると、次のようになります。

| | 0° | 90° | 120° | 180° | 240° | 270° |
|---|---|---|---|---|---|---|
| $L_1$ | $e$ | $(1\,2\,3\,4)$ | | $(1\,3)\circ(2\,4)$ | | $(1\,4\,3\,2)$ |
| $L_2$ | $e$ | $(1\,3\,2\,4)$ | | $(1\,2)\circ(3\,4)$ | | $(1\,4\,2\,3)$ |
| $L_3$ | $e$ | $(1\,2\,4\,3)$ | | $(1\,4)\circ(2\,3)$ | | $(1\,3\,4\,2)$ |
| $M_1$ | $e$ | | | $(1\,2)$ | | |
| $M_2$ | $e$ | | | $(2\,3)$ | | |
| $M_3$ | $e$ | | | $(3\,4)$ | | |
| $M_4$ | $e$ | | | $(1\,4)$ | | |
| $M_5$ | $e$ | | | $(1\,3)$ | | |
| $M_6$ | $e$ | | | $(2\,4)$ | | |
| $N_1$ | $e$ | | $(2\,3\,4)$ | | $(2\,4\,3)$ | |
| $N_2$ | $e$ | | $(1\,4\,3)$ | | $(1\,3\,4)$ | |
| $N_3$ | $e$ | | $(1\,4\,2)$ | | $(1\,2\,4)$ | |
| $N_4$ | $e$ | | $(1\,3\,2)$ | | $(1\,2\,3)$ | |

**表 6-1：正 6 面体の回転軸が引き起こす置換**

上の表 6-1 は、$P_6$ の元である回転操作に対して $S_4$ の元を一対一に対応付ける全単射を表しています。この表から、

$$|P_6| = |S_4| = 24$$

がわかります。

本書では確かめませんが、$P_6$ の二つの回転操作を続けて生まれる回転操作は、それぞれに対応する $S_4$ の二つの置換を合成した置換に対応することを確かめられます。つまりそれは、表 6-1 で定まる $P_6$ から $S_4$ の全単射が準同型であることを意味しています。全単射な準同型は同型写像なので、

$$P_6 \cong S_4$$

がいえます。

**ちょっと一言**

どのようにして確かめるかを補足します。たとえば、表 6-1 で「$M_6$ の 180° 回転操作」は $(2\,4)$ に対応し、「$M_5$ の 180° 回転操作」は $(1\,3)$ に対応しています。この二つの操作を続けると「$L_1$ の 180° 回転操作」が生まれることは、正 6 面体を実際に回転して確かめられます。そして、表 6-1 で「$L_1$ の 180° 回転操作」が $(1\,3)\circ(2\,4)$ に対応していることを確かめるのです。

## 6.13 他の正多面体群

正 6 面体群以外の正多面体群について簡単にお話しします。

正 6 面体で隣り合う二面の中心を結ぶと正 8 面体が構成できますので、正 8 面体は正 6 面体と同じ回転対称性を持ちます。したがって、正 8 面体群 $P_8$ は $P_6$ と同型です。

$$P_6 \cong P_8 \cong S_4$$

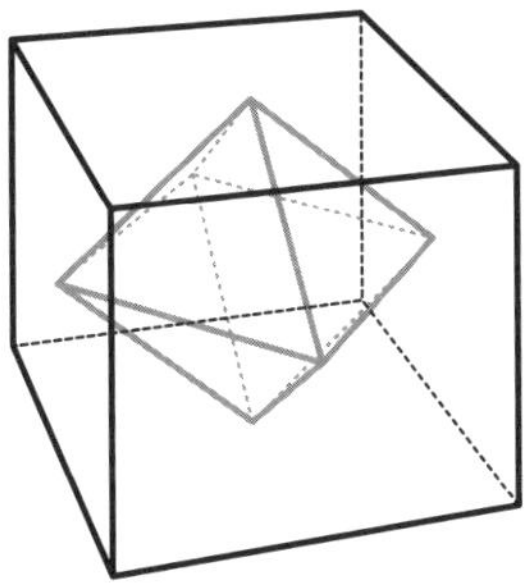

正 6 面体と正 8 面体

正 4 面体群 $P_4$ は 4 次交代群 $A_4$ と同型です。なお、交代群については例 9-7 (p. 284) でお話しします。

$$P_4 \cong A_4$$

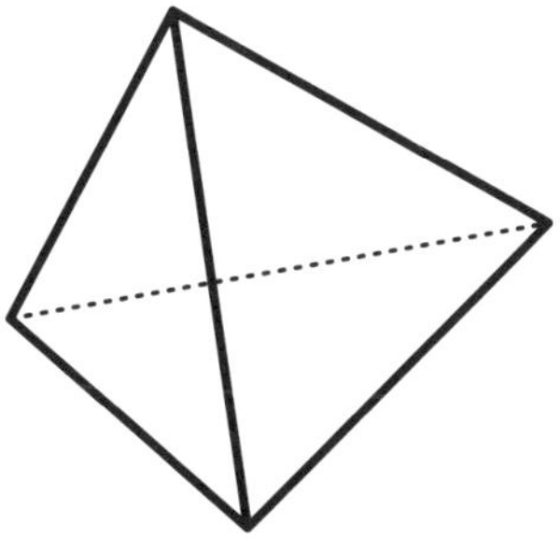

正 4 面体

正 12 面体群 $P_{12}$ は 5 次交代群 $A_5$ と呼ばれる群と同型です。また、正 12 面体で隣り合う二面の中心を結ぶと正 20 面体が構成できますので、正 20 面体は正 12 面体と同じ回転対称性を持ちます。したがって、正 20 面体群 $P_{20}$ は $P_{12}$ と同型です。

$$P_{20} \cong P_{12} \cong A_5$$

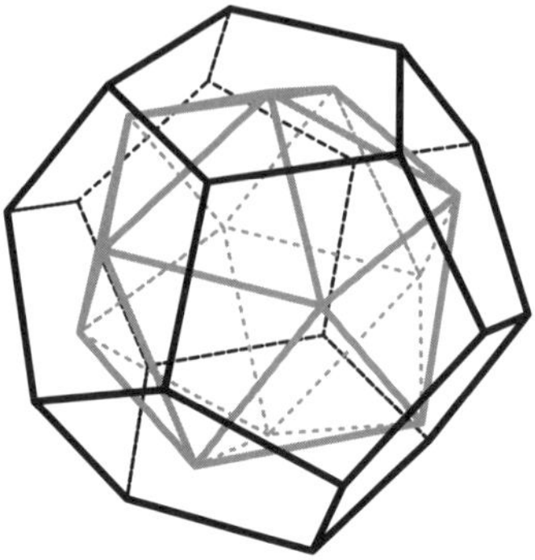

正 12 面体と正 20 面体

## 6.14 対称群についての対話

「数字の並べ替えについては学校で順列を習ったのでそれほど難しくありませんでしたし、並べ替えを写像だと考えて、それを置換と呼ぶこともわかりました。でも置換群はいいとして、対称群という名前はどういうことでしょう」

「対称群という名前には歴史的経緯があるようです。高校の数学で変数の置き換えを行っても値が変わらない有理式として対称式を学びます。3 次対称式の例は、$x_1 + x_2 + x_3$ や、$\frac{x_1 x_2 x_3}{x_1 x_2 + x_2 x_3 + x_3 x_1}$ などです。変数 $x_1, x_2, x_3$ の添字《そえじ》である $_{1,2,3}$ を置換しても値は変わらないわけですが、対称式の値を変えない置換全体の集合ということで対称群という名前が付いたらしいです」

「対称群の部分群が置換群ですね」

「はい、そうです。たとえば $n$ 次対称群 $S_n$ の部分群はすべて $n$ 次置換群です。$S_n$ は $S_n$ 自身の部分群ですから、対称群はまた置換群でもあります。ただ、このあたりの用語は数学書によって使い方が多少異なっていることがあります」

「正 6 面体群 $P_6$ と 4 次対称群 $S_4$ とが同型である（$P_6 \cong S_4$）のには驚きました。正 6 面体の回転操作に空間的なイメージはありますが、置換のイメージはあまりないからです。対角線に注目すると置換と見なせるのはおもしろいですね」

「そうですね。さらに深めていくと、群が集合に働きかけて元を動かす『作用』という数学的概念につながっていきます。これは第 9 章で学びましょう」

「巡回群や対称群や置換群以外にも群はあるのでしょうか」

「特定の性質を持った群はいくらでも考えることができます。しかし、『任意の群は、ある集合の置換群と同型になる』という非常に興味深い定理『ケイリーの定理』が知られています」

「それは不思議です。『任意の群は、ある集合の置換群と同型になる』ことが成り立つとは思えません。本当にどんな群でもいいんですか」

「はい。どんな群でも構いません。ただし、この章で学んだ置換群の概念を拡張する必要があります。しかし、ケイリーの定理に対する証明を理解するのは難しくありません。これも第 9 章で考えましょう」

## 6.15　この章で学んだこと

この章では、対称群について学びました。

- 置換、置換群、対称群の定義
- 4 次対称群 $S_4$ の解析
- 正 6 面体群 $P_6$ の解析

次の第 7 章では、集合を部分集合に分割することを学びます。これは第 8 章で学ぶ群の「準同型定理」を理解する上で重要ですので、ぜひ丁寧に読み進めてください。

その前に演習問題で対称群の理解を深めることもお忘れなく。

## 演習問題

**ちょっと一言**

問題 6-1 から問題 6-4 までは、ある置換をいくつかの置換の積で表す問題になっています。これは、置換の積がどのように働くかを具体的に体験するためのものですから、まずは、手間を惜しまずに実際に書いて試してください。各問題の解答では、体験した置換の積を一般化するとどうなるか、簡単にまとめています。その結果を使って問題 6-5 に取り組むことになります。なお、この演習問題の構成では巻末の参考文献 [12] を参考にしました。

**問題 6-1**（互いに素な巡回置換への分解）

次の 8 次置換 $\sigma$《シグマ》を、互いに素な巡回置換の積で表してください。

$$\sigma = \begin{pmatrix} 1 & 2 & 3 & 4 & 5 & 6 & 7 & 8 \\ 3 & 6 & 4 & 1 & 5 & 8 & 2 & 7 \end{pmatrix}$$

**ちょっと一言**

互いに素な巡回置換とは、(15) と (234) のように、動かす数に重なりがない二つの巡回置換のことです。

**問題 6-2**（互換への分解）

4 次巡回置換 $(2\,6\,8\,7)$ を、3 個の互換 $(2\,6), (2\,7), (2\,8)$ の積で表してください。

**問題 6-3**（1 との互換への分解）

互換 $(2\,7)$ を、1 との互換 $(1\,2), (1\,7)$ の積で表してください。

**問題 6-4**（隣接する互換への分解）

互換 $(1\,5)$ を、隣接する互換 $(1\,2), (2\,3), (3\,4), (4\,5)$ の積で表してください。

**ちょっと一言**

隣接する互換とは、$n$ と $n+1$ のように隣り合った正の整数の互換のことです。

**問題 6-5**（互換と巡回置換）

任意の 4 次置換は、互換 $(1\,2)$ と 4 次巡回置換 $(1\,2\,3\,4)$ の積で表せることを示してください。

## 演習問題の解答

**解答 6-1**（互いに素な巡回置換への分解）

1 から始めて、

$$1 \longmapsto \sigma(1) \longmapsto \sigma(\sigma(1)) \longmapsto \sigma(\sigma(\sigma(1))) \longmapsto \cdots$$

のように $\sigma$ で繰り返したどると、有限回で必ず 1 に戻ってきます。

$$\sigma = \begin{pmatrix} 1\,2\,3\,4\,5\,6\,7\,8 \\ 3\,6\,4\,1\,5\,8\,2\,7 \end{pmatrix}$$

の場合には、

$$1 \longmapsto 3 \longmapsto 4 \longmapsto 1$$

となって 1 に戻ってくるので、巡回置換 $(1\,3\,4)$ が見つかります。

次に、$(1\,3\,4)$ で使われていない数のうち最小の 2 から始めて同様にたどると、

$$2 \longmapsto 6 \longmapsto 8 \longmapsto 7 \longmapsto 2$$

となって 2 に戻ってくるので、巡回置換 $(2\,6\,8\,7)$ が見つかります。

次に、$(1\,3\,4)$ と $(2\,6\,8\,7)$ のどちらにも使われていない数のうち最小の 5 から始めて同様にたどると、

$$5 \longmapsto 5$$

となって 5 に戻ってくるので、1 次巡回置換 $(5)$ が見つかります（通常、1 次巡回置換は省略します）。

ここまでで $1, 2, 3, \ldots, 8$ のすべてを尽くしたので、与えられた 8 次置換 $\sigma$ は、

$$\sigma = (1\,3\,4) \circ (2\,6\,8\,7)$$

という互いに素な巡回置換の積で表せます。

なお、上記の手順は任意の $n$ 次置換についても同様に行うことができますので、**任意の置換は互いに素な巡回置換の積で表せます。**

**解答 6-2**（互換への分解）

与えられた 4 次巡回置換は、

$$(2\,6\,8\,7) = (2\,7) \circ (2\,8) \circ (2\,6)$$

と表せます。

なお、以下のように**任意の巡回置換は左端が等しい互換の積で表せます。**

$$(x_1\ x_2\ x_3\ \cdots\ x_{n-1}\ x_n) = (x_1\ x_n) \circ (x_1\ x_{n-1}) \circ \cdots \circ (x_1\ x_3) \circ (x_1\ x_2)$$

**ちょっと一言**

念のため、

$$(2\,6\,8\,7) = (2\,7) \circ (2\,8) \circ (2\,6)$$

を確認しておきましょう。まず、左辺の $(2687)$ は $2, 6, 8, 7$ をそれぞれ $6, 8, 7, 2$ に移します。すなわち、

$$\begin{aligned} 2 &\xmapsto{(2\,6\,8\,7)} 6 \\ 6 &\xmapsto{(2\,6\,8\,7)} 8 \\ 8 &\xmapsto{(2\,6\,8\,7)} 7 \\ 7 &\xmapsto{(2\,6\,8\,7)} 2 \end{aligned}$$

です。一方、右辺の $(27) \circ (28) \circ (26)$ も $2, 6, 8, 7$ をそれぞれ $6, 8, 7, 2$ に移します。なぜなら、

$$\begin{aligned} 2 &\xmapsto{(2\,6)} 6 \xmapsto{(2\,8)} 6 \xmapsto{(2\,7)} 6 \\ 6 &\xmapsto{(2\,6)} 2 \xmapsto{(2\,8)} 8 \xmapsto{(2\,7)} 8 \\ 8 &\xmapsto{(2\,6)} 8 \xmapsto{(2\,8)} 2 \xmapsto{(2\,7)} 7 \\ 7 &\xmapsto{(2\,6)} 7 \xmapsto{(2\,8)} 7 \xmapsto{(2\,7)} 2 \end{aligned}$$

だからです（写像の合成なので $(26), (28), (27)$ の順になることに注意してください）。したがって、

$$(2\,6\,8\,7) = (2\,7) \circ (2\,8) \circ (2\,6)$$

が確かめられました。

**解答 6-3**（1 との互換への分解）

与えられた互換 $(27)$ は、

$$(2\,7) = (1\,2) \circ (1\,7) \circ (1\,2)$$

と表せます。

なお、以下のように**任意の互換は 1 との互換の積で表せます。**

$$(x\,y) = (1\,x) \circ (1\,y) \circ (1\,x)$$

**ちょっと一言**

これは、互換 $(1x)$ で 1 と $x$ の役割を交換しておいてから、互換 $(1y)$ で 1 と $y$ を交換し、再度互換 $(1x)$ で 1 と $x$ の役割を元に戻すと考えるとわかりやすくなります。これを比喩的に述べるなら、

- $(1x)$ で別世界に旅立ち、
- 1 と $y$ を交換し、
- $(1x)$ でもとの世界に戻ってくる

という三段階によって「$x$ と $y$ の交換」を「1 と $y$ の交換」に帰着しているといえます。

**解答 6-4**（隣接する互換への分解）

互換 $(1\,5)$ は、隣接する互換 $(1\,2), (2\,3), (3\,4), (4\,5)$ の積として次のように表せます。

$$(1\,5) = (4\,5) \circ (3\,4) \circ (2\,3) \circ (1\,2) \circ (2\,3) \circ (3\,4) \circ (4\,5)$$

**ちょっと一言**

この解答は次のように考えるとわかりやすくなります。$\sigma = (4\,5) \circ (3\,4) \circ (2\,3)$ とおくと、

$$(4\,5) \circ (3\,4) \circ (2\,3) = (2\,5\,4\,3) = \sigma$$
$$(2\,3) \circ (3\,4) \circ (4\,5) = (2\,3\,4\,5) = \sigma^{-1}$$

なので、

$$(1\,5) = \sigma \circ (1\,2) \circ \sigma^{-1}$$

となります。演習問題 6-3 と同様に、$(1\,5)$ は、

- $\sigma^{-1}$ で 5 は 2 に移り、
- 1 と 2 を交換し、
- $\sigma$ で 2 は 5 に移る。

という三段階によって「1 と 5 の交換」を「1 と 2 の交換」に帰着しているといえます。動いては困る 2, 3, 4 は $\sigma^{-1}$ によって動いてしまいますが、$\sigma$ によってうまくもとに戻ります。

なお、以下のように、1 **との互換は隣接する互換の積で表せます。**

$$(1\,n) = (n-1\;\; n) \circ (n-2\;\; n-1) \circ \cdots \circ (2\,3) \circ (1\,2) \circ (2\,3) \circ \cdots \circ (n-2\;\; n-1) \circ (n-1\;\; n)$$

**解答 6-5**（互換と巡回置換）

$\tau = (1\,2\,3\,4)$ とすると、$\tau^{-1} = \tau^3$ であり、

$$\tau^1 \circ (1\,2) \circ \tau^{-1} = (2\,3)$$

$$\tau^2 \circ (1\,2) \circ \tau^{-2} = (3\,4)$$

なので、$(1\,2)$ と $(1\,2\,3\,4)$ の積で、隣接する互換 $(1\,2), (2\,3), (3\,4)$ が作れます。

隣接する互換が作れるので、解答 6-4 により、1 との互換 $(1\,2), (1\,3), (1\,4)$ が作れます。

1 との互換が作れるので、解答 6-3 により、任意の互換が作れます。

任意の互換が作れるので、解答 6-2 により、任意の巡回置換が作れます。

任意の巡回置換が作れるので、解答 6-1 により、任意の置換が作れます。

したがって、$(1\,2)$ と $(1\,2\,3\,4)$ によって任意の 4 次置換が作れます。

**ちょっと一言**

以上のことから、$(1\,2)$ と $(1\,2\,3\,4)$ によって $S_4$ の任意の元が作れることがわかりました。さらに、$P_6 \cong S_4$（$P_6$ と $S_4$ は同型）ですから、正 6 面体群 $P_6$ の任意の元は、$M_1$ による 180° の回転操作と、$L_1$ による 90° の回転操作の二つだけから作れることもわかりました（p. 184 の表 6-1 参照）。

# 第 7 章　同値類と剰余類

## 7.1　この章で学ぶこと

この章では、同値類と剰余類を学びます。聞き慣れない用語がたくさん出てきますので、話の流れと合わせてざっと紹介しておきましょう。

この章でやろうとしているのは、一つの集合を「分ける」ことです。それは、生徒全体の集合を 1 組、2 組、3 組のように「クラス分け」するのに似ています。「二人の生徒が同じクラスか否か」という関係が、この章で学ぶ同値関係《どうちかんけい》に相当します。また「クラス」が同値類《どうちるい》に相当します。そして、1 組、2 組、3 組という「すべてのクラス」を集めた集合が商集合《しょうしゅうごう》に相当します。

さて、群が与えられたとき、部分群を使って同値関係を定めることができます。そのときの同値類を剰余類《じょうよるい》といいます。剰余類は、群と部分群が持つ構造によって大変おもしろい性質を持つことになります。

ところで興味深いことに、部分群を使ってできた商集合に対して、群の構造を入れることができる場合があります！　そのときに使う部分群を正規部分群《せいきぶぶんぐん》といい、作られる群を商群《しょうぐん》といいます。

この章では同値類と剰余類を学び、正規部分群と商群に関しては次の第 8 章で学びます。

> **ちょっと一言**
>
> 群は一般にたくさんの元を持ちますので、その構造を調べたり表したりするのはたいへんです。でも、部分群を使って群を剰余類に分けたり、正規部分群を使って商群を作ったりするなら、群が持つ構造を俯瞰した視点で把握できるようになります。それはちょうど、生徒全体の集まりをクラスに分けて把握するのに似ています。

## 7.2　同値関係の定義

まず、集合 $X$ 上の同値関係を定義します。

**定義**(同値関係)

集合 $X$ 上の二項関係 $\sim$ が E1, E2, E3 をすべて満たすとき、二項関係 $\sim$ を、集合 $X$ 上の**同値関係《どうちかんけい》**といいます。

E1 集合 $X$ の任意の元 $x$ に対して、

$$x \sim x$$

が成り立つ。これを**反射律《はんしゃりつ》**という。

E2 集合 $X$ の任意の元 $x, y$ に対して、

$$x \sim y \text{ ならば } y \sim x$$

が成り立つ。これを**対称律《たいしょうりつ》**という。

E3 集合 $X$ の任意の元 $x, y, z$ に対して、

$$x \sim y \text{ かつ } y \sim z \text{ ならば } x \sim z$$

が成り立つ。これを**推移律《すいいりつ》**という。

**ちょっと一言**

これは同値関係の定義です。「どうして反射律、対称律、推移律が同値関係で成り立つのか」と考えるのは、考える方向が間違っているので注意してください。反射律、対称律、推移律のすべてが成り立っているような二項関係 $\sim$ があったら、その二項関係 $\sim$ のことを同値関係と呼びましょうといっているのです。ですから「同値関係」と書かれていたら「反射律と対称律と推移律が成り立っている二項関係」と考えてください。

$x \sim y$ で使っている「$\sim$」は $x$ と $y$ の関係を表す単なる記号であり、「$x$から $y$」のような意味はまったくありません。

集合 $X$ 上の**二項関係《にこうかんけい》**とは「$x = y$」や「$x < y$」のように、集合 $X$ の二つの元 $x$ と $y$ の関係を表すものです。$x = y$ にしろ、$x < y$ にしろ、$x$ と $y$ の組によって、成り立つか否かが決まります。一般に、集合 $X$ 上の二項関係 $R$ は直積集合 $X \times X$ の部分集合として定義します。集合 $X$ に属している二つの元 $x, y$ の順序対 $(x, y)$ が $R$ に属しているか否かによって、$x\,R\,y$ が成り立つか否かを定義するのですが、本書では省略します。二項関係について詳しくは、巻末の参考文献 [2], [3], [21] をお読みください。

**例 7-1**（クラスが同じ）

とある学校の一つの学年の生徒全体の集合を $X$ とし、

$$x \sim y \iff$$ 《生徒 $x$ のクラスは、生徒 $y$ のクラスと同じである》

と定義すると、二項関係 $\sim$ は $X$ 上の同値関係になります。理由は次の通りです。

- 生徒 $x$ のクラスは、生徒 $x$ のクラス（つまり $x$ 自身が属しているクラス）と同じなので、反射律が成り立ちます。
- 生徒 $x$ のクラスが生徒 $y$ のクラスと同じなら、生徒 $y$ のクラスは生徒 $x$ のクラスと同じなので、対称律が成り立ちます。
- 生徒 $x$ のクラスが生徒 $y$ のクラスと同じで、しかも、生徒 $y$ のクラスが生徒 $z$ のクラスと同じならば、生徒 $x$ のクラスは生徒 $z$ のクラスと同じなので、推移律が成り立ちます。

**例 7-2**（曜日が同じ）

| 日 | 月 | 火 | 水 | 木 | 金 | 土 |
|---|---|---|---|---|---|---|
| | 1 | 2 | 3 | 4 | 5 | 6 |
| 7 | 8 | 9 | 10 | 11 | 12 | 13 |
| 14 | 15 | 16 | 17 | 18 | 19 | 20 |
| 21 | 22 | 23 | 24 | 25 | 26 | 27 |
| 28 | 29 | 30 | 31 | | | |

上に示すカレンダーの「日付」全体の集合を $X = \{1, 2, 3, \ldots, 30, 31\}$ とし、$X$ 上の二項関係 $\sim$ を

$$x \sim y \iff$$ 《$x$ の曜日と、$y$ の曜日は同じである》

で定義します。たとえば、7 日と 21 日はどちらも日曜日なので $7 \sim 21$ が成り立ちますが、22 日は月曜日なので、$7 \sim 22$ は成り立ちません。二項関係 $\sim$ は $X$ 上の同値関係になります。反射律、対称律、推移律を満たすことはすぐに確かめられます。

**ちょっと一言**

例 7-2 は、

$$x \sim y \iff x \bmod 7 = y \bmod 7$$

と定義できます。同じことですが、

$$x \sim y \iff x \equiv y \pmod 7$$

とも定義できます。

**例 7-3**（同値関係ではない二項関係）

実数全体の集合 $\mathbb{R}$ 上の二項関係 $<$ は、同値関係ではありません。なぜなら、反射律や対称律が成り立たないからです（ただし、推移律は成り立っています）。

さて、二項関係 $\sim$ が同値関係のとき、$x = y$ ならば $x \sim y$ は成り立ちます。なぜなら $\sim$ は反射律を満たすからです。しかし、$x \sim y$ だからといって $x = y$ とは限りません。それは、同じクラスに属しているからといって同一人物とは限らないことや、同じ曜日だからといって同じ日とは限らないことからも理解できます。

同値関係について考えていると、「同じクラスに属している生徒全体の集合」や「同じ曜日に属している日全体の集合」を自然に考え始めていることに気付きます。これはすなわち、次節で定義する同値類《どうちるい》について考え始めていることになります。

## 7.3 同値類の定義

**定義**（同値類）

集合 $X$ 上の同値関係 $\sim$ が与えられており、$a$ が集合 $X$ の元であるとき、$a \sim x$ を満たす $x \in X$ 全体の集合を $a$ の**同値類**《どうちるい》といい、$[a]$ と表記します。すなわち、

$$[a] = \{x \in X \mid a \sim x\}$$

です。$[a]$ は、$\overline{a}$ や $C(a)$ と表記することもあります。また、同値類から元を一つ選んだとき、その元をその同値類の**代表元**《だいひょうげん》といいます。

定義からわかるように、$a$ の同値類 $[a]$ の元はすべて集合 $X$ の元ですから、同値類 $[a]$ は集合 $X$ の部分集合です。つまり、

$$[a] \subset X$$

です。

**例 7-4**（代表元）

例 7-2 のカレンダー（p. 197 参照）で、1 日と同じ曜日（つまり月曜日）の日付全体の集合は $\{1, 8, 15, 22, 29\}$ ですから、1 の同値類 $[1]$ は、

$$[1] = \{1, 8, 15, 22, 29\}$$

となります。1 の同値類 $[1]$ に属している元 $1, 8, 15, 22, 29$ はすべて $[1]$ の代表元です。

‖**注意**‖ 1 の同値類 $[1]$ の代表元は 1 だけではないことに十分注意してください。$[1] = \{1, 8, 15, 22, 29\}$ に属している元 $1, 8, 15, 22, 29$ はいずれも $[1]$ の代表元です。また、

$$[1] = [8] = [15] = [22] = [29] = \{1, 8, 15, 22, 29\}$$

でもあります。

**ちょっと一言**

代表元という言葉から、特別な意味があると想像しがちですが、同値類に属している元はどれであっても、その同値類の代表元として選ぶことができます。

**定義**（商集合）

集合 $X$ 上の同値関係 $\sim$ による同値類全体の集合を、$X$ の $\sim$ による**商集合**《しょうしゅうごう》といい、$X/\sim$ と表記します。すなわち、

$$X/\sim = \{[x] \mid x \in X\}$$

です。集合 $X$ と同値関係 $\sim$ から商集合 $X/\sim$ を定めることを「集合 $X$ を同値関係 $\sim$ で**類別**《るいべつ》する」といいます。「集合 $X$ を同値関係 $\sim$ で**割**《わ》**る**」ともいいます。

定義から、商集合 $X/\sim$ の元はすべて $X$ の部分集合になります。ですから、$X/\sim$ は $X$ の冪《べき》集合 $P(X)$ の部分集合です。つまり、

$$X/\sim \subset P(X)$$

です。冪集合については p. 19 を参照してください。

**例 7-5**（曜日が同じ日付の集合）

例 7-2 のカレンダーにおいて、日付の集合 $X$ を同じ曜日を表す同値関係 $\sim$ で割った商集合 $X/\sim$ は、

$$X/\sim = \{[1], [2], [3], [4], [5], [6], [7]\}$$

になります。なお、

| | |
|---|---|
| $[1] = \{1, 8, 15, 22, 29\}$ | 1 の同値類（月曜日の日付全体の集合） |
| $[2] = \{2, 9, 16, 23, 30\}$ | 2 の同値類（火曜日の日付全体の集合） |
| $[3] = \{3, 10, 17, 24, 31\}$ | 3 の同値類（水曜日の日付全体の集合） |
| $[4] = \{4, 11, 18, 25\}$ | 4 の同値類（木曜日の日付全体の集合） |
| $[5] = \{5, 12, 19, 26\}$ | 5 の同値類（金曜日の日付全体の集合） |
| $[6] = \{6, 13, 20, 27\}$ | 6 の同値類（土曜日の日付全体の集合） |
| $[7] = \{7, 14, 21, 28\}$ | 7 の同値類（日曜日の日付全体の集合） |

です。

同値類 $[1], [2], [3], \ldots, [7]$ は、それぞれに属している元のうちどれを代表元に選んでもいいので、商集合 $X/\sim$ を

$$X/\sim = \{[1], [9], [31], [18], [5], [13], [7]\}$$

と書いても構いません（代表元を適当に選んでみました）。

**例 7-6**（クラスが同じ生徒の集合）

6 人の生徒 $a_1, b_1, c_2, d_3, e_1, f_2$ を集めた集合を $X$ とします。つまり、

$$X = \{a_1, b_1, c_2, d_3, e_1, f_2\}$$

です。生徒の添字は所属しているクラスを表しているものとします。たとえば生徒 $a_1$ は 1 組、生徒 $d_3$ は 3 組に所属しています。このとき、集合 $X$ 上の二項関係 $\sim$ を、

$$x \sim y \quad \Longleftrightarrow \quad 《x のクラスと、y のクラスは同じ》$$

で定義すると、二項関係 $\sim$ は $X$ 上の同値関係になります。そして、各生徒の同値類は、

$$[a_1] = [b_1] = [e_1] = \{a_1, b_1, e_1\}$$

$$[c_2] = [f_2] = \{c_2, f_2\}$$

$$[d_3] = \{d_3\}$$

となります（下図参照）。

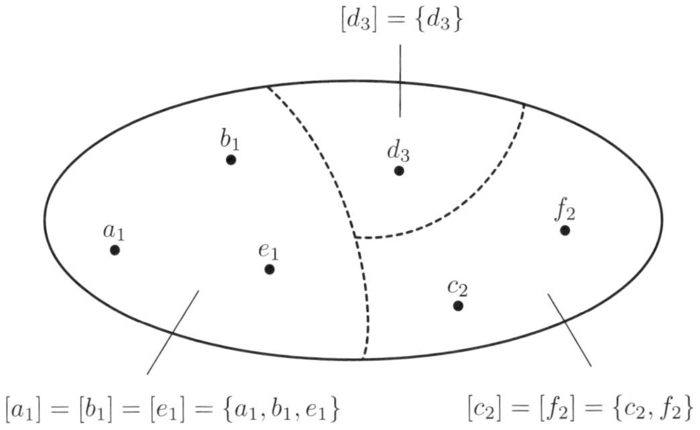


また、商集合 $X/{\sim}$ は、

$$X/{\sim} = \Big\{ \{a_1, b_1, e_1\}, \{c_2, f_2\}, \{d_3\} \Big\}$$

となります。もちろん、

$$X/{\sim} = \{[a_1], [c_2], [d_3]\}$$

と表しても構いません。

ちょっと一言

上図を注意深く見ると、集合 $X$ は同値関係 $\sim$ で作られた同値類によって《もれなく、だぶりなく》分けられていると感じられます。このことを次節でまとめましょう。

## 7.4 同値類の性質と集合の分割

集合 $X$ 上に同値関係 $\sim$ が定義されているとき、それで定まる同値類たちが、集合 $X$ をどのように分けるかを考えましょう。

$a$ を $X$ の元とします。$a$ の同値類 $[a]$ は同値類の定義より

$$[a] = \{x \in X \mid a \sim x\}$$

です。ところで同値関係では反射律が成り立つので、$a \sim a$ です。よって、

$$a \in [a]$$

がいえます。ですから、同値類は必ず元を持つことになり、空集合にはなりません。また、$X$ の元は必ず同値類のいずれかに属していることもわかります。

さて、$a$ と $b$ を $X$ の元とします。二つの同値類 $[a]$ と $[b]$ の両方に属している元 $m$ が存在したと仮定しましょう。

- $m \in [a]$ から、$a \sim m$ です。
- $m \in [b]$ から、$b \sim m$ で、対称律から $m \sim b$ です。

$a \sim m$ と $m \sim b$ が成り立つので、推移律から $a \sim b$ です。したがって、$[a]$ と $[b]$ の両方に属している元が一つでも存在すると、$a \sim b$ が成り立つことがわかります。さらに、$a \sim b$ が成り立つなら、$[a]$ の任意の元は $[b]$ に属します。なぜなら、$x \in [a]$ のとき $x \sim a$ であり、$a \sim b$ と推移律によって、$x \sim b$ が成り立つからです。同様にして $[b]$ の任意の元は $[a]$ に属します。したがって、

$$[a] = [b]$$

がいえることになります。

$[a]$ と $[b]$ の両方に属している元が存在したら $[a] = [b]$ になるということは、

$$[a] \cap [b] \neq \varnothing \text{ ならば } [a] = [b]$$

です。対偶を取って、

$$[a] \neq [b] \text{ ならば } [a] \cap [b] = \varnothing$$

ともいえます。ですから、異なる二つの同値類は共通の元を持ちません。

以上をまとめると、集合 $X$ 上の同値関係 $\sim$ について次のことがわかりました。

①どの同値類も空集合ではない。

②集合 $X$ の元は同値類のいずれかに属している。

③集合 $X$ の元が異なる二つの同値類に属していることはない。

一般に、集合 $X$ を上のような性質を持つ部分集合の集まりに分けることを、集合 $X$ の分割《ぶんかつ》といいます。**集合 $X$ 上の同値関係は、集合 $X$ の分割を定めます。**

集合の分割の定義を次に述べます。

**定義**（集合の分割）

集合 $X$ の部分集合 $P_1, P_2, \ldots, P_n$ が①, ②, ③をすべて満たすとき、

$$P = \{P_1, P_2, \ldots, P_n\}$$

を $X$ の**分割**《ぶんかつ》といいます。

① $P_1, P_2, \ldots, P_n$ はいずれも空集合ではない。

$$P_j \neq \varnothing \qquad (j = 1, 2, \ldots, n)$$

② $P_1, P_2, \ldots, P_n$ の和集合は $X$ に等しい。

$$X = P_1 \cup P_2 \cup \cdots \cup P_n = \bigcup_{j=1}^{n} P_j$$

③ $j \neq k$ ならば、$P_j$ と $P_k$ の共通部分は空集合である。

$$P_j \cap P_k = \varnothing \qquad (j \neq k)$$

**ちょっと一言**

この定義は集合を有限個に分割する場合（有限分割）の定義です。無数に分割する場合（無限分割）でも同様に定義できますが、本書では省略します。巻末の参考文献 [3], [21] を参照してください。

集合 $X$ 上の同値関係が与えられると、$X$ の分割が定まります。また逆に、集合 $X$ の分割が与えられると、$X$ 上の同値関係が定まります。

## 7.5 同値類についての対話

「同値関係の定義を読んでいるとき、群の定義を思い出しました。群の定義で結合律、単位元の存在、逆元の存在が出てきたように、同値関係の定義では、(E1)反射律、(E2)対称律、(E3)推移律が出てきました。二項関係が同値関係になる条件がこれなのですね」

「そういうことです。同値関係はイコール（=）が作り出す関係とまったく同じではありませんが、よく似ています。実際、イコールが持っている性質から(E1),(E2),(E3)だけを抽出してきて、それらを満たす二項関係に同値関係と名前を付けたわけですね」

「ただ、(E1),(E2),(E3)があることで何が起きるのかはよくわかりませんでした」

「同値関係の説明では、$x \sim y$ を満たす $x$ と $y$ とを線で結ぶイメージがよく使われます」

「線で結ぶ？」

「(E1)の反射律は、任意の元は自分自身と結ばれていることを保証します。(E2)の対称律は、$x$ が $y$ と結ばれていたら、$y$ は $x$ と結ばれていることを保証します。つまり、結ぶ線には向きがないと見なせます。(E3)の推移律は、$x$ が $y$ と結ばれ、$y$ が $z$ と結ばれていたら、$x$ は $z$ ともまた結ばれていることを保証します。その結果、線で結ばれた塊《かたまり》が自然に生まれますが、この塊が同値類に相当するのです。イメージ図にすると、こうなります」

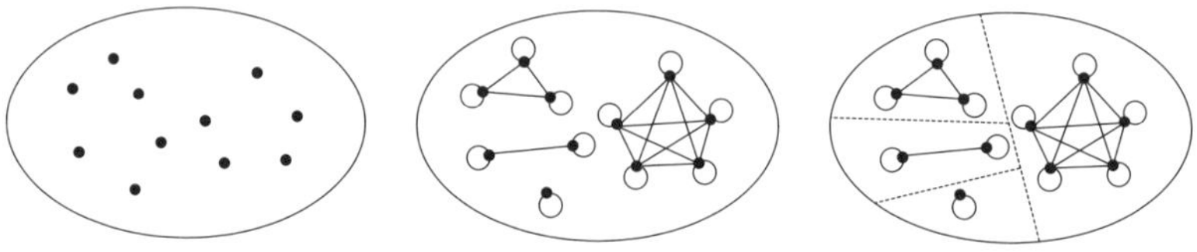

「なるほど、同値関係から同値類が生まれてくる様子がよくわかりました。ところで、ここまでの内容は群論とはあまり関係がないように見えます」

「そうですね。同値関係と同値類は群との直接的な関係はありません。次の節から始まる剰《じょう》余《よ》類《るい》になると、群との関わりが出てきます」

「そうなんですね」

「はい。剰余類とは、部分群を使って定義される同値関係が作り出す同値類だからです。イメージとしては、生徒全体をクラス分けするように、群の元全体を剰余類に分けるのです。剰余類は、群を俯瞰して見る視点を与えてくれることになるでしょう」

## 7.6 表記 $g * H$

ここまでで、集合を同値関係で割り、商集合を作りました。

ここから、同様のことを群に対して行います。そのための準備として $g * H$ という表記を定義しておきましょう。

**定義**(表記 $g * H$)

$(G, *)$ を群、$H$ を $G$ の部分群、そして、$g$ を $G$ の元とします。このとき、

$$x = g * h$$

を満たす $h \in H$ が存在するような、$x \in G$ 全体の集合を $g * H$ と表記します。すなわち、

$$g * H = \{g * h \mid h \in H\}$$

です。

$H$ が $G$ の部分群のとき、$g \in G$ と $h \in H$ なら $g * h \in G$ です。したがって、$g * H$ の元はすべて $G$ の元です。ですから、$g * H$ は $G$ の部分集合になります。しかし、$g * H$ が $G$ の部分群になるとは限りません。

ちょっと一言

$g * H$ という表記が表す集合を、直感的に説明します。まず、$G$ の元 $g$ を一つ決めておきます。その $g$ に対して $H$ の元 $h$ を「総当たり」で掛けた積 $g * h$ 全体の集合は、$g * H$ に等しくなります。

直感的な説明はさておき、$g * H$ という集合について考えるときには、定義にしたがって考えを進めた方がうまく行きます。すなわち、「$x \in g * H$」は「$x = g * h$ を満たす $H$ の元 $h$ が存在する」として考えるのです。実際、この考

え方は定理 7-1 の証明に出てきますし、第 8 章でもあちこちで使います。

厳密に考えると「$*$ は $G$ 上の二項演算なのだから、$g * H$ という書き方はおかしい。なぜなら、$H$ は $G$ の元じゃないから」と言いたくなるかもしれません。でも $g * H$ という表記は、どんな集合を表しているかがわかりやすいし、また文脈から $g * h$ と混同する危険性も少ないので、よく用いられます。群演算の記号を省略して、

$$gH = \{gh \mid h \in H\}$$

と書くことも非常によくあります。

**例 7-7**（3 次対称群）

$g * H$ の表記に慣れるため、3 次対称群で具体的に計算してみましょう。

$$e = \begin{pmatrix} 1\,2\,3 \\ 1\,2\,3 \end{pmatrix} \quad h = \begin{pmatrix} 1\,2\,3 \\ 1\,3\,2 \end{pmatrix} \quad g_1 = \begin{pmatrix} 1\,2\,3 \\ 2\,1\,3 \end{pmatrix}$$
$$g_2 = \begin{pmatrix} 1\,2\,3 \\ 2\,3\,1 \end{pmatrix} \quad g_3 = \begin{pmatrix} 1\,2\,3 \\ 3\,1\,2 \end{pmatrix} \quad g_4 = \begin{pmatrix} 1\,2\,3 \\ 3\,2\,1 \end{pmatrix}$$

と名前を付け、

$$G = \{e, h, g_1, g_2, g_3, g_4\}$$
$$H = \{e, h\}$$

とすると、$G$ は 3 次対称群で、$H$ は $G$ の部分群です。群演算を $*$ で表して、$e * H, h * H, g_1 * H, \ldots, g_4 * H$ をそれぞれ求めると、

$$\left\{\begin{aligned}
e * H &= e * \{e, h\} &&= \{e * e, e * h\} &&= \{e, h\} \\
h * H &= h * \{e, h\} &&= \{h * e, h * h\} &&= \{h, e\} \\
g_1 * H &= g_1 * \{e, h\} &&= \{g_1 * e, g_1 * h\} &&= \{g_1, g_2\} \\
g_2 * H &= g_2 * \{e, h\} &&= \{g_2 * e, g_2 * h\} &&= \{g_2, g_1\} \\
g_3 * H &= g_3 * \{e, h\} &&= \{g_3 * e, g_3 * h\} &&= \{g_3, g_4\} \\
g_4 * H &= g_4 * \{e, h\} &&= \{g_4 * e, g_4 * h\} &&= \{g_4, g_3\}
\end{aligned}\right.$$

になります。したがって、

$$\begin{cases} e * H = h * H = \{e, h\} = H \\ g_1 * H = g_2 * H = \{g_1, g_2\} \\ g_3 * H = g_4 * H = \{g_3, g_4\} \end{cases}$$

であることがわかります。

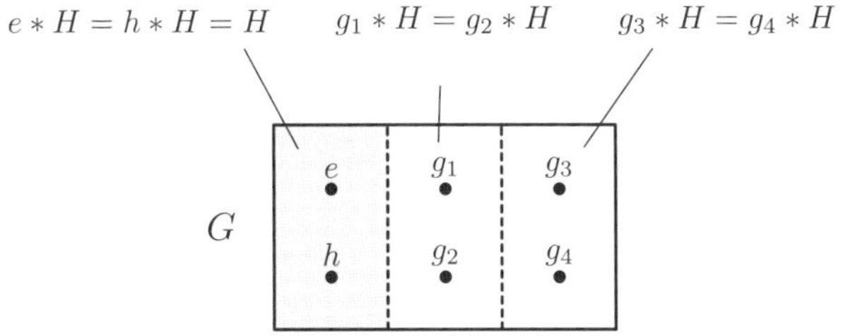


## 7.7　左剰余類の定義

前節で定義した $g * H$ という表記を活用して、$G$ の部分群 $H$ が作る $G$ 上の同値関係を定義します。その同値関係で $G$ を割ることで生まれる同値類を剰《じょう》余《よ》類《るい》といいます。まずは左剰余類を定義し、右剰余類は次節で定義します。

**定義**(左剰余類)

$(G, *)$ を群とし、$H$ を $G$ の部分群とします。$x$ と $y$ を群 $G$ の元として、$G$ 上の二項関係 $\sim$ を、

$$x \sim y \iff x * H = y * H$$

で定義すると、$\sim$ は $G$ 上の同値関係になります。このとき、同値関係 $\sim$ における $g \in G$ の同値類 $[g]$ は、$g * H$ に他なりません。この

$$g * H$$

を、部分群 $H$ による $g$ の**左《ひだり》剰《じょう》余《よ》類《るい》**といいます。また、$G$ を $\sim$ で割って得られる商集合を $G/H$ と表記します。すなわち、

$$G/H = G/\sim = \{g * H \mid g \in G\}$$

です。商集合 $G/H$ は、$H$ による左剰余類全体の集合です。

$x * H = y * H$ によって定義した $x \sim y$ が同値関係になるのは、集合の相等関係 $=$ が同値関係であることからすぐにわかりますが、念のために演習問題 7-4 で確かめます（p. 218）。

この同値関係 $\sim$ における $g \in G$ の同値類 $[g]$ が $g * H$ に等しいこと、すなわち

$$[g] = g * H$$

であることは、$G$ の任意の元 $g, x$ に対して

$$x \in [g] \quad \Longleftrightarrow \quad x \sim g \quad \Longleftrightarrow \quad x * H = g * H \quad \Longleftrightarrow \quad x \in g * H$$

が成り立つことからわかります。このうち最後の、

$$x * H = g * H \quad \Longleftrightarrow \quad x \in g * H$$

については、演習問題 7-5 で確かめます（p. 218）。

**ちょっと一言**

$x$ と $y$ を群 $G$ の元としたとき、

$$x * H = y * H$$

とは、$x * H$ と $y * H$ という $G$ の部分集合が、集合として等しいということです。集合の相等関係（p. 9）を思い出してください。もちろん、このとき $x = y$ であるとは限りません。

**例 7-8**（3 次対称群）

私たちは、例 7-7 の

$$G = \{e, h, g_1, g_2, g_3, g_4\}$$

$$H = \{e, h\}$$

で、

$$\begin{cases} e * H = h * H = \{e, h\} = H \\ g_1 * H = g_2 * H = \{g_1, g_2\} \\ g_3 * H = g_4 * H = \{g_3, g_4\} \end{cases}$$

を確かめました。$G$ の部分群 $H$ が作る同値関係を $\sim$ とすると、ここから

$$e \sim h$$

$$g_1 \sim g_2$$

$$g_3 \sim g_4$$

がいえます。さらに、$G$ を $H$ で割った剰余類 $[e], [h], [g_1], [g_2], [g_3], [g_4]$ は

$$\begin{cases} [e] = [h] = e * H = h * H = \{e, h\} = H \\ [g_1] = [g_2] = g_1 * H = g_2 * H = \{g_1, g_2\} \\ [g_3] = [g_4] = g_3 * H = g_4 * H = \{g_3, g_4\} \end{cases}$$

となります。また、商集合は、

$$G/H = \{e * H, g_1 * H, g_3 * H\}$$

です。

**ちょっと一言**

$G$ と $G/H$ の関係をよく理解してください。例 7-8 の $G$ と $G/H$ をイメージ図に表すと次のようになります。集合 $G$ の元は 6 個あり、商集合 $G/H$ の元は 3 個です。

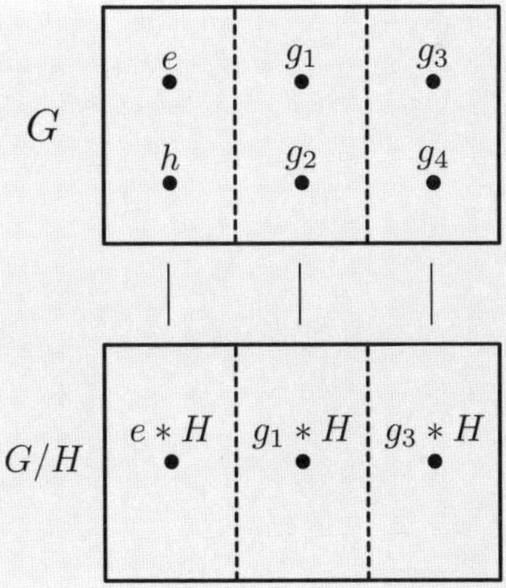

**例 7-9** ($\mathbb{Z}/3\mathbb{Z}$)

3 の倍数全体の集合を $3\mathbb{Z}$ と表記すると、$3\mathbb{Z}$ は群 $(\mathbb{Z}, +)$ の部分群になります。$G = \mathbb{Z}, H = 3\mathbb{Z}$ として $G$ の $H$ による左剰余類を考えましょう。群演算は $+$ なので、$g * H$ ではなく $g + H$ という表記を用います。$g$ を整数とすると、

$$g + 3\mathbb{Z} = \{g + 3n \mid n \in \mathbb{Z}\}$$

となります。$g + 3\mathbb{Z}$ は、$g + 3n$ で表される整数全体の集合です。

左剰余類

$$g + 3\mathbb{Z}$$

は、

$$0 + 3\mathbb{Z},\ 1 + 3\mathbb{Z},\ 2 + 3\mathbb{Z}$$

の 3 個になります。

この 3 個の左剰余類は、3 を法とする剰余類（3 で割ったときの剰余が等しい同値関係が作る同値類）に一致しますので、

$$[0] = 0 + 3\mathbb{Z},\ [1] = 1 + 3\mathbb{Z},\ [2] = 2 + 3\mathbb{Z}$$

になります。

$g \bmod 3 = 0$ のとき、つまり $g$ が 3 の倍数のとき、$g + 3\mathbb{Z} = 3\mathbb{Z}$ になります。一般に、

$$g + 3\mathbb{Z} = (g \bmod 3) + 3\mathbb{Z}$$

がいえます。

$\mathbb{Z}$ および $0 + 3\mathbb{Z}, 1 + 3\mathbb{Z}, 2 + 3\mathbb{Z}$ を下図に示します。$\mathbb{Z}$ に属している元が、$0 + 3\mathbb{Z}, 1 + 3\mathbb{Z}, 2 + \mathbb{Z}$ という剰余類に分かれる様子がイメージできるでしょう。

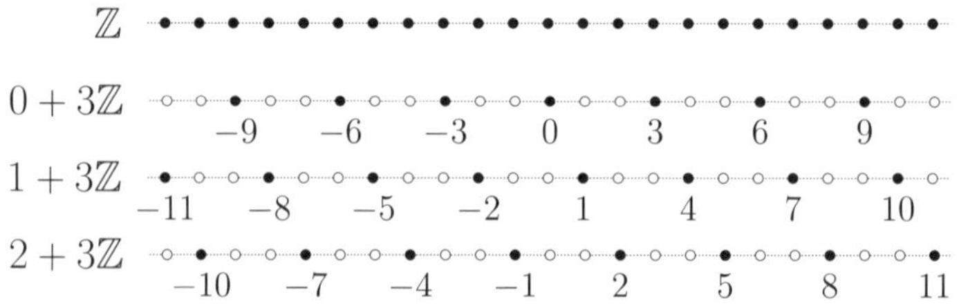

**ちょっと一言**

ここで「$\mathbb{Z}$ の元」と「$\mathbb{Z}/3\mathbb{Z}$ の元」の違いを改めて意識してください。$\mathbb{Z}$ の元は整数であり、$\mathbb{Z}$ の元は無数にあります。一方、$\mathbb{Z}/3\mathbb{Z}$ の元は $\mathbb{Z}$ を $3\mathbb{Z}$ で割った剰余類であり、$\mathbb{Z}/3\mathbb{Z}$ の元は 3 個です。すなわち、$|\mathbb{Z}/3\mathbb{Z}| = 3$ です。

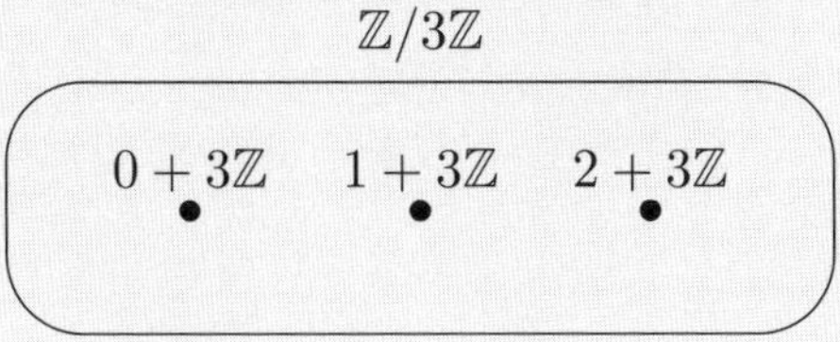


## 7.8　右剰余類の定義

左剰余類と同様に右剰余類を定義できます。

**定義**(右剰余類)

群 $(G, *)$ の元 $g$ と $G$ の部分群 $H$ に対して表記 $g * H$ を定義したのと同様に、表記 $H * g$ を次のように定義します。

$$H * g = \{h * g \mid h \in H\}$$

また、$G$ 上の同値関係 $\sim$ を

$$x \sim y \quad \Longleftrightarrow \quad H * x = H * y$$

で定義し、$G$ を $\sim$ で割って得られる同値類を部分群 $H$ による $g$ の**右《みぎ》剰《じょう》余《よ》類《るい》**といい、商集合を、

$$H \backslash G = \sim \backslash G$$

と表記します。

一般に、左剰余類と右剰余類は一致するとは限りません。

ただし、$G$ が可換群ならば、$G$ の任意の元 $g$ に対して

$$g * H = H * g$$

が成り立ちます。もちろんそのとき、

$$G/H = H\backslash G$$

も成り立ちます。

**ちょっと一言**

$G$ が可換群ならば、$G$ の任意の元 $g$ に対して $g * H = H * g$ が成り立ちます。しかし、$g * H = H * g$ だからといって $G$ が可換群とは限りません。実は、$G$ の任意の元 $g$ に対して

$$g * H = H * g$$

が成り立つような $G$ の部分群 $H$ は非常に重要な意味を持ちます。$g * H = H * g$ が成り立つ $G$ の部分群 $H$ を、$G$ の正規部分群《せいきぶぶんぐん》といいます。そして、$H$ が $G$ の正規部分群であるとき、商集合 $G/H$ に商群という群の構造を与えることができるのです。正規部分群については第 8 章で詳しくお話しします。

## 7.9 剰余類の元の個数は等しい

剰余類の性質を調べていきましょう。例 7-7 を観察すると、剰余類の元の個数はすべて等しくなっていました。

$$|H| = |g_1 * H| = |g_3 * H|$$

実際、これは一般の剰余類で成り立つ性質です。

**定理 7-1** (剰余類の元の個数は等しい)
$(G, *)$ を有限群とし、$H$ を $G$ の部分群とします。このとき、$G$ の任意の元 $g$ について、

$$|H| = |g * H|$$

が成り立ちます。

**ちょっと一言**

$|H| = |g * H|$ を証明したいのですが、$H$ や $g$ について具体的なことがわからないので、元を一つ一つ数えるわけにはいきません。でも、よく考えると元の個数

> 自体を数える必要はありません。有限集合で元の個数が等しいことを示すためには、$H$ から $g * H$ への全単射を見つければいいからです。具体的な元の個数を知る必要はなくて、$H$ と $g * H$ の元をうまく対応させることが必要なのです。

**証明**

$|H| = |g * H|$ を示すため、$H$ から $g * H$ への全単射の存在を示します。

写像 $\alpha_g \colon H \longrightarrow g * H$ を、

$$\alpha_g \colon x \longmapsto g * x$$

で定義すると、$\alpha_g$ は全単射です。

①（全射であることの証明）　$y$ を $g * H$ の元とすると、$g * H$ の定義より、$y = g * h$ を満たす $h \in H$ が存在します。この $h$ について $\alpha_g(h) = g * h = y$ ですから、写像 $\alpha_g$ は $H$ の元 $h$ を $y$ に移します。したがって、$\alpha_g$ は全射です。

②（単射であることの証明）　$x_1$ と $x_2$ はどちらも $H$ の元とします。もしも $\alpha_g(x_1) = \alpha_g(x_2)$ ならば、$g * x_1 = g * x_2$ となり、両辺に左から $g^{-1}$ を掛けると、$x_1 = x_2$ になります。したがって、$\alpha_g$ は単射です。

①と②より、写像 $\alpha_g \colon H \longrightarrow g * H$ は全単射となり、

$$|H| = |g * H|$$

が成り立ちます。

**（証明終わり）**

> **ちょっと一言**
>
> 右剰余類についても同様のことがいえます。すなわち、$G$ の任意の元 $g$ について
>
> $$|H| = |H * g|$$
>
> です。

## 7.10 ラグランジュの定理

例 7-7（p. 206）と例 7-8（p. 208）では、3 次対称群 $G$ を、部分群 $H$ で作った同値関係で剰余類に分割しました。このような分割を剰余類分解といいます。こ

のとき、$|G| = 6$ で $|H| = 2$ であり、$|H|$ は $|G|$ の約数になっています。これは、一般の有限群とその部分群について成り立ちます。それが次のラグランジュの定理です。

**定理 7-2**（ラグランジュの定理）
$H$ が有限群 $G$ の部分群なら、$|H|$ は $|G|$ の約数です。

**証明**

$n = |G/H|$ とすると、部分群 $H$ によって有限群 $G$ は $n$ 個の互いに異なる剰余類の和集合で表されます（剰余類分解）。すなわち、各剰余類から代表元 $g_1, g_2, \ldots, g_n$ を選ぶと、

$$G = g_1 * H \cup g_2 * H \cup \cdots \cup g_n * H$$

です。互いに異なる剰余類は共通の元を持たないので、$|G|$ は各剰余類が持つ元の個数の和になります。すなわち、

$$|G| = |g_1 * H| + |g_2 * H| + \cdots + |g_n * H|$$

です。定理 7-1[*1] より、各剰余類が持つ元の個数はすべて $|H|$ に等しいので、

$$|G| = n|H|$$

となり、$|H|$ は $|G|$ の約数です。

**（証明終わり）**

$G$ を有限群、$H$ を $G$ の部分群とすると、

$$|G| = |G/H|\,|H|$$

が成り立ちますから、$|G/H|$ もまた $|G|$ の約数になります。

＊1　定理 7-1「剰余類の元の個数は等しい」(p. 212)

**ちょっと一言**

ラグランジュの定理の証明に出てきた

$$|G| = |G/H|\,|H|$$

は、$G$ が無限群の場合にも成り立ちます。すなわち、$G$ が無限集合の場合、少なくとも $G/H$ と $H$ のいずれか片方は無限集合になります。

群 $G$ の部分群 $H$ に関する商集合 $G/H$ が持つ元の個数 $|G/H|$ を $G$ における $H$ の**指数**《しすう》といい、一般に $(G:H)$ と表記します。すなわち、

$$(G:H) = |G/H|$$

です。この表記を使うと、ラグランジュの定理は

$$|G| = (G:H)|H|$$

と表せます。

## 7.11 剰余類についての対話

「$x * H = y * H$ で定義した $x \sim y$ が同値関係になることは理解したし、群を剰余類に分けるというイメージもわかったつもりです。でも、$x * H = y * H$ で同値関係を定義して剰余類を作ったとして、それがどんな意味を持つのか、そこがはっきりしません」

「すべての意味を語ることは難しいですが、$H$ というまとまりを基準として、有限群 $G$ の元 $g$ を使って集合 $g * H$ を作ってみたとします。$g_1, g_2, g_3, \ldots, g_n$ といういろんな元を使って $g_1 * H, g_2 * H, g_3 * H, \ldots, g_n * H$ を作ってみます。それらはすべて $H$ による $G$ の剰余類たちです」

「はい、それはわかります」

「$g_1 * H, g_2 * H, g_3 * H, \ldots, g_n * H$ はすべて、$G$ の部分集合になるのですが、それをすべて集めた商集合 $G/H$ は、$G$ の分割になります。部分群 $H$ によって有限群 $G$ は分割され、しかも、剰余類の元の個数はすべて等しくなるというすごい特徴があります。部分群 $H$ によって群 $G$ はいわば『等分割』されることになるのです。このようなことが起きるのは、$G$ が群であり、$H$ がその部分群という構造を持っているからといえます」

「なるほど……少しおもしろさが感じられてきました。ところで、私たちの学びはこれからどう進むのでしょうか」

「群から作った商集合 $G/H$ に対して群としての構造を入れていきましょう」

「なるほど！ 商集合 $G/H$ を台集合として、新たに群演算を定義して群を作るということですね。それはおもしろそうです」

「そうですが、まったく新たに群演算を定義するわけではありません。$G$ の群演算を利用するところがポイントになります。つまり、$G$ の群演算を使って、$G/H$ の群演算を定義します。ただしそのときに、$G/H$ がうまく群になる場合と、ならない場合が出てきます」

「そんな違いが出てくるんですか」

「はい。その違いは、商集合 $G/H$ を作るときの $G$ の部分群 $H$ によって生まれます。$H$ が $G$ の正規《せいき》部分群《ぶぶんぐん》と呼ばれる部分群のとき、商集合 $G/H$ はうまく商群《しょうぐん》という群になるのです。これが次の章で学ぶことです」

## 7.12 この章で学んだこと

この章では同値類と剰余類を学びました。聞き慣れない用語がたくさん出てきましたが、やっていること自体は、生徒をクラス分けすることと変わりはありません。しかし、集合を同値関係でいくつかの同値類に分割することと、群を部分群が作る同値関係でいくつかの剰余類に分割することには大きな違いがあります。その一つは、群が持つ構造のために剰余類の元の個数はすべて等しくなるという点です。

次の章に進む前に、演習問題で同値類と剰余類の理解を確かなものにしておきましょう。

## 演習問題

**問題 7-1**（同値関係と商集合）

次のように、トランプで使う絵札のカード 12 枚の集合を $X$ とします。

$$X = \left\{ \boxed{\heartsuit\mathsf{J}}, \boxed{\heartsuit\mathsf{Q}}, \boxed{\heartsuit\mathsf{K}}, \boxed{\clubsuit\mathsf{J}}, \boxed{\clubsuit\mathsf{Q}}, \boxed{\clubsuit\mathsf{K}}, \right.$$

$$\left. \boxed{\diamondsuit\mathsf{J}}, \boxed{\diamondsuit\mathsf{Q}}, \boxed{\diamondsuit\mathsf{K}}, \boxed{\spadesuit\mathsf{J}}, \boxed{\spadesuit\mathsf{Q}}, \boxed{\spadesuit\mathsf{K}} \right\}$$

また、$S$ をスート 4 種の集合、$R$ をランク 13 種の集合とします。

$$S = \{\heartsuit, \clubsuit, \diamondsuit, \spadesuit\}$$

$$R = \{\mathsf{A}, \mathsf{2}, \mathsf{3}, \ldots, \mathsf{J}, \mathsf{Q}, \mathsf{K}\}$$

写像 $s\colon X \longrightarrow S$ および $r\colon X \longrightarrow R$ を次のように定義します。

$$\begin{array}{lll}
s(\boxed{\heartsuit\mathsf{J}}) = \heartsuit & s(\boxed{\heartsuit\mathsf{Q}}) = \heartsuit & s(\boxed{\heartsuit\mathsf{K}}) = \heartsuit \\
s(\boxed{\clubsuit\mathsf{J}}) = \clubsuit & s(\boxed{\clubsuit\mathsf{Q}}) = \clubsuit & s(\boxed{\clubsuit\mathsf{K}}) = \clubsuit \\
s(\boxed{\diamondsuit\mathsf{J}}) = \diamondsuit & s(\boxed{\diamondsuit\mathsf{Q}}) = \diamondsuit & s(\boxed{\diamondsuit\mathsf{K}}) = \diamondsuit \\
s(\boxed{\spadesuit\mathsf{J}}) = \spadesuit & s(\boxed{\spadesuit\mathsf{Q}}) = \spadesuit & s(\boxed{\spadesuit\mathsf{K}}) = \spadesuit \\
r(\boxed{\heartsuit\mathsf{J}}) = \mathsf{J} & r(\boxed{\heartsuit\mathsf{Q}}) = \mathsf{Q} & r(\boxed{\heartsuit\mathsf{K}}) = \mathsf{K} \\
r(\boxed{\clubsuit\mathsf{J}}) = \mathsf{J} & r(\boxed{\clubsuit\mathsf{Q}}) = \mathsf{Q} & r(\boxed{\clubsuit\mathsf{K}}) = \mathsf{K} \\
r(\boxed{\diamondsuit\mathsf{J}}) = \mathsf{J} & r(\boxed{\diamondsuit\mathsf{Q}}) = \mathsf{Q} & r(\boxed{\diamondsuit\mathsf{K}}) = \mathsf{K} \\
r(\boxed{\spadesuit\mathsf{J}}) = \mathsf{J} & r(\boxed{\spadesuit\mathsf{Q}}) = \mathsf{Q} & r(\boxed{\spadesuit\mathsf{K}}) = \mathsf{K}
\end{array}$$

$X$ 上の同値関係 $\sim_s$ と $\sim_r$ を次のように定義します。

$$x \sim_s y \quad \Longleftrightarrow \quad s(x) = s(y)$$

$$x \sim_r y \quad \Longleftrightarrow \quad r(x) = r(y)$$

このとき、商集合 $X/{\sim_s}$ と $X/{\sim_r}$ をそれぞれ求めてください。

**問題 7-2**（同値関係 $=$ による商集合）
集合 $X$ で二つの元 $x$ と $y$ が等しいことを表す二項関係 $=$ は、集合 $X$ 上の同値関係です。集合 $X = \{1, 2, 3, 4\}$ を同値関係 $=$ で割った商集合 $X/{=}$ を求めてください。

**問題 7-3**（巡回群の剰余類）
整数の集合 $G$ と $H$ を、

$$G = \{0, 1, 2, 3, 4, 5, 6, 7, 8, 9, 10, 11\}$$

$$H = \{0, 4, 8\}$$

とし、$G$ 上の二項演算 $*$ を

$$x * y = (x + y) \bmod 12$$

で定義すると $(G, *)$ は巡回群で、$H$ は $G$ の部分群になります。商集合 $G/H$ を求めてください。なお、整数 $n$ に対して $n \bmod 12$ は $n$ を 12 で割った剰余を意味します。

**問題 7-4**（$x * H = y * H$）
$(G, *)$ を群とし、$H$ を $G$ の部分群とします。$G$ 上の二項関係 $\sim$ を

$$x \sim y \quad \iff \quad x * H = y * H$$

で定義したとき、二項関係 $\sim$ は同値関係になることを証明してください。

**問題 7-5**（部分群が作る同値類の代表元と剰余類）
$(G, *)$ を群とし、$H$ を $G$ の部分群とします。$G$ の任意の元 $g, x$ に対して

$$x * H = g * H \quad \iff \quad x \in g * H$$

が成り立つことを証明してください。

**問題 7-6**（部分群が作る同値関係）

$H$ を群 $(G, *)$ の部分群として、$x, y$ を $G$ の元とするなら、

$$x^{-1} * y \in H \quad \Longleftrightarrow \quad x * H = y * H$$

が成り立つことを証明してください。

## 演習問題の解答

**解答 7-1**（同値関係と商集合）

$s$ はカードからスートを得る写像なので、$x \sim_s y$ はカード $x, y$ が同じスートのときに成り立ちます。したがって、$X$ 上の同値関係 $\sim_s$ による同値類とは、同じスートのカードをすべて集めた集合です。

同様に、$X$ 上の同値関係 $\sim_r$ による同値類とは、同じランクのカードをすべて集めた集合です。

したがって、

$$S_{\heartsuit} = \left\{ \boxed{\heartsuit\mathrm{J}}, \boxed{\heartsuit\mathrm{Q}}, \boxed{\heartsuit\mathrm{K}} \right\}$$

$$S_{\clubsuit} = \left\{ \boxed{\clubsuit\mathrm{J}}, \boxed{\clubsuit\mathrm{Q}}, \boxed{\clubsuit\mathrm{K}} \right\}$$

$$S_{\diamondsuit} = \left\{ \boxed{\diamondsuit\mathrm{J}}, \boxed{\diamondsuit\mathrm{Q}}, \boxed{\diamondsuit\mathrm{K}} \right\}$$

$$S_{\spadesuit} = \left\{ \boxed{\spadesuit\mathrm{J}}, \boxed{\spadesuit\mathrm{Q}}, \boxed{\spadesuit\mathrm{K}} \right\}$$

$$R_{\mathrm{J}} = \left\{ \boxed{\heartsuit\mathrm{J}}, \boxed{\clubsuit\mathrm{J}}, \boxed{\diamondsuit\mathrm{J}}, \boxed{\spadesuit\mathrm{J}} \right\}$$

$$R_{\mathrm{Q}} = \left\{ \boxed{\heartsuit\mathrm{Q}}, \boxed{\clubsuit\mathrm{Q}}, \boxed{\diamondsuit\mathrm{Q}}, \boxed{\spadesuit\mathrm{Q}} \right\}$$

$$R_{\mathrm{K}} = \left\{ \boxed{\heartsuit\mathrm{K}}, \boxed{\clubsuit\mathrm{K}}, \boxed{\diamondsuit\mathrm{K}}, \boxed{\spadesuit\mathrm{K}} \right\}$$

と置くと、求める商集合はそれぞれ、

$$X/\!\sim_s = \{S_{\heartsuit}, S_{\clubsuit}, S_{\diamondsuit}, S_{\spadesuit}\}$$

$$X/\!\sim_r = \{R_{\mathrm{J}}, R_{\mathrm{Q}}, R_{\mathrm{K}}\}$$

です。

ちょっと一言

二つの同値関係 $\sim_s$ と $\sim_r$ の違いは、下の表で 12 枚のカードをどちらの向きに見ているかの違いに相当します。

| | $S_\heartsuit$ ↓ | $S_\clubsuit$ ↓ | $S_\diamondsuit$ ↓ | $S_\spadesuit$ ↓ |
|---|---|---|---|---|
| $R_{\mathrm{J}}$ → | ♡J | ♣J | ♢J | ♠J |
| $R_{\mathrm{Q}}$ → | ♡Q | ♣Q | ♢Q | ♠Q |
| $R_{\mathrm{K}}$ → | ♡K | ♣K | ♢K | ♠K |

**解答 7-2**（同値関係 $=$ による商集合）

商集合 $X/=$ は

$$\{\{1\}, \{2\}, \{3\}, \{4\}\}$$

です。

ちょっと一言

$X$ 上の同値関係 $=$ における $a \in X$ の同値類 $[a]$ は「$a$ に等しい $X$ の元全体の集合」ですが、$a$ に等しい $X$ の元は $a$ 自身のみですから、$a$ の同値類は $a$ のみからなる一点集合 $\{a\}$ になります。つまり、

$$[1] = \{1\}, [2] = \{2\}, [3] = \{3\}, [4] = \{4\}$$

です。

**解答 7-3**（巡回群の剰余類）

$g \in G$ の同値類 $[g] = g * H$ を求めます。

$$0 * H = \{\ 0 * 0,\ \ 0 * 4,\ \ 0 * 8\} = \{\ 0,\ \ 4,\ \ 8\} = \{\ 0,\ \ 4,\ \ 8\}$$

$$1 * H = \{\ 1 * 0,\ \ 1 * 4,\ \ 1 * 8\} = \{\ 1,\ \ 5,\ \ 9\} = \{\ 1,\ \ 5,\ \ 9\}$$

$$2 * H = \{\ 2 * 0,\ \ 2 * 4,\ \ 2 * 8\} = \{\ 2,\ \ 6, 10\} = \{\ 2,\ \ 6, 10\}$$

$$
\begin{aligned}
3*H &= \{\ 3*0,\ \ 3*4,\ \ 3*8\} = \{\ 3,\ \ 7, 11\} = \{\ 3,\ \ 7, 11\} \\
4*H &= \{\ 4*0,\ \ 4*4,\ \ 4*8\} = \{\ 4,\ \ 8,\ \ 0\} = \{\ 0,\ \ 4,\ \ 8\} \\
5*H &= \{\ 5*0,\ \ 5*4,\ \ 5*8\} = \{\ 5,\ \ 9,\ \ 1\} = \{\ 1,\ \ 5,\ \ 9\} \\
6*H &= \{\ 6*0,\ \ 6*4,\ \ 6*8\} = \{\ 6, 10,\ \ 2\} = \{\ 2,\ \ 6, 10\} \\
7*H &= \{\ 7*0,\ \ 7*4,\ \ 7*8\} = \{\ 7, 11,\ \ 3\} = \{\ 3,\ \ 7, 11\} \\
8*H &= \{\ 8*0,\ \ 8*4,\ \ 8*8\} = \{\ 8,\ \ 0,\ \ 4\} = \{\ 0,\ \ 4,\ \ 8\} \\
9*H &= \{\ 9*0,\ \ 9*4,\ \ 9*8\} = \{\ 9,\ \ 1,\ \ 5\} = \{\ 1,\ \ 5,\ \ 9\} \\
10*H &= \{10*0, 10*4, 10*8\} = \{10,\ \ 2,\ \ 6\} = \{\ 2,\ \ 6, 10\} \\
11*H &= \{11*0, 11*4, 11*8\} = \{11,\ \ 3,\ \ 7\} = \{\ 3,\ \ 7, 11\}
\end{aligned}
$$

ここから、

$$
\begin{aligned}
0*H = \ \ 4*H = \ \ 8*H &= \{\ 0,\ \ 4,\ \ 8\} \\
1*H = \ \ 5*H = \ \ 9*H &= \{\ 1,\ \ 5,\ \ 9\} \\
2*H = \ \ 6*H = 10*H &= \{\ 2,\ \ 6, 10\} \\
3*H = \ \ 7*H = 11*H &= \{\ 3,\ \ 7, 11\}
\end{aligned}
$$

です。よって求める商集合 $G/H$ は、

$$
G/H = \Big\{ \{0,4,8\}, \{1,5,9\}, \{2,6,10\}, \{3,7,11\} \Big\}
$$

です。

**ちょっと一言**

$k = 0, 1, 2, \ldots, 11$ として、12 個の複素数 $\alpha_k$ を

$$
\alpha_k = \cos \frac{2\pi}{12} k + i \sin \frac{2\pi}{12} k
$$

で定義すると、12 個の複素数 $\alpha_k$ は、原点中心で半径 1 の単位円に内接する正 12 角形の頂点に位置します（p. 127 も参照）。$k$ を $\alpha_k$ に対応させると、商集合 $G/H$ の元である 4 個の剰余類を複素平面上に図示できます。

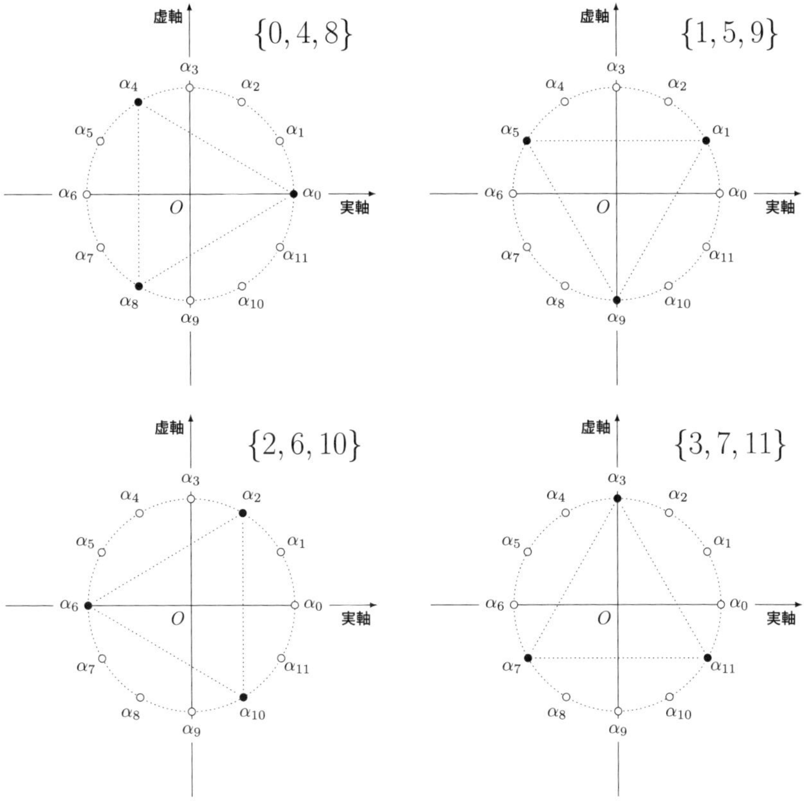


## 解答 7-4 ($x * H = y * H$)

**ちょっと一言**

二項関係 $=$ が同値関係であることから明らかですが、以下では同値関係の定義にしたがい、二項関係 $\sim$ が (E1) 反射律、(E2) 対称律、(E3) 推移律を満たすことを示します。この証明のように、定義をほぼ機械的に適用することで示される議論は、しばしば「定義から明らか」や「定義から自明」などと表現されますが、定義を確認するという意味で大切なことです。

**証明**

①（反射律） $G$ の任意の元 $x$ について

$$x * H = x * H$$

なので、二項関係 $\sim$ は反射律を満たします。

②（対称律） $G$ の任意の元 $x, y$ について

$$x * H = y * H \text{ ならば } y * H = x * H$$

なので、二項関係 $\sim$ は対称律を満たします。

③（推移律） $G$ の任意の元 $x, y, z$ について

$$x * H = y * H \text{ かつ } y * H = z * H \text{ ならば } x * H = z * H$$

なので、二項関係 $\sim$ は推移律を満たします。

以上の①, ②, ③により、二項関係 $\sim$ は $G$ 上の同値関係です。

**（証明終わり）**

**解答 7-5**（部分群が作る同値類の代表元と剰余類）

> **ちょっと一言**
>
> $P \Leftrightarrow Q$ を証明するためには、$P \Rightarrow Q$ と $P \Leftarrow Q$ の両方を証明します。

**証明**

$x$ と $g$ はどちらも $G$ の元とします。

①　$(x * H = g * H \Rightarrow x \in g * H)$

$x * H = g * H$ を仮定します。$e$ を $G$ の単位元とすると、$H$ は $G$ の部分群なので、

$$e \in H$$

です。したがって、

$$x \in x * H$$

であり、仮定から $x * H = g * H$ なので、

$$x \in g * H$$

です。よって、

$$x * H = g * H \quad \Longrightarrow \quad x \in g * H$$

が示されました。

② $(x * H = g * H \Leftarrow x \in g * H)$

$x \in g * H$ を仮定します。すると、$g * H$ の定義より、

$$x = g * h$$

となる $h \in H$ が存在し、

$$g = x * h^{-1}$$

です。

さて、$x * H = g * H$ を示すために、まず $x * H \subset g * H$ を示します。もしも $x'$ が $x * H$ の元ならば、$x' = x * h_1$ という $h_1 \in H$ が存在しますので、

$$\begin{aligned} x' &= x * h_1 \\ &= (g * h) * h_1 && x = g * h \text{ だから} \\ &= g * (h * h_1) && \text{結合律から} \\ &\in g * H && h * h_1 \in H \text{ から} \end{aligned}$$

となり、

$$x' \in g * H$$

がいえますから、

$$x * H \subset g * H$$

です。

次に $g * H \subset x * H$ を示します。もしも $g'$ が $g * H$ の元ならば、$g' = g * h_2$ という $h_2 \in H$ が存在しますので、

$$\begin{aligned} g' &= g * h_2 \\ &= (x * h^{-1}) * h_2 && g = x * h^{-1} \text{ だから} \\ &= x * (h^{-1} * h_2) && \text{結合律から} \end{aligned}$$

$$\in x * H \qquad\qquad h^{-1} * h_2 \in H \text{ から}$$

となり、

$$g' \in x * H$$

がいえますから、

$$g * H \subset x * H$$

です。

$x * H \subset g * H$ と $g * H \subset x * H$ から、

$$x * H = g * H$$

が成り立ちます。よって、

$$x * H = g * H \quad \Longleftarrow \quad x \in g * H$$

が示されました。

①と②より、

$$x * H = g * H \quad \Longleftrightarrow \quad x \in g * H$$

が証明できました。

**（証明終わり）**

**解答 7-6**（部分群が作る同値関係）

**証明**

① $(x^{-1} * y \in H \Rightarrow x * H = y * H)$

$x^{-1} * y \in H$ を仮定すると、

$$x^{-1} * y = h$$

を満たす $H$ の元 $h$ が存在します。両辺に左から $x$ を掛けると $y = x * h$ なので、

$$y \in x * H$$

です。一方、

$$y \in y * H$$

なので、$y$ は $x * H$ と $y * H$ の両方に属していることになり、

$$x * H \cap y * H \neq \varnothing$$

です。したがって、

$$x * H = y * H$$

が成り立ちます（p. 202 参照）。よって、

$$x^{-1} * y \in H \quad \Longrightarrow \quad x * H = y * H$$

が示されました。

② $(x^{-1} * y \in H \Leftarrow x * H = y * H)$

$x * H = y * H$ を仮定すると、

$$x * h_1 = y * h_2$$

を満たす $H$ の元 $h_1, h_2$ が存在します。この両辺に左から $x^{-1}$ を掛けると

$$h_1 = x^{-1} * y * h_2$$

です。両辺に右から $h_2^{-1}$ を掛けると、

$$h_1 * h_2^{-1} = x^{-1} * y$$

となり、$H$ は部分群なので $h_1 * h_2^{-1} \in H$ となるので、

$$x^{-1} * y \in H$$

が成り立ちます。よって、

$$x^{-1} * y \in H \quad \Longleftarrow \quad x * H = y * H$$

が示されました。

①と②より、

$$x^{-1} * y \in H \quad \Longleftrightarrow \quad x * H = y * H$$

が証明できました。

**（証明終わり）**

**ちょっと一言**

部分群 $H$ に関する $G$ 上の同値関係 $\sim$ は、

$$x \sim y \quad \Longleftrightarrow \quad x^{-1} * y \in H$$

と定義されることもあります。しかし、この

$$x^{-1} * y \in H$$

という条件は、何だか不自然に感じられるかもしれません。でも、たとえば群 $G = \mathbb{Z}$ と部分群 $H = 3\mathbb{Z}$ として考えてみると、

$$\begin{aligned} x \sim y \quad &\Longleftrightarrow \quad (-x) + y \in 3\mathbb{Z} \\ &\Longleftrightarrow \quad y + (-x) \in 3\mathbb{Z} \\ &\Longleftrightarrow \quad y - x \text{ が } 3 \text{ の倍数} \\ &\Longleftrightarrow \quad y \equiv x \pmod 3 \end{aligned}$$

なので、不自然な感覚は減ってきます。

演習問題 7-6 は、次のように証明することもできます。$x$ と $y$ が $G$ の元で $H$ が $G$ の部分群とすると、$x * H = y * H$ は $y \in x * H$ と同値ですから、$y = x * h$ を満たす $h \in H$ が存在することとも同値です。したがって、$x^{-1} * y \in H$ とも同値です。

# 第 8 章　準同型定理

## 8.1　この章で学ぶこと

この章では、準同型定理を学びます。

準同型定理は、群論で最初に学ぶ「大きな定理」であると同時に、これまで本書で学んできたことの総まとめでもあります。

この章ではまず、

- 8.2 節「集合と写像と同値類」
- 8.3 節「群と写像と剰余類」
- 8.4 節「群と準同型と剰余類」

において、同値類と剰余類を復習しつつ、準同型定理の全体像をつかみます。描かれたイメージ図を眺めながらお読みください。

その後は、次のような流れで準同型定理を学びます。

- 群が持つ部分群の中には、正規部分群《せいきぶぶんぐん》と呼ばれるものがある。
- 群を正規部分群で割って得られる商集合は商群《しょうぐん》と呼ばれる群をなす。
- 準同型 $f\colon G \longrightarrow G'$ によって $G'$ の単位元に移される $G$ の元全体の集合を核《かく》といい、群 $G$ の正規部分群の一つとなる。
- 準同型 $f\colon G \longrightarrow G'$ の核で群 $G$ を割って作られる商群は、$f$ による像 $f(G)$ と同型になる。これが準同型定理《じゅんどうけいていり》である。

**準同型の核が作る商群は、準同型の像と同型になる**という準同型定理は、群が持つ構造を群自身によって解析する基本的な道具となります。本章でじっくり学んでいきましょう。

## 8.2　集合と写像と同値類

さて、まずは群のことをいったん忘れて、集合と写像と同値類に取り組みます。図 8-1 をしばらく眺めてください。

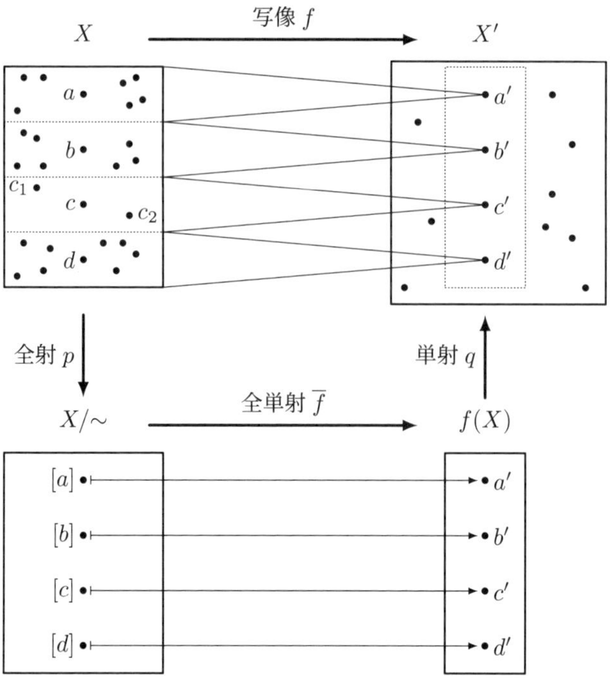


図 8-1

図 8-1 は、写像 $f$ を、$p, \overline{f}, q$ という三つの写像に分解する様子を表しています。

写像 $f$ は集合 $X$ から $X'$ への写像で、$f$ の像 $f(X)$ は 4 個の元 $a', b', c', d'$ を持っています。つまり、

$$f(X) = \left\{a', b', c', d'\right\}$$

です。$X$ のどの元が $a', b', c', d'$ に移されているかは、$X$ の中に点線で区切り線を入れて示しています。たとえば、$c'$ に移される元は、$c, c_1, c_2$ の 3 個です。

ここで、写像 $f$ を使って $X$ 上の二項関係 $\sim$ を次のように定義します。

$$x \sim y \quad \Longleftrightarrow \quad f(x) = f(y)$$

つまり、$X$ の元 $x, y$ が、$f$ によって同じ元に移されるとき $x \sim y$ と定めます。この二項関係 $\sim$ が同値関係であることはすぐに確かめられます。

さて、集合 $X$ を $\sim$ で割った商集合 $X/\sim$ は図 8-1 に示す通り 4 個の元を持ち、

$$X/\sim = \{[a], [b], [c], [d]\}$$

と表すことができます。$[a]$ は $a$ の同値類を表しています。

ここで、写像 $p\colon X \longrightarrow X/{\sim}$ を

$$p\colon x \longmapsto [x]$$

と定義します。つまり $p$ は、$X$ の元 $x$ を、$x$ が属している同値類 $[x]$ に移します。たとえば、$X$ の元 $c, c_1, c_2$ は写像 $p$ によってそれぞれ、

$$p\colon c \;\longmapsto [c]$$

$$p\colon c_1 \longmapsto [c_1]$$

$$p\colon c_2 \longmapsto [c_2]$$

に移されます。ここで

$$[c] = [c_1] = [c_2]$$

ですから、

$$p(c) = p(c_1) = p(c_2) = [c]$$

になります。つまり、$c, c_1, c_2$ は写像 $p$ によって商集合 $X/{\sim}$ の同じ元 $[c]$ に移されます。商集合 $X/{\sim}$ のどの元 $[x]$ に対してもそこに移されてくる $X$ の元 $x$ が存在しますから、写像 $p$ は全射です。

次に、商集合 $X/{\sim}$ から写像 $f$ の像 $f(X)$ への写像

$$\overline{f}\colon X/{\sim} \longrightarrow f(X)$$

を

$$\overline{f}\colon [a] \longmapsto a'$$

$$\overline{f}\colon [b] \longmapsto b'$$

$$\overline{f}\colon [c] \longmapsto c'$$

$$\overline{f}\colon [d] \longmapsto d'$$

で定義すると、この写像 $\overline{f}$ は全単射になります。

最後に、集合 $f(X)$ から集合 $X'$ への写像

$$q\colon f(X) \longrightarrow X'$$

を

$$q\colon x \longmapsto x$$

で定義します。もともと $f(X) \subset X'$ ですので、$q(x) = x$ と定義することに問題はありません。この写像 $q$ はもちろん単射になります。

以上の議論から、写像 $f$ が $X$ の各元を $X'$ のどの元に移したかによって同値関係 $\sim$ を作り、そこから生まれた商集合 $X/\sim$ を考えるなら、

$$f = q \circ \overline{f} \circ p$$

が成り立つような全単射 $\overline{f}\colon X/\sim \longrightarrow f(X)$ が構成できることがわかりました。

ここまで「集合と写像と同値類」を使って「写像 $f$ から全単射 $\overline{f}$ を構成する議論」を行ってきました。次の節では、集合を群に変え、同値類を剰余類に変えてそっくりの議論を行います。

## 8.3 群と写像と剰余類

図 8-2 をしばらく眺めてください。前節の図 8-1 とそっくりですが、今度は群が登場します。

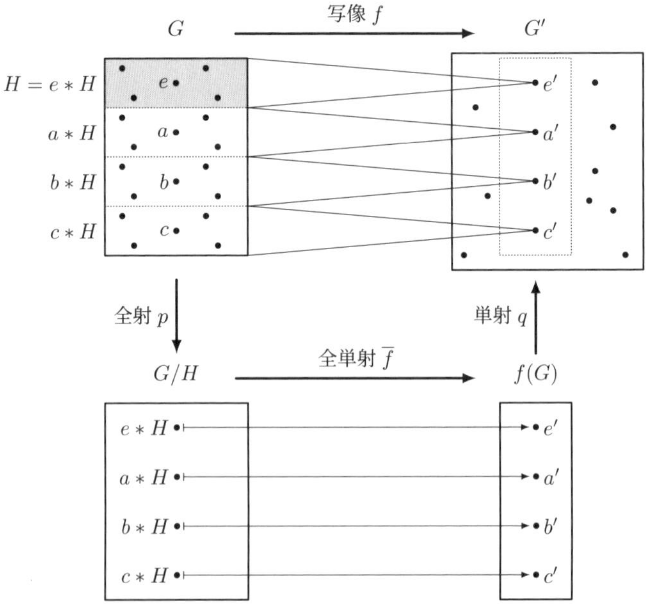


図 8-2

図 8-2 を順番に説明します。

$(G, *)$ と $(G', *')$ を群とします。

写像 $f$ は群 $G$ から $G'$ への写像で、前節と同様に、$f$ の像 $f(G)$ は 4 個の元 $e', a', b', c'$ を持っています。ただしこの写像 $f$ は $G$ の単位元 $e$ を $G'$ の単位元 $e'$ に移すものとします。

前節と同様に、写像 $f$ を使って $G$ 上の二項関係 $\sim$ を次のように定義します。

$$x \sim y \quad \Longleftrightarrow \quad f(x) = f(y)$$

すると、二項関係 $\sim$ は同値関係になります。

さてここで、

$$G/\!\sim\, = G/H$$

が成り立つ $G$ の部分群 $H$ が存在すると仮定しましょう。言い換えると、次の条件をすべて満たす $G$ の部分群 $H$ が存在すると仮定するのです。

- 剰余類 $e * H$ に属している元はすべて、$f$ によって $G'$ の単位元 $e'$ に移る。
- 剰余類 $a * H$ に属している元はすべて、$f$ によって $G'$ の元 $a'$ に移る。
- 剰余類 $b * H$ に属している元はすべて、$f$ によって $G'$ の元 $b'$ に移る。
- 剰余類 $c * H$ に属している元はすべて、$f$ によって $G'$ の元 $c'$ に移る。

もしもこのような $G$ の部分群 $H$ が存在するなら、前節と同様の議論により、$f$ に対して

$$f = q \circ \overline{f} \circ p$$

を満たす全単射 $\overline{f}$ が構成できることになります。

この節では「群と写像と剰余類」を使って「写像 $f$ から全単射 $\overline{f}$ を構成する議論」を行ってきました。次の節では、写像を準同型に変えてそっくりの議論を行います。

すなわち「準同型 $f$ から同型写像 $\overline{f}$ を構成する議論」です。

## 8.4　群と準同型と剰余類

図 8-3 をしばらく眺めてください。前節の図 8-2 とそっくりですが、今度は準同型が登場します。

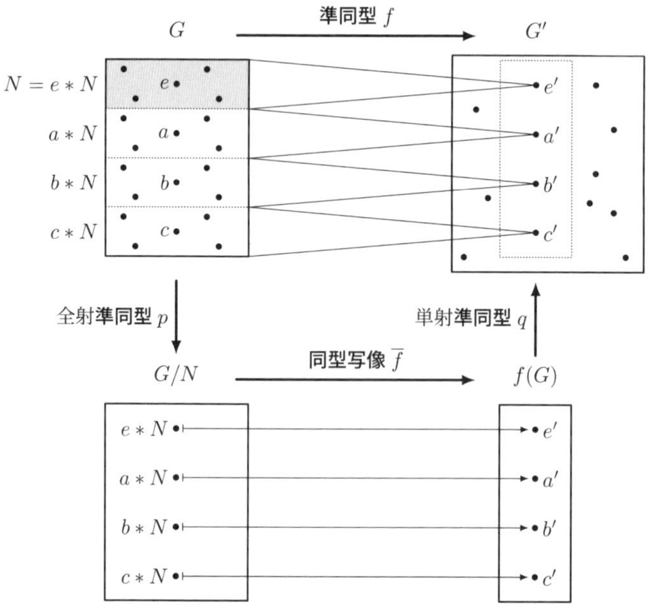


図 8-3

二つの群 $G$ と $G'$ が与えられ、さらに準同型 $f$ が与えられたとします。このとき、この図 8-3 のような状況は作れるでしょうか。具体的には、次のような問いになります。

① **準同型** $f$ で単位元 $e'$ に移される集合 $N$ は $G$ の部分群になるだろうか。

② $f$ が作る同値関係を $\sim$ としたとき、$G/\!\sim\; = G/N$ になるだろうか。

③ $G$ から $G/N$ への全射 $p$ は、全射**準同型**になるだろうか。

④ $G/N$ から $f(G)$ への全単射 $\overline{f}$ は、**同型写像**になるだろうか。
すなわち、全単射**準同型**になるだろうか。

⑤ $f(G)$ から $G'$ への単射 $q$ は、単射**準同型**になるだろうか。

実は、この五つの問いの答えはいずれも「はい」になります。すなわち、与えられた準同型 $f$ から

$$f = q \circ \overline{f} \circ p$$

を成り立たせる同型写像 $\overline{f}$ を構成できるのです。

①〜⑤については、次節以降で順番に検討します。具体的には、

- ①を「準同型の核」で、
- ②を「商群」で、
- ③を「正規部分群」と「商群」で、
- ④を「準同型定理」で、
- ⑤を「演習問題 8-5」で、

それぞれ検討していきましょう。

> **ちょっと一言**
>
> 8.12 節の準同型定理の証明では、準同型 $f$ から同型写像 $\overline{f}$ を構成して、
>
> $$G/N \cong f(G)$$
>
> を証明することになります。

## 8.5　正規部分群の定義

商集合 $G/N$ を商群とするためには、部分群 $N$ は正規部分群でなくてはいけません。そのことは商群の節で議論しますので、ここではまず、正規部分群について学んでおきましょう。

> **定義**（正規部分群）
>
> $N$ は群 $(G, *)$ の部分群とします。$G$ の任意の元 $g$ に対して、左剰余類 $g * N$ と右剰余類 $N * g$ が等しくなるとき、すなわち、
>
> $$g * N = N * g$$
>
> のとき $N$ は $G$ の**正規部分群《せいきぶぶんぐん》**であるといい、
>
> $$N \lhd G$$
>
> と表記します。

> **ちょっと一言**
>
> これまで群 $G$ の部分群を $H$ で表すことがよくありました。これは、アルファベットで "G" の次が "H" だからです。一方、ここでは正規部分群の英語名 "Normal

> subgroup" の頭文字を借りて "N" を使っています。もちろん、正規部分群を $N$ 以外で表すこともありますし、$N$ と書かれていても正規部分群とは限りませんので注意してください。

> 左剰余類と右剰余類については第 7 章で学んだ通りですが、簡単に復習しましょう。$H$ が群 $(G, *)$ の部分群のとき、
>
> - $g \in G$ の $H$ に関する左剰余類は $g * H = \{g * h \mid h \in H\}$
> - $g \in G$ の $H$ に関する右剰余類は $H * g = \{h * g \mid h \in H\}$
>
> となります。左剰余類 $g * H$ と右剰余類 $H * g$ は集合として等しいとは限りません。つまり、一般には $G$ の元 $g$ によって、あるいは部分群 $H$ によって、$g * H = H * g$ になったり、$g * H \neq H * g$ になったりします。$G$ の部分群 $H$ が「任意の $g \in G$ に対して $g * H = H * g$ が成り立つ」という条件を満たすとき、$H$ を $G$ の正規部分群と呼ぶのです。

**例 8-1** (単位元のみからなる部分群は正規部分群)

群 $(G, *)$ の単位元を $e$ とし、$E = \{e\}$ とすると、$E$ は群 $G$ の正規部分群になります。なぜなら、$E$ は群 $G$ の部分群ですし、また任意の $g \in G$ に対して、

$$g * E = \{g * e\} = \{g\} = \{e * g\} = E * g$$

より、

$$g * E = E * g$$

が成り立つからです。集合の包含関係で考えると、$E$ は $G$ の最小の部分群であり最小の正規部分群です。

**例 8-2** ($G$ は $G$ 自身の正規部分群)

任意の群 $G$ について、$G$ は $G$ 自身の正規部分群です。なぜなら、$G$ は $G$ 自身の部分群ですし、また任意の $g \in G$ に対して、

$$g * G = G = G * g$$

より、

$$g * G = G * g$$

が成り立つからです。集合の包含関係で大小を考えると、$G$ は $G$ 自身の最大の部分群であり最大の正規部分群です。

**例 8-3**（可換群の部分群は正規部分群）

$(G,*)$ が可換群のとき、$G$ の任意の部分群 $N$ は $G$ の正規部分群です。なぜなら、$G$ が可換群なので任意の $g \in G$ と任意の $n \in N$ に対して、

$$g * n = n * g$$

が成り立つため、任意の $g \in G$ に対して、

$$g * N = \{g * n \mid n \in N\} = \{n * g \mid n \in N\} = N * g$$

より、

$$g * N = N * g$$

が成り立つからです。

**ちょっと一言**

念のために例 8-3 をもう少し丁寧に読みましょう。

$$g * N = \{g * n \mid n \in N\}$$

は、

$$g * N = \left\{x \in G \;\middle|\; x = g * n \text{ を満たす } n \in N \text{ が存在する}\right\}$$

の略記です。$G$ は可換群なので任意の $g \in G$ と任意の $n \in N$ に対して

$$g * n = n * g$$

が成り立ちます。ですから $x \in G$ のとき、

$$\begin{aligned} &x = g * n \text{ を満たす } n \in N \text{ が存在する} \\ &\qquad\qquad \iff \quad x = n * g \text{ を満たす } n \in N \text{ が存在する} \end{aligned}$$

となります。したがって、

$$g * N = N * g$$

です。

$g*N = N*g$ は両辺が集合として等しいことを意味しています。$g*N = N*g$ という $N$ についての条件は、ある種の交換可能性を意味しています。$N$ が $G$ の

> 正規部分群であるとしましょう。$n$ を $N$ の元としたとき、$g * n = n * g$ とは限りません。しかし、$N$ の元ひとつひとつの粒度ではなく、$N$ を集合としてまとめて考えると、$G$ の任意の元 $g$ に対して $g * N = N * g$ が成り立ちます。正規部分群の条件をそのように解釈することもできます。

## 8.6 対称群 $S_3$ の部分群

$G$ の単位元を $e$ としたとき $E = \{e\}$ が $G$ の正規部分群であること（例 8-1）、$G$ 自身が $G$ の正規部分群であること（例 8-2）、また可換群の任意の部分群が正規部分群であること（例 8-3）は、定義にしたがって考えれば理解できます。しかし、これらはいわば極端な例といえます。

そこでこの節では、対称群 $(S_3, \circ)$ に関して、正規部分群になる部分群と、正規部分群にならない部分群を調べてみましょう。

まず、対称群 $S_3$ の各元に対して、

$$e = \begin{pmatrix} 1\,2\,3 \\ 1\,2\,3 \end{pmatrix} \qquad r_1 = \begin{pmatrix} 1\,2\,3 \\ 2\,3\,1 \end{pmatrix} = (1\,2\,3) \qquad r_2 = \begin{pmatrix} 1\,2\,3 \\ 3\,1\,2 \end{pmatrix} = (1\,3\,2)$$

$$a_1 = \begin{pmatrix} 1\,2\,3 \\ 1\,3\,2 \end{pmatrix} = (2\,3) \qquad a_2 = \begin{pmatrix} 1\,2\,3 \\ 2\,1\,3 \end{pmatrix} = (1\,2) \qquad a_3 = \begin{pmatrix} 1\,2\,3 \\ 3\,2\,1 \end{pmatrix} = (1\,3)$$

と名前を付けます。$e$ は恒等置換、$r_1, r_2$ は 3 次巡回置換、$a_1, a_2, a_3$ は互換です。

次に、$S_3$ の部分集合のうち 3 個に対して、

$$G = \{e, r_1, r_2, a_1, a_2, a_3\} = S_3$$

$$H = \{e, a_1\}$$

$$N = \{e, r_1, r_2\}$$

と名前を付けます。すると、$H$ と $N$ はどちらも $G$ の部分群になりますが、

- $H$ は $G$ の正規部分群ではない
- $N$ は $G$ の正規部分群である

という違いがあります。例 8-4 と例 8-5 で具体的に確かめてみましょう。

**例 8-4**（$H$ は $G$ の正規部分群ではない）

$G$ を $H$ で割った左剰余類は次の通りです（灰色は注目箇所）。

$$\begin{cases} e \circ H = e \circ \{e, a_1\} = \{e \circ e, e \circ a_1\} = \{e, a_1\} \\ r_1 \circ H = r_1 \circ \{e, a_1\} = \{r_1 \circ e, r_1 \circ a_1\} = \{r_1, a_2\} \\ r_2 \circ H = r_2 \circ \{e, a_1\} = \{r_2 \circ e, r_2 \circ a_1\} = \{r_2, a_3\} \\ a_1 \circ H = a_1 \circ \{e, a_1\} = \{a_1 \circ e, a_1 \circ a_1\} = \{a_1, e\} = e \circ H \\ a_2 \circ H = a_2 \circ \{e, a_1\} = \{a_2 \circ e, a_2 \circ a_1\} = \{a_2, r_1\} = r_1 \circ H \\ a_3 \circ H = a_3 \circ \{e, a_1\} = \{a_3 \circ e, a_3 \circ a_1\} = \{a_3, r_2\} = r_2 \circ H \end{cases}$$

$G$ を $H$ で割った右剰余類は次の通りです。

$$\begin{cases} H \circ e = \{e, a_1\} \circ e = \{e \circ e, a_1 \circ e\} = \{e, a_1\} \\ H \circ r_1 = \{e, a_1\} \circ r_1 = \{e \circ r_1, a_1 \circ r_1\} = \{r_1, a_3\} \\ H \circ r_2 = \{e, a_1\} \circ r_2 = \{e \circ r_2, a_1 \circ r_2\} = \{r_2, a_2\} \\ H \circ a_1 = \{e, a_1\} \circ a_1 = \{e \circ a_1, a_1 \circ a_1\} = \{a_1, e\} = H \circ e \\ H \circ a_2 = \{e, a_1\} \circ a_2 = \{e \circ a_2, a_1 \circ a_2\} = \{a_2, r_2\} = H \circ r_2 \\ H \circ a_3 = \{e, a_1\} \circ a_3 = \{e \circ a_3, a_1 \circ a_3\} = \{a_3, r_1\} = H \circ r_1 \end{cases}$$

左剰余類と右剰余類の元を比べてみると、次のように一致しない場合があることがわかるので、$H$ は $G$ の正規部分群ではありません。

$$e \circ H = \{e, a_1\} = \{e, a_1\} = H \circ e \qquad \text{一致する}$$

$$r_1 \circ H = \{r_1, a_2\} \neq \{r_1, a_3\} = H \circ r_1 \qquad \text{一致しない}$$

$$r_2 \circ H = \{r_2, a_3\} \neq \{r_2, a_2\} = H \circ r_2 \qquad \text{一致しない}$$

$$a_1 \circ H = \{a_1, e\} = \{a_1, e\} = H \circ a_1 \qquad \text{一致する}$$

$$a_2 \circ H = \{a_2, r_1\} \neq \{a_2, r_2\} = H \circ a_2 \qquad \text{一致しない}$$

$$a_3 \circ H = \{a_3, r_2\} \neq \{a_3, r_1\} = H \circ a_3 \qquad \text{一致しない}$$

例 8-4 の初めから灰色の注目箇所を注意深く読み返すと、左右の剰余類が一致しないのは、掛け合わせている二つの元を**交換すると異なる剰余類に属してしまう**場合だとわかります。たとえば $a_2 \circ a_1 = r_1$ は剰余類 $r_1 \circ H$ に属していますが、$a_2$ と $a_1$ を交換すると、$a_1 \circ a_2 = r_2$ となって、異なる剰余類 $r_2 \circ H$ に属しています。

**例 8-5**（$N$ は $G$ の正規部分群である）

$G$ を $N$ で割った左剰余類は次の通りです（灰色は注目箇所）。

$$
\begin{cases}
e \circ N = e \circ \{e, r_1, r_2\} = \{e \circ e, e \circ r_1, e \circ r_2\} = \{e, r_1, r_2\} \\
r_1 \circ N = r_1 \circ \{e, r_1, r_2\} = \{r_1 \circ e, r_1 \circ r_1, r_1 \circ r_2\} = \{r_1, r_2, e\} = e \circ N \\
r_2 \circ N = r_2 \circ \{e, r_1, r_2\} = \{r_2 \circ e, r_2 \circ r_1, r_2 \circ r_2\} = \{r_2, e, r_1\} = e \circ N \\
a_1 \circ N = a_1 \circ \{e, r_1, r_2\} = \{a_1 \circ e, a_1 \circ r_1, a_1 \circ r_2\} = \{a_1, a_3, a_2\} \\
a_2 \circ N = a_2 \circ \{e, r_1, r_2\} = \{a_2 \circ e, a_2 \circ r_1, a_2 \circ r_2\} = \{a_2, a_1, a_3\} = a_1 \circ N \\
a_3 \circ N = a_3 \circ \{e, r_1, r_2\} = \{a_3 \circ e, a_3 \circ r_1, a_3 \circ r_2\} = \{a_3, a_2, a_1\} = a_1 \circ N
\end{cases}
$$

$G$ を $N$ で割った右剰余類は次の通りです。

$$
\begin{cases}
N \circ e = \{e, r_1, r_2\} \circ e = \{e \circ e, r_1 \circ e, r_2 \circ e\} = \{e, r_1, r_2\} \\
N \circ r_1 = \{e, r_1, r_2\} \circ r_1 = \{e \circ r_1, r_1 \circ r_1, r_2 \circ r_1\} = \{r_1, r_2, e\} = N \circ e \\
N \circ r_2 = \{e, r_1, r_2\} \circ r_2 = \{e \circ r_2, r_1 \circ r_2, r_2 \circ r_2\} = \{r_2, e, r_1\} = N \circ e \\
N \circ a_1 = \{e, r_1, r_2\} \circ a_1 = \{e \circ a_1, r_1 \circ a_1, r_2 \circ a_1\} = \{a_1, a_2, a_3\} \\
N \circ a_2 = \{e, r_1, r_2\} \circ a_2 = \{e \circ a_2, r_1 \circ a_2, r_2 \circ a_2\} = \{a_2, a_3, a_1\} = N \circ a_1 \\
N \circ a_3 = \{e, r_1, r_2\} \circ a_3 = \{e \circ a_3, r_1 \circ a_3, r_2 \circ a_3\} = \{a_3, a_1, a_2\} = N \circ a_1
\end{cases}
$$

左剰余類と右剰余類の元を比べてみると、次のようにすべて一致するので、$N$ は $G$ の正規部分群です。

$$e \circ N = \{e, r_1, r_2\} = \{e, r_1, r_2\} = N \circ e \qquad \text{一致する}$$

$$r_1 \circ N = \{r_1, r_2, e\} = \{r_1, r_2, e\} = N \circ r_1 \qquad \text{一致する}$$

$$r_2 \circ N = \{r_2, e, r_1\} = \{r_2, e, r_1\} = N \circ r_2 \qquad \text{一致する}$$

$$a_1 \circ N = \{a_1, a_3, a_2\} = \{a_1, a_2, a_3\} = N \circ a_1 \qquad \text{一致する}$$

$$a_2 \circ N = \{a_2, a_1, a_3\} = \{a_2, a_3, a_1\} = N \circ a_2 \qquad \text{一致する}$$

$$a_3 \circ N = \{a_3, a_2, a_1\} = \{a_3, a_1, a_2\} = N \circ a_3 \qquad \text{一致する}$$

例 8-5 の初めから灰色の注目箇所を注意深く読み返すと、掛け合わせている二つの元を**交換しても等しい剰余類に属している**ことがわかります。たとえば $a_1 \circ r_1 = a_3$ の $a_1$ と $r_1$ を交換すると、$r_1 \circ a_1 = a_2$ ですので、$a_1 \circ r_1 \neq r_1 \circ a_1$ です。しかしながら、$a_3$ と $a_2$ はどちらも同じ剰余類 $a_1 \circ N$ に属しています。

**ちょっと一言**

$g$ を群 $G$ の元として、$n$ を $G$ の正規部分群 $N$ の元とします。このとき、

- $g * n$ と $n * g$ は、等しいとは限らない（**元の粒度**での視点）
- $g * n$ と $n * g$ は、等しい剰余類に属している（**剰余類の粒度**での視点）

といえます。そのような商集合 $G/N$ を作り出すのが正規部分群 $N$ なのです。

## 8.7 well-defined

$(G, *)$ を群とします。群 $G$ を正規部分群 $N$ で割った商集合 $G/N$ を群にするため、群演算となる $G/N$ 上の二項演算 $\circledast$ を次のように定義します。

$$\underbrace{(a*N)}_{G/N\text{ の元}} \circledast \underbrace{(b*N)}_{G/N\text{ の元}} = \underbrace{(a*b)*N}_{G/N\text{ の元}}$$

ここでは「剰余類 $a*N$ と剰余類 $b*N$ の $\circledast$ による積」を「$*$ による積 $a*b$ の剰余類 $(a*b)*N$」として定義しています。言い換えるなら、剰余類同士の二項演算 $\circledast$ を、その剰余類の代表元同士の二項演算 $*$ で定義しているといえます。

このように二項演算 $\circledast$ を定義するならば、$(G/N, \circledast)$ は群になる——というのが次節の議論展開で、もちろんそれは証明が必要になります。

ただしそのために、解決すべき重要な問題があります。それは、「剰余類同士の二項演算」を「代表元同士の二項演算」で定義して構わないのかという問題です。言い換えると、「この二項演算 $\circledast$ の定義は、**代表元の取り方に依存しない定義**になっているか」という問題です。

具体的に

$$a*N = \{a, a_1, a_2\}$$

$$b*N = \{b, b_1, b_2\}$$

として説明します。この場合、$a, a_1, a_2$ はいずれも $a*N$ の代表元、$b, b_1, b_2$ はいずれも $b*N$ の代表元として選ぶことができ、

$$a*N = a_1*N = a_2*N$$

$$b*N = b_1*N = b_2*N$$

ですので、

$$\begin{array}{ccc}
(a*N)\circledast(b*N) & (a*N)\circledast(b_1*N) & (a*N)\circledast(b_2*N) \\
(a_1*N)\circledast(b*N) & (a_1*N)\circledast(b_1*N) & (a_1*N)\circledast(b_2*N) \\
(a_2*N)\circledast(b*N) & (a_2*N)\circledast(b_1*N) & (a_2*N)\circledast(b_2*N)
\end{array}$$

という 9 個の $G/N$ の元はすべて等しくなければなりません。つまり、二項演

算 $\circledast$ の定義から、

$$
\begin{array}{ccc}
(a*b)*N & (a*b_1)*N & (a*b_2)*N \\
(a_1*b)*N & (a_1*b_1)*N & (a_1*b_2)*N \\
(a_2*b)*N & (a_2*b_1)*N & (a_2*b_2)*N
\end{array}
$$

という 9 個の $G/N$ の元はすべて等しくなければならないのです。

一般に、剰余類が関わる定義が代表元を使って記述されているときには、その記述が代表元の選び方に依存していないことを示さなくてはいけません。代表元の選び方に依存しないとき、しばしば「**その定義は well-defined である**」といいます。

**定理 8-1** (well-defined)

$N$ を群 $(G,*)$ の正規部分群とし、$G$ の元 $a, b, a', b'$ について

$$a*N = a'*N$$

$$b*N = b'*N$$

ならば、

$$(a*b)*N = (a'*b')*N$$

となります。

**証明**

まず、$G$ の任意の元 $a, b$ について、

$$(a*b)*N = a*(b*N)$$

であることを示します。

$$
\begin{aligned}
(a*b)*N &= \{x \in G \mid x = (a*b)*n \text{ である } n \in N \text{ が存在する }\} \\
&= \{x \in G \mid x = a*(b*n) \text{ である } n \in N \text{ が存在する }\} \\
&= \{x \in G \mid x = a*m \text{ である } m \in b*N \text{ が存在する }\} \\
&= a*(b*N)
\end{aligned}
$$

より、

$$(a * b) * N = a * (b * N) \qquad \cdots\cdots①$$

がいえます。同様にして $G$ の任意の元 $a, b$ について、

$$(a * N) * b = a * (N * b) \qquad \cdots\cdots②$$

および

$$(N * a) * b = N * (a * b) \qquad \cdots\cdots③$$

もいえます。

$G$ の元 $a, b, a', b'$ について、$a * N = a' * N$ と $b * N = b' * N$ を仮定すると、

$$\begin{aligned}
(a * b) * N &= a * (b * N) && \text{①より} \\
&= a * (b' * N) && \text{仮定より} \\
&= a * (N * b') && N \text{ は } G \text{ の正規部分群だから} \\
&= (a * N) * b' && \text{②より} \\
&= (a' * N) * b' && \text{仮定より} \\
&= (N * a') * b' && N \text{ は } G \text{ の正規部分群だから} \\
&= N * (a' * b') && \text{③より} \\
&= (a' * b') * N && N \text{ は } G \text{ の正規部分群だから}
\end{aligned}$$

となり、

$$(a * b) * N = (a' * b') * N$$

が成り立ちます。

**（証明終わり）**

**ちょっと一言**

well-defined は同値類や剰余類に限った概念ではなく、群論に限った概念でもありません。well-defined とは、「その書き方だと複数の可能性があり得るけれど、どれを選んだとしても結局は同じ意味になるから大丈夫である」と述べている言い回しなのです。

> なお、上の証明で $a*(b*N)$ という表記は $a*(b*N)=\{a*x \mid x \in b*N\}$ の意味で使っています。$a*(b'*N)$ や $a*(N*b')$ などについても同様です。

## 8.8 商群

**定理 8-2**（正規部分群による商集合は商群になる）
$(G,*)$ を群とし、$N$ を $G$ の正規部分群とします。商集合 $G/N$ 上の二項演算 $\circledast$ を、

$$(a*N)\circledast(b*N)=(a*b)*N$$

で定義すると $(G/N,\circledast)$ は群になります。この群 $G/N$ を、$G$ を $N$ で割った**商《しょう》群《ぐん》**または**剰《じょう》余《よ》群《ぐん》**といいます。

> **ちょっと一言**
> $(G/N,\circledast)$ が群になることは、群の公理 G1（結合律）、G2（単位元の存在）、そして G3（任意の元に対する逆元の存在）を確かめることで証明します（p. 75 参照）。

**証明**

① （結合律） $G/N$ の任意の元 $x*N, y*N, z*N$ に対して、

$$\begin{aligned}
&((x*N)\circledast(y*N))\circledast(z*N) & \\
&=((x*y)*N)\circledast(z*N) & \circledast \text{ の定義から}\\
&=((x*y)*z)*N & \circledast \text{ の定義から}\\
&=(x*(y*z))*N & (G,*) \text{ の結合律から}\\
&=(x*N)\circledast((y*z)*N) & \circledast \text{ の定義から}\\
&=(x*N)\circledast((y*N)\circledast(z*N)) & \circledast \text{ の定義から}
\end{aligned}$$

が成り立ちます。

② （単位元の存在） 群 $G$ の単位元を $e$ とします。$e$ の剰余類 $e*N$ は、$G/N$

の任意の元 $x*N$ に対して、

$$(e*N) \circledast (x*N) = (e*x)*N = x*N$$

および

$$(x*N) \circledast (e*N) = (x*e)*N = x*N$$

を満たします。

③（任意の元に対する逆元の存在）群 $G$ の単位元を $e$ とします。$G/N$ の任意の元 $x*N$ に対して、$x^{-1}$ の剰余類 $x^{-1}*N$ を考えると、

$$(x*N) \circledast (x^{-1}*N) = (x*x^{-1})*N = e*N$$

および

$$(x^{-1}*N) \circledast (x*N) = (x^{-1}*x)*N = e*N$$

が成り立ちます。

①, ②, ③より、$(G/N, \circledast)$ は群になります。

**（証明終わり）**

商群 $G/N$ の単位元は $e*N = N$ で、$x*N$ の逆元は $x^{-1}*N$ です。

**ちょっと一言**

結合律、単位元、逆元のいずれの証明も、剰余類 $x*N, y*N, z*N$ に対する性質を、$x, y, z$ に対する性質に帰着しています。逆の言い方をするなら、$N$ が $G$ の正規部分群であるときには、群としての構造を保ったまま、元 $x$ を剰余類 $x*N$ に「太らせる」ことができるのです。また、$N$ が $G$ の正規部分群であるときには、群としての構造を保ったまま、元 $x$ を見る「ミクロの視点」から、剰余類 $x*N$ を見る「マクロの視点」に切り換えることができるともいえます。

## 8.9　準同型の核

さてここで、正規部分群と商群の話題からちょっとだけ離れましょう。

準同型

$$f\colon G \longrightarrow G'$$

によって、$G$ の単位元 $e$ は $G'$ の単位元 $e'$ に移されます。すなわち、

$$f\colon e \longmapsto e'$$

であり、$f(e) = e'$ です。このことは、定理 5-1[*1]で示しました。

ところで、$e'$ に移されてくる $G$ の元は $e$ だけでしょうか。つまり、

$$f(x) = e'$$

を満たす $x \in G$ は、$x = e$ だけでしょうか。その答えは、準同型 $f$ に依存します。準同型 $f$ によって $G'$ の単位元 $e'$ に移ってくるのは、$G$ の単位元 $e$ だけとは限りません。

単位元は群にとって重要な元ですから、準同型によって単位元に移ってくる元たちもまた重要です。そこで準同型によって単位元に移される元全体の集合に注目します。この集合を準同型 $f$ の核《かく》と呼びます。

**定義**（核）

$f$ を $G$ から $G'$ への準同型とします。$G'$ の単位元を $e'$ としたとき、

$$f(x) = e'$$

を満たす $G$ の元 $x$ 全体の集合を $f$ の**核**《かく》といい、$\operatorname{Ker} f$ で表します。すなわち、

$$\operatorname{Ker} f = \left\{ x \in G \;\middle|\; f(x) = e' \right\}$$

です。

準同型 $f$ の核 $\operatorname{Ker} f$ をイメージ図として描くと次のようになります。

＊1　定理 5-1「準同型は単位元を単位元に移す」（p. 149）。

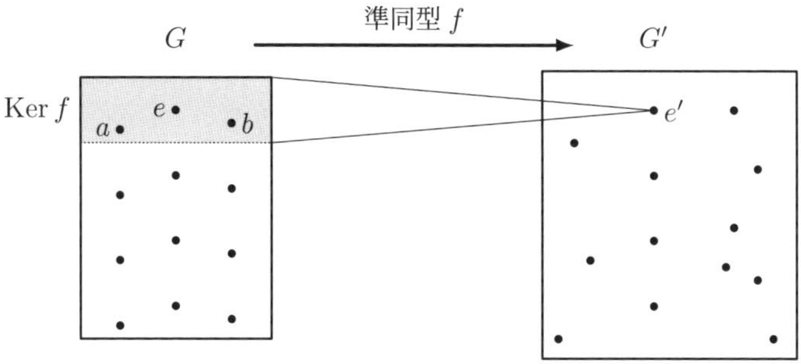


準同型 $f$ の核 Ker $f$

上のイメージ図では、Ker $f$ は $e, a, b$ という 3 個の元を持っています。つまり、

$$\operatorname{Ker} f = \{e, a, b\}$$

です。なお、

$$f(e) = f(a) = f(b) = e'$$

ですが、$a$ と $b$ は単位元ではありません。Ker $f$ の元が $f$ によって $G'$ の単位元 $e'$ に移ることを理解してください。

準同型 $f\colon G \longrightarrow G'$ の核 Ker $f$ は次のような性質を持ちます。

- Ker $f$ は $G$ の部分集合である。
- Ker $f$ は $G$ の部分群である。
- Ker $f$ は $G$ の正規部分群である。

Ker $f$ が $G$ の部分集合であることは、核の定義からすぐにわかります。Ker $f$ が $G$ の部分群であることや、$G$ の正規部分群であることは次節で改めて証明します。

**ちょっと一言**

Ker $f$ の "Ker" は核を意味する "Kernel" という英単語から来ています。

核は準同型 $f$ によって定まる概念であって、群 $G$ と $G'$ だけから定まる概念ではないことに注意してください。$f_1$ と $f_2$ がいずれも $G$ から $G'$ への準同型であったとしても、$\operatorname{Ker} f_1 = \operatorname{Ker} f_2$ とは限りません。$G$ のどの元を $G'$ の単位元に移すかは、$G$ と $G'$ だけでは決まらないからです。演習問題 8-3 (p. 263) も参照してください。

## 8.10 核は部分群になる

**定理 8-3**（核は部分群になる）
準同型 $f\colon G \longrightarrow G'$ の核 $\mathrm{Ker}\, f$ は、群 $G$ の部分群になります。

**ちょっと一言**
以下の証明では、部分群の定義 （p. 86）から直接的に、① $\mathrm{Ker}\, f$ が群演算で閉じており、② $\mathrm{Ker}\, f$ が単位元を持ち、③ $\mathrm{Ker}\, f$ が逆元を得る演算で閉じていることを示します。

**証明**

群 $(G, *)$ の単位元を $e$ とし、群 $(G', *')$ の単位元を $e'$ とします。また、$f$ を $G$ から $G'$ への準同型とします。

①（閉性） $\mathrm{Ker}\, f$ の任意の元 $x, y$ に対して、

$$
\begin{aligned}
f(x * y) &= f(x) *' f(y) && f \text{ は準同型だから} \\
&= e' *' e' && x, y \text{ は } \mathrm{Ker}\, f \text{ の元だから} \\
&= e' && e' \text{ は単位元だから}
\end{aligned}
$$

となり、

$$f(x * y) = e'$$

です。したがって、$x * y$ は $\mathrm{Ker}\, f$ の元であり、$\mathrm{Ker}\, f$ は群演算で閉じています。

②（単位元） 定理 5-1[*2]より、準同型 $f$ は $G$ の単位元 $e$ を $G'$ の単位元 $e'$ に移すので、

$$f(e) = e'$$

です。したがって、$G$ の単位元 $e$ は $\mathrm{Ker}\, f$ の元です。

③（逆元） 定理 5-2[*3]より、準同型 $f$ は $x \in G$ の逆元を $f(x)$ の逆元に移し

＊2　定理 5-1「準同型は単位元を単位元に移す」（p. 149）
＊3　定理 5-2「準同型は逆元を逆元に移す」（p. 152）

ます。したがって、$x \in \mathrm{Ker}\, f$ とすると、

$$
\begin{aligned}
f(x^{-1}) &= (f(x))^{-1} && \text{定理 5-2 より} \\
&= (e')^{-1} && x \text{ は } \mathrm{Ker}\, f \text{ の元だから} \\
&= e' && \text{単位元の逆元は単位元自身だから}
\end{aligned}
$$

となり、

$$f(x^{-1}) = e'$$

です。したがって、$\mathrm{Ker}\, f$ の任意の元 $x$ の逆元は $\mathrm{Ker}\, f$ の元です。

①, ②, ③より、準同型 $f\colon G \longrightarrow G'$ の核 $\mathrm{Ker}\, f$ は $G$ の部分群です。

**（証明終わり）**

## 8.11　核は正規部分群になる

**定理 8-4**（核は正規部分群になる）
準同型 $f\colon G \longrightarrow G'$ の核 $\mathrm{Ker}\, f$ は $G$ の正規部分群です。

**ちょっと一言**

どのように考えを進めるかをお話ししましょう。$N = \mathrm{Ker}\, f$ とします。

- $N$ が $G$ の正規部分群であるとは、$G$ の任意の元 $g$ に対して $g * N = N * g$ が成り立つことです（正規部分群の定義）。
- $g * N = N * g$ とは、① $g * N \subset N * g$ と② $g * N \supset N * g$ が成り立つことです（集合の相等関係の定義を部分集合で表した）。
- ① $g * N \subset N * g$ とは、$g * N$ の任意の元 $x$ が $N * g$ に属していることです（部分集合の定義）。
- $g * N$ の元 $x$ には、$x = g * n$ を満たす $n \in N$ が存在します（$g * N$ の定義）。
- $g * n \in N * g$ とは、$g * n = m * g$ を満たす $m \in N$ が存在することです（$N * g$ の定義）。
- そこで、定理 8-4 を証明するために任意の $g \in G$ と任意の $n \in N$ に対して、次式を満たす $m \in N$ が存在することを示しましょう。

$$g * n = m * g$$

- ところで、$g*n=m*g$ から $m=g*n*g^{-1}$ がいえるので、$m \in N=\operatorname{Ker} f$ を示すために、$m=g*n*g^{-1}=x*g^{-1}$ が準同型 $f$ によって群 $G'$ の単位元に移ることを確かめます（核の定義）。
- ②は①と同様に示すことができます。

以上のように、考えを進めていくためには定義がとても重要であることがわかります。**《定義にかえれ》**と言われる通りです。

**証明**

$G$ の群演算を $*$ とし、$N=\operatorname{Ker} f$ とします。また、群 $G'$ の群演算を $*'$ とし、単位元を $e'$ とします。

①群 $G$ の任意の元 $g$ に対して $g*N \subset N*g$ を示します。

$g \in G$ で $x \in g*N$ としたとき、

$$x=g*n$$

を満たす $n \in N$ が存在します。ここで、$G$ の元 $x*g^{-1}$ は準同型 $f$ によって群 $G'$ の単位元 $e'$ に移ります。これは次の計算で示されます。

$$\begin{aligned}
f(x*g^{-1}) &= f(g*n*g^{-1}) && x=g*n \text{ だから} \\
&= f(g)*'f(n)*'f(g^{-1}) && f \text{ は準同型だから} \\
&= f(g)*'e'*'f(g^{-1}) && n \in N=\operatorname{Ker} f \text{ だから} \\
&= f(g)*'f(g^{-1}) && e' \text{ は } G' \text{ の単位元だから} \\
&= f(g)*'(f(g))^{-1} && \text{準同型は逆元を逆元に移すから}^{*4} \\
&= e'
\end{aligned}$$

ですから、$x*g^{-1}$ は $f$ の核 $N$ の元です。$m=x*g^{-1}$ と置くと $x$ は、

$$x=m*g$$

となり、$m=x*g^{-1} \in N$ なので、

$$x \in N*g$$

です。

＊4　定理 5-2「準同型は逆元を逆元に移す」(p. 152)

よって、$g * N$ の任意の元 $x$ は $N * g$ に属していることになり、

$$g * N \subset N * g$$

です。

②群 $G$ の任意の元 $g$ に対して $g * N \supset N * g$ が成り立つことは、①と同様の議論で示すことができます。

したがって①と②より、

$$g * N = N * g$$

となり、$N = \mathrm{Ker}\, f$ は $G$ の正規部分群です。

**(証明終わり)**

## 8.12　準同型定理

ちょっと一言

いよいよ準同型定理です。ここで、8.4 節「群と準同型と剰余類」(p. 233) をもう一度読み返すと、全体像がわかりやすくなります。

**定理 8-5** (準同型定理)

$f$ を群 $G$ から群 $G'$ への準同型とすると、

$$G/\mathrm{Ker}\, f \cong f(G)$$

が成り立ちます。

**証明**

$(G, *)$ と $(G', *')$ を群、$G$ と $G'$ の単位元をそれぞれ $e, e'$ とします。

定理 8-4[*5]により、準同型 $f\colon G \longrightarrow G'$ の核 $\mathrm{Ker}\, f$ は群 $G$ の正規部分群です。したがって、定理 8-2[*6]により、商集合 $G/\mathrm{Ker}\, f$ は商群になります。商群 $G/\mathrm{Ker}\, f$ の群演算を ⊛ とします。すなわち、$N = \mathrm{Ker}\, f$ とすると $G$ の元 $a, b$

＊5　定理 8-4「核は正規部分群になる」(p. 249)
＊6　定理 8-2「正規部分群による商集合は商群になる」(p. 244)

に対して

$$(a * N) \circledast (b * N) = (a * b) * N$$

とします。

また、$G$ は $G$ 自身の部分群ですから、定理 5-3[*7]により、準同型 $f$ による $G$ の像 $f(G)$ は $G'$ の部分群です。

以下では、群 $G/\mathrm{Ker}\, f$ から群 $f(G)$ への同型写像 $\overline{f}$ を構成します。

① （$\overline{f}$ の構成） $N = \mathrm{Ker}\, f$ として、写像

$$\overline{f}\colon G/N \longrightarrow f(G)$$

を、

$$\overline{f}\colon x * N \longmapsto f(x)$$

と定義します。ここで、写像 $\overline{f}$ は代表元 $x$ の取り方によらず定まることを示します。$x_1 * N = x_2 * N$ のとき、$x_1 * n_1 = x_2 * n_2$ を満たす $N$ の元 $n_1$ と $n_2$ が存在します。このとき、

$$\begin{aligned}
x_1 * n_1 &= x_2 * n_2 \\
f(x_1 * n_1) &= f(x_2 * n_2) && f\ \text{で移した} \\
f(x_1) *' f(n_1) &= f(x_2) *' f(n_2) && f\ \text{は準同型だから} \\
f(x_1) *' e' &= f(x_2) *' e' && n_1\ \text{と}\ n_2\ \text{は}\ N = \mathrm{Ker}\, f\ \text{の元だから} \\
f(x_1) &= f(x_2) && e'\ \text{は単位元だから}
\end{aligned}$$

なので、写像 $\overline{f}$ は代表元 $x$ の取り方によらず定まります[*8]。

② （$\overline{f}$ は準同型） 商群 $G/N$ の群演算を $\circledast$ とします。$x_1 * N$ と $x_2 * N$ を商群 $G/N$ の元とすると、

$$\begin{aligned}
\overline{f}((x_1 * N) \circledast (x_2 * N)) &= \overline{f}((x_1 * x_2) * N) && \circledast\ \text{の定義から} \\
&= f(x_1 * x_2) && \overline{f}\ \text{の定義から} \\
&= f(x_1) *' f(x_2) && f\ \text{は準同型だから}
\end{aligned}$$

＊7　定理 5-3「準同型は部分群を部分群に移す」（p. 153）
＊8　写像 $\overline{f}$ が well-defined だと示されたことになります。

$$= \overline{f}(x_1 * N) *' \overline{f}(x_2 * N) \qquad \overline{f} \text{ の定義から}$$

となり、$\overline{f}$ は $G/N$ から $f(G)$ への準同型です。

③（$\overline{f}$ は全射）$x' \in f(G)$ とすると、$f(x) = x'$ を満たす $x \in G$ が存在します。このとき、$\overline{f}(x * N) = f(x) = x'$ なので、$\overline{f}$ は $x * N$ を $x'$ に移します。よって、$\overline{f}$ は全射です。

④（$\overline{f}$ は単射）$x_1 * N$ と $x_2 * N$ を $G/N$ の元として、$\overline{f}(x_1 * N) = \overline{f}(x_2 * N)$ と仮定すると、$f(x_1) = f(x_2)$ です。すると、

$$(f(x_2))^{-1} *' f(x_1) = (f(x_2))^{-1} *' f(x_2) \quad \text{両辺に左から } f(x_2) \text{ の逆元を掛けた}$$

$$(f(x_2))^{-1} *' f(x_1) = e' \quad \text{右辺を計算した}$$

$$f({x_2}^{-1}) *' f(x_1) = e' \quad \text{準同型は逆元を逆元に移すから}$$

$$f({x_2}^{-1} * x_1) = e' \quad f \text{ は準同型だから}$$

となり、

$${x_2}^{-1} * x_1 \in N = \operatorname{Ker} f$$

となって、${x_2}^{-1} * x_1 = n$ を満たす $n \in N$ が存在します。すると、

$$x_1 = x_2 * n \in x_2 * N$$

となりますので、$x_1 * N = x_2 * N$ です。$\overline{f}(x_1 * N) = \overline{f}(x_2 * N)$ を仮定して $x_1 * N = x_2 * N$ がいえたので、$\overline{f}$ は単射です。

②, ③, ④より、$\overline{f}$ は $G/N$ から $f(G)$ への同型写像となるので、$G/N \cong f(G)$ となり、

$$G/\operatorname{Ker} f \cong f(G)$$

が示されました。

**（証明終わり）**

> **ちょっと一言**
>
> 準同型定理はさまざまなバリエーションがあり、上に述べたものはそのうちの一つです。また、

$$G/\mathrm{Ker}\, f \cong f(G)$$

という式自体も、さまざまな書き方があります。そのうちいくつかを次に示します。

| | |
|---|---|
| $G/\mathrm{Ker}\, f \cong f(G)$ | 上で述べたもの |
| $G/\mathrm{Ker}\, f \cong \mathrm{Image}\, f$ | $f(G)$ を $\mathrm{Image}\, f$ と表記した |
| $G/N \cong f(G)$ | $\mathrm{Ker}\, f$ を $N$ と表記した |
| $G/K \cong \mathrm{Image}\, f$ | $f(G)$ を $\mathrm{Image}\, f$ と表記し、$K = \mathrm{Ker}\, f$ とした |

**例 8-6** ($G/E \cong G$)

$(G, *)$ を群、$G$ の単位元を $e$ とします。すると $E = \{e\}$ は $G$ の部分群になります。$G$ 上の恒等写像 $\mathrm{id}_G$ を $f$ と置くと、$f$ の核は $\mathrm{Ker}\, f = E$ で、$f$ の像は $f(G) = G$ です。恒等写像は準同型なので準同型定理により、

$$G/\mathrm{Ker}\, f \cong f(G)$$

すなわち

$$G/E \cong G$$

が成り立ちます。このときの同型写像 $\overline{f}\colon G/E \longrightarrow G$ は、

$$\overline{f}\colon x * E \longmapsto x$$

すなわち

$$\overline{f}\colon \{x\} \longmapsto x$$

です。

**ちょっと一言**

例 8-6 の商群 $G/E$ がどういうものか確認しておきます。商群 $G/E$ の台集合は、

$$\begin{aligned} G/E &= \{x \mid g \in G,\, x = g * E\} \\ &= \{x \mid g \in G,\, x = g * \{e\}\} \\ &= \{x \mid g \in G,\, x = \{g\}\} \\ &= \{\{g\} \mid g \in G\} \end{aligned}$$

となります。つまり、$G/E$ は、$G$ の元 $g$ からなる一点集合 $\{g\}$ をすべて集めた

集合になります。商群 $G/E$ の単位元は $E=\{e\}$ です。商群 $G/E$ の群演算を $\circledast$ とすると、$x \in G,\, y \in G$ として、

$$(x * E) \circledast (y * E) = (x * y) * E$$

になります。すなわち、

$$\{x\} \circledast \{y\} = \{x * y\}$$

ということです。

**例 8-7** $(G/G \cong E)$

$(G, *)$ を群、$G$ の単位元を $e$ とします。すると $E=\{e\}$ は $G$ の部分群になります。写像 $f\colon G \longrightarrow G$ を、定値写像

$$f\colon x \longmapsto e$$

で定義すると、$x \in G, y \in G$ に対して $f(x*y) = e = e*e = f(x)*f(y)$ が成り立つので、$f$ は準同型になります。$f$ の核は $\operatorname{Ker} f = G$ で、$f$ の像は $f(G)=E$ です。したがって準同型定理により、

$$G/\operatorname{Ker} f \cong f(G)$$

すなわち

$$G/G \cong E$$

が成り立ちます。このときの同型写像 $\overline{f}\colon G/G \longrightarrow E$ は、

$$\overline{f}\colon x \longmapsto e$$

すなわち

$$\overline{f}\colon G \longmapsto e$$

です。

**ちょっと一言**

例 8-7 の商群 $G/G$ がどういうものか確認しておきます。商群 $G/G$ の台集合は、

$$\begin{aligned} G/G &= \{x \mid g \in G,\, x = g * G\} \\ &= \{x \mid x = G\} \end{aligned}$$

$$= \{G\}$$

となります。つまり、$G/G$ は、$G$ のみを元に持つ一点集合 $G/G = \{G\}$ になります。商群 $G/G$ の単位元は $G$ です。商群 $G/G$ の群演算を $\circledast$ とすると、$x \in G, y \in G$ として、

$$(x * G) \circledast (y * G) = (x * y) * G$$

になります。すなわち、

$$G \circledast G = G$$

ということです。

**例 8-8** ($\mathbb{Z}/n\mathbb{Z} \cong Z_n$)

群 $(\mathbb{Z}, +)$ から群 $(Z_4, +_4)$ への準同型 $f$ を、

$$f\colon x \longmapsto x \bmod 4$$

で定義すると、

$$\mathrm{Ker}\, f = \{x \in \mathbb{Z} \mid x \bmod 4 = 0\} = 4\mathbb{Z}$$

となります。すなわち、$\mathrm{Ker}\, f$ は 4 の倍数全体の集合 $4\mathbb{Z}$ であり、

$$\mathbb{Z}/\mathrm{Ker}\, f = \mathbb{Z}/4\mathbb{Z} = \{0 + 4\mathbb{Z}, 1 + 4\mathbb{Z}, 2 + 4\mathbb{Z}, 3 + 4\mathbb{Z}\}$$

です。ここで、

$$0 + 4\mathbb{Z} = \{\ldots, -8, -4, 0, 4, 8, \ldots\}$$

$$1 + 4\mathbb{Z} = \{\ldots, -7, -3, 1, 5, 9, \ldots\}$$

$$2 + 4\mathbb{Z} = \{\ldots, -6, -2, 2, 6, 10, \ldots\}$$

$$3 + 4\mathbb{Z} = \{\ldots, -5, -1, 3, 7, 11, \ldots\}$$

です。準同型定理より

$$\mathbb{Z}/4\mathbb{Z} \cong Z_4$$

となります。このときの同型写像

$$\overline{f}\colon \mathbb{Z}/4\mathbb{Z} \longrightarrow Z_4$$

は、

$$\overline{f}\colon 0 + 4\mathbb{Z} \longmapsto 0$$

$$\overline{f}\colon 1 + 4\mathbb{Z} \longmapsto 1$$

$$\overline{f}\colon 2 + 4\mathbb{Z} \longmapsto 2$$

$$\overline{f}\colon 3 + 4\mathbb{Z} \longmapsto 3$$

です。

**例 8-9** ($\mathbb{Z}/n\mathbb{Z} \cong C_n$)

$g$ を巡回群 $C_4$ の生成元とします。群 $(\mathbb{Z}, +)$ から $C_4$ への写像 $f$ を、

$$f\colon m \longmapsto g^m$$

で定義すると、$f$ は $\mathbb{Z}$ から $C_4$ への全射準同型となります。また $f$ の核は、

$$\operatorname{Ker} f = \left\{ n \in \mathbb{Z} \;\middle|\; g^n = g^0 \right\} = 4\mathbb{Z}$$

になります（$g^0$ は $C_4$ の単位元)。このとき準同型定理から、

$$\mathbb{Z}/4\mathbb{Z} \cong C_4$$

です。

**例 8-10** (複素数の絶対値)

複素数全体の集合 $\mathbb{C}$ から 0 を除いた集合を $\mathbb{C}^\times$ とすると、$(\mathbb{C}^\times, \times)$ は群になります（単位元は 1 で、$z \in \mathbb{C}^\times$ の逆元は $1/z$)。

また、正の実数全体の集合を $\mathbb{R}^+$ とすると、$(\mathbb{R}^+, \times)$ は群になります（単位元は 1 で、$r \in \mathbb{R}^+$ の逆元は $1/r$)。

複素数 $z = a + bi$ （$a, b$ は実数）から複素数の絶対値 $|z| = \sqrt{a^2 + b^2}$ を得る写像を $f$ とすると、$f$ は $(\mathbb{C}^\times, \times)$ から $(\mathbb{R}^+, \times)$ への全射準同型になります。

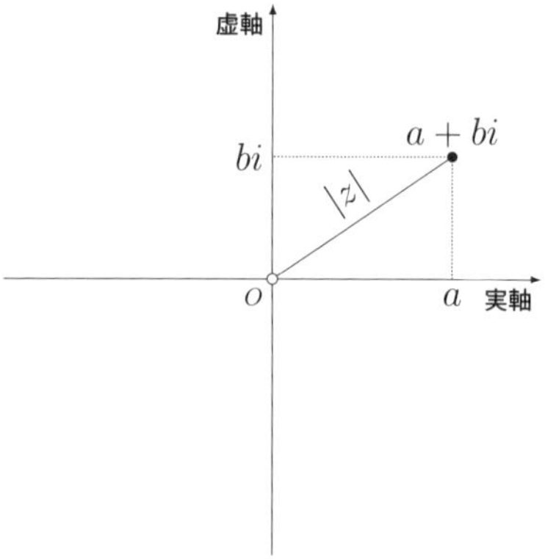


準同型 $f$ の核 $\operatorname{Ker} f$ は、

$$\operatorname{Ker} f = \left\{ z \in \mathbb{C}^{\times} \,\middle|\, f(z) = 1 \right\} = \left\{ z \in \mathbb{C}^{\times} \,\middle|\, |z| = 1 \right\}$$

であり、$\operatorname{Ker} f$ を複素平面上に描くなら、原点を中心にした半径 1 の円（単位円）となります。準同型定理から、

$$\mathbb{C}^{\times}/\operatorname{Ker} f \cong \mathbb{R}^{+}$$

です。

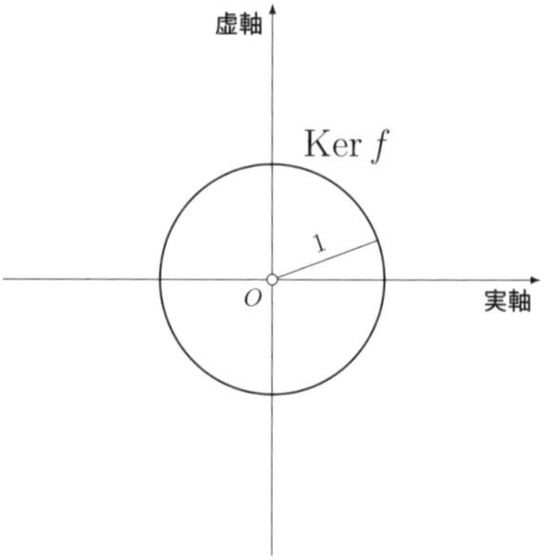


またこのとき、商群 $\mathbb{C}^{\times}/\operatorname{Ker} f$ の各元は、複素平面上で原点中心の同心円です。

> **ちょっと一言**
>
> 商群 $\mathbb{C}^{\times}/\mathrm{Ker}\, f$ の各元が複素平面上で原点中心の同心円となるという部分を補足します。$C$ を $\mathbb{C}^{\times}/\mathrm{Ker}\, f$ の元とします。すると $C$ は、$\mathbb{C}^{\times}$ の元のうち、準同型 $f$ によって $\mathbb{R}^{+}$ のある一つの元に移されるもの全体の集合です。つまり、$C$ に対して、$\mathbb{R}^{+}$ の元 $r$ が存在し、
>
> $$C = \left\{ z \in \mathbb{C}^{\times} \;\middle|\; f(z) = r \right\}$$
>
> となります。これはすなわち、$C$ に属している元を複素平面上の点で表すと、$C$ は原点中心で半径が $r$ の円になるということです。

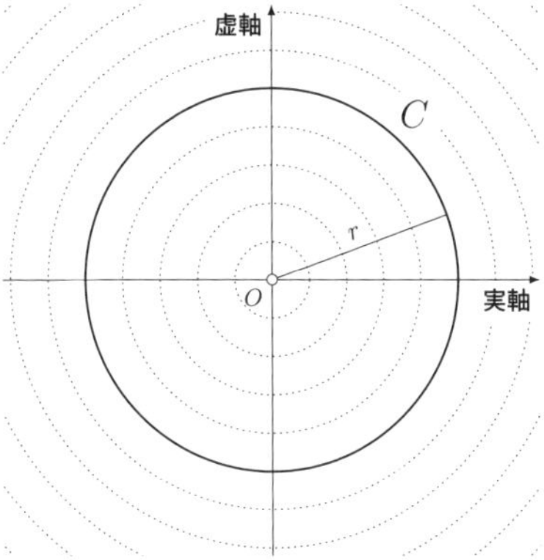


> **ちょっと一言**
>
> 例 8-10 は《複素数の積の絶対値は、複素数の絶対値の積》ということ、すなわち、二つの複素数 $z_1, z_2$ に対して
>
> $$|z_1 \times z_2| = |z_1| \times |z_2|$$
>
> が成り立つことを群の準同型という観点で考察したといえます。

> 💬 ところで、$z$ が 0 以外の複素数のとき、$0 \leqq \theta < 2\pi$ の実数 $\theta$《シータ》 を使って
>
> $$z = |z|(\cos\theta + i \sin\theta)$$
>
> と一意に表すことができます。この $\theta$ を複素数 $z$ の**偏角**《へんかく》といいます。偏角に関して《複素数の積の偏角は、複素数の偏角の和》が成り立ちます。すなわち、複素数 $z$ の偏角を $\arg(z)$ で表すと、

$$\arg(z_1 \times z_2) = (\arg(z_1) + \arg(z_2)) \bmod 2\pi$$

が成り立つのです。これもまた、群の準同型という観点から考察することができます。本書には解答を書きませんので、ぜひ**あなたの研究問題**として考えてみてください。

上で使った $x \bmod 2\pi$ を簡単に解説します。$x$ が実数のとき、ある整数 $n$ が存在して、

$$x = 2n\pi + r \qquad (0 \leqq r < 2\pi)$$

が成り立ちます。またこのとき、$n$ と $r$ は $x$ に対して一意に定まります。このときの $r$ を $x \bmod 2\pi$ と書きました。これは、

$$\arg(z_1 \times z_2) = (\arg(z_1) + \arg(z_2)) \bmod 2\pi$$

の右辺を $\arg(z_1)+\arg(z_2)$ としてしまうと、0 以上 $2\pi$ 未満の範囲から「飛び出す」ことがあるので、$(\arg(z_1)+\arg(z_2)) \bmod 2\pi$ として飛び出さないようにしているということです。たとえば、$\arg(z_1) = \arg(z_2) = \pi$ のとき、$\arg(z_1)+\arg(z_2) = 2\pi$ となって飛び出しますが、$(\arg(z_1) + \arg(z_2)) \bmod 2\pi = 0$ なら飛び出しません。

## 8.13 準同型定理についての対話

「商集合を商群にしたいということと、そのためには正規部分群で割らなくてはいけないということはわかりましたが、どうして正規部分群が $g * N = N * g$ として定義されているのかはわかりませんでした」

「商群にするためには剰余類同士の積 $\circledast$ を定義する必要があります。つまり、$(a * N) \circledast (b * N) = (a * b) * N$ です。この $\circledast$ が well-defined になるためには、$g * N = N * g$ が必要になります。これは定理 8-1 の証明（p. 242）の途中で出てきます」

「なるほど。もう一度見てみます。ところで剰余類同士の積 $\circledast$ をそれ以外で定義してはいけないんでしょうか」

「もちろん、商集合を単なる群にするだけなら他にも群演算の定義はできるでしょう。でも商群の群演算 $\circledast$ は、もとの群の群演算 $*$ と整合性を持ったものとして定義したいのです」

「整合性を持ったもの？」

「また well-defined の話になりますが、剰余類 $a * N$ から好きな元 $x$ を取り、剰余類 $b * N$ から好きな元 $y$ を取り、$x * y$ を求めると、剰余類 $(a * b) * N$ の元に

なっているということです」

「少しイメージがつかめてきました。元同士の演算 $*$ をそのまま剰余類同士の演算 $\circledast$ に広げたのですね」

「そんなふうにもいえますね。ミクロな視点からマクロな視点への移行のために、一つの剰余類に属している元はどれを選んでも同じとして扱いたいのです」

「なるほど」

「ところで、核の定義や、核が正規部分群になる話はわかりましたか」

「はい、大丈夫です。核が正規部分群になるという証明も何とか理解できます。でも、自分で証明ができる気はしません。準同型の性質を使うところがなかなか思いつけないです」

「なるほど、そうかもしれません。準同型定理はどうでしょうか」

「図 8-3 を見ながら読んでいたので、わかったような気にはなりましたが、何だか当たり前のことを証明しているようにも感じました」

「図は理解の助けになりますが、それだけでは何をやっているかわかりにくいかもしれません。準同型 $f$ から同型写像 $\overline{f}$ を構成するところや、$\mathrm{Ker}\, f$ の役割をじっくり考えてみてください」

「$\mathrm{Ker}\, f$ の役割といいますと？」

「$\mathrm{Ker}\, f$ は $f(g) = e'$ となる $g \in G$ 全体の集合です。これは $e'$ という単位元しか見ていないといえます。にもかかわらず、$G/\mathrm{Ker}\, f$ は $f(G)$ に同型となります。$G/\mathrm{Ker}\, f$ の群としての振る舞いを調べるだけで、$f(G)$ の群としての振る舞いがすべてわかるということです。それはなかなか興味深いことです」

「物事の一部分しか見ていないのに、全体がわかってしまうということでしょうか」

「大ざっぱにいえばそういうことです。これは群が構造を持っており、準同型がその構造を保っているからともいえます。そして準同型で単位元に移る核は、商群の中で単位元の役目を果たすのもおもしろいと感じます」

「ここまで群を学んできて、群が構造を持つことや、群が構造を表すというイメージが少しだけわかってきたように思います」

「それはすばらしい！」

## 8.14 この章で学んだこと

この章では、

- 正規部分群
- well-defined
- 商群
- 核
- 正規部分群による商集合は商群になる
- 核は正規部分群になる
- 準同型定理

について学びました。

この章の初めにお話しした通り、準同型定理は、群論で最初に学ぶ「大きな定理」であると同時に、これまで本書で学んできたことの総まとめです。いかがでしたでしょうか。

これで私たちは、集合、写像からスタートして準同型定理までたどり着くことができました。これは非常に大きな「群論への第一歩」です。ここまでお読みくださり、ありがとうございます！

次の章では、群が集合に「作用」する様子を学びます。

もう一歩先に進む前に、演習問題に取り組みましょう。

## 演習問題

**問題 8-1**（正規部分群）
任意の群には正規部分群が存在するといえますか。

**問題 8-2**（準同型が単射になる条件）
準同型 $f$ が単射であることは、$|\mathrm{Ker}\, f| = 1$ であることの必要十分条件です。これを証明してください。

**問題 8-3**（核が等しい二つの準同型）
$f$ と $g$ はどちらも群 $G$ から群 $G'$ への準同型で、

$$\mathrm{Ker}\, f = \mathrm{Ker}\, g$$

とします。このとき $f = g$ といえますか。いえるならそれを証明し、いえないなら反例を示してください。

**問題 8-4**（証明の修正）
次の命題は正しいですが、証明は誤っています。正しく修正してください。

**命題**

$(G, *)$ を群として、$N$ を $G$ の正規部分群とします。$G$ の元 $a, b, a', b'$ が $a' * N = a * N$ かつ $b' * N = b * N$ を満たすなら、

$$(a' * b') * N = (a * b) * N$$

です。

**証明**

$a' * N = a * N$ から、$a' = a * n_1$ となる $n_1 \in N$ が存在します。また、$b' * N = b * N$ から、$b' = b * n_2$ となる $n_2 \in N$ が存在します。したがって、

$$a' * b' = (a * n_1) * (b * n_2) \qquad a' = a * n_1, b' = b * n_2 \text{ より}$$

$$= a * (n_1 * b) * n_2 \qquad \text{結合律より}$$

$$= a * (b * n_1) * n_2 \qquad N * b = b * N \text{ だから}$$

$$= (a * b) * (n_1 * n_2) \qquad \text{結合律より}$$

となり、$n_1 * n_2$ は $N$ の元なので、

$$a' * b' \in (a * b) * N$$

です。よって、

$$(a' * b') * N = (a * b) * N$$

が成り立ちます。

**(証明終わり)**

**問題 8-5** (写像 $q\colon x \longmapsto x$)
準同型 $f\colon G \longrightarrow G'$ に対して、写像 $q\colon f(G) \longrightarrow G'$ を

$$q\colon x \longmapsto x$$

で定義すると、$q$ は単射準同型になることを証明してください。

## 演習問題の解答

**解答 8-1**（正規部分群）

任意の群には正規部分群が存在するといえます。例 8-1（p. 236）と例 8-2（p. 236）で見た通り、$G$ を群としたとき、$G$ の単位元 $e$ のみからなる部分群 $E = \{e\}$ は $G$ の正規部分群であり、$G$ 自身もまた $G$ の正規部分群だからです。

**解答 8-2**（準同型が単射になる条件）

証明

$(G, *)$ と $(G', *')$ を群とし、$G$ と $G'$ の単位元をそれぞれ $e, e'$ とします。

①（準同型 $f\colon G \longrightarrow G'$ が単射ならば $|\mathrm{Ker}\, f| = 1$ であることの証明）

準同型 $f$ が単射ならば、$f(x) = e'$ を満たすのは $x = e$ のみなので、

$$|\mathrm{Ker}\, f| = |\{e\}| = 1$$

です。

②（$|\mathrm{Ker}\, f| = 1$ ならば準同型 $f\colon G \longrightarrow G'$ が単射であることの証明）

$G$ の元 $a, b$ が $f(a) = f(b)$ を満たすとします。このとき、

$$(f(b))^{-1} *' f(a) = e' \qquad \text{両辺に左から } f(b) \text{ の逆元を掛けた}$$

$$f(b^{-1}) *' f(a) = e' \qquad f \text{ は準同型なので } (f(b))^{-1} = f(b^{-1})$$

$$f(b^{-1} * a) = e' \qquad f \text{ は準同型なので}$$

となり、

$$b^{-1} * a \in \mathrm{Ker}\, f$$

です。ところで、$f$ は準同型なので定理 5-1[*9] により $e \in \mathrm{Ker}\, f$ であり、$|\mathrm{Ker}\, f| = 1$ から $\mathrm{Ker}\, f = \{e\}$ がいえます。よって、$b^{-1} * a \in \mathrm{Ker}\, f = \{e\}$ から、

$$b^{-1} * a = e$$

となり、左から $b$ を掛けて

$$a = b$$

＊9　定理 5-1「準同型は単位元を単位元に移す」（p. 149）

です。

したがって、$f(a)=f(b)$ のとき $a=b$ となり、$f$ は単射です。

①と②より、準同型 $f$ が単射であることは、$|\mathrm{Ker}\,f|=1$ であることの必要十分条件です。

**(証明終わり)**

**ちょっと一言**

「準同型 $f$ の核 $\mathrm{Ker}\,f$ が一つしか元を持たない（核が一点集合である）」というのは、「$f$ によって $e'$ に移ってくる $G$ の元は $e$ だけである」という局所的な情報です。それにも関わらず「準同型 $f$ は単射である」という大局的な情報が得られてしまうというのはたいへんおもしろいことだと思います。これもまた、準同型が群の構造を保つことの反映です。

**解答 8-3**（核が等しい二つの準同型）

$\mathrm{Ker}\,f=\mathrm{Ker}\,g$ であっても $f=g$ とはいえません。反例を示します。$G$ と $G'$ をどちらも群 $(\mathbb{Z},+)$ として、写像 $f$ と $g$ を $f(x)=x$ および $g(x)=-x$ として定義します。このとき、$f$ と $g$ はいずれも $G$ から $G'$ への準同型で、

$$\mathrm{Ker}\,f=\mathrm{Ker}\,g=\{0\}$$

ですが、$f\neq g$ です。

**ちょっと一言**

$f$ が準同型であることは、

$$f(x+y)=x+y=f(x)+f(y)$$

からわかります。また $g$ が準同型であることは、

$$g(x+y)=-(x+y)=(-x)+(-y)=g(x)+g(y)$$

からわかります。

**解答 8-4**（証明の修正）

$N*b=b*N$ だから $n_1*b=b*n_1$ としているところが誤りです。

$N*b=b*N$ はあくまで集合として等しいということであって、個々の元であ

る $n_1 \in N$ に対して

$$n_1 * b = b * n_1$$

が成り立つわけではありません。しかし、$N * b = b * N$ が成り立つことから、$n_1 \in N$ に対して

$$n_1 * b = b * n$$

という $n \in N$ が存在することはわかります。次のように修正すれば正しい証明になります。

**証明**

$a' * N = a * N$ から、$a' = a * n_1$ となる $n_1 \in N$ が存在します。また、$b' * N = b * N$ から、$b' = b * n_2$ となる $n_2 \in N$ が存在します。したがって、

$$\begin{aligned} a' * b' &= (a * n_1) * (b * n_2) && a' = a * n_1, b' = b * n_2 \text{ より} \\ &= a * (n_1 * b) * n_2 && \text{結合律より} \end{aligned}$$

ここで $N * b = b * N$ から、$n_1 * b = b * n$ となる $n \in N$ が存在します。よって、

$$\begin{aligned} a' * b' &= a * (b * n) * n_2 \\ &= (a * b) * (n * n_2) && \text{結合律より} \end{aligned}$$

となり、$n * n_2$ は $N$ の元なので、

$$a' * b' \in (a * b) * N$$

です。よって、

$$(a' * b') * N = (a * b) * N$$

が成り立ちます。

**（証明終わり）**

**ちょっと一言**

上で述べた $n$ は、

$$n = b^{-1} * n_1 * b$$

として具体的に得られます。

## 解答 8-5（写像 $q\colon x \longmapsto x$）

**ちょっと一言**

写像 $q\colon f(G) \longrightarrow G'$ が単射準同型であることを証明するので、① $f(G)$ が群であること、② $q$ が単射であること、そして③ $q$ が準同型であることを示します。

**証明**

①（$f(G)$ は群） $G$ は $G$ 自身の部分群ですから、定理 5-3[*10]により、準同型 $f$ による $G$ の像 $f(G)$ は $G'$ の部分群となります。したがって、$f(G)$ は群です。

②（$q$ は単射） $x, y \in f(G)$ で $x \neq y$ のとき、$q(x) = x \neq y = q(y)$ なので $q$ は単射です。

③（$q$ は準同型） $f(G)$ と $G'$ の群演算を $*'$ とします。$x, y \in f(G)$ のとき、$q(x *' y) = x *' y = q(x) *' q(y)$ なので $q$ は準同型です。

①, ②, ③より、$q$ は単射準同型です。

**（証明終わり）**

**ちょっと一言**

この証明により、「五つの問い（p. 234）」の⑤に対する答えは「はい」になります。

一般に、集合 $X$ が集合 $Y$ の部分集合であるとき、$f\colon X \longrightarrow Y$ で $f\colon x \longmapsto x$ である写像 $f$ を、**包含写像**《ほうがんしゃぞう》といいます。問題 5-3 の写像 $q$ は包含写像です。

＊10 定理 5-3「準同型は部分群を部分群に移す」（p. 153）

# 第 9 章 作用

## 9.1 この章で学ぶこと

本書もいよいよ最終章です。この章では、群の作用《さよう》について学びましょう。

群は集合に作用します。

ここでいう作用は、日常用語ではなく数学用語です。「群が集合に作用する」とは、大ざっぱにいえば「群の元が集合の元を置換する」と見なすことです。

第 6 章「対称群」で学んだように、置換群の元は集合 $X_n = \{1, 2, 3, \ldots, n\}$ の元を並べ替えます。この様子を、置換群が集合に「作用」していると考えることにします。すると置換群は、集合への「作用」を通じて、構造や対称性を表すことができます。

私たちはこれから、置換群を群 $G$ に一般化し、集合 $X_n$ を集合 $X$ に一般化し、さらには上でふんわり述べた「作用」を数学的にきちんと定式化していきましょう。

作用を学べば、調べたい対象の集合に作用する群を考えることで、対象が持つ構造や対称性を群の言葉で表せるようになります。

ところで、私たちは第 5 章「準同型」で、準同型が群の構造を保つ写像であることを学びました。そこで私たちは作用を考えるために、群から対称群への準同型に注目することになります。

作用を理解するポイントを一文にまとめると——

> 群 $G$ から集合 $X$ 上の対称群 $S_X$ への準同型を定めると、
> 群 $G$ から集合 $X$ への作用が定まる。

——になります。といっても、まだ定義していない概念が含まれていますので、いますぐには理解できないかもしれません。しかし、この章を読み終えてから再びこの一文を読めば「なるほど、確かに」となるはずです。

この章では、

- 群の置換表現
- 作用の定義

- 作用の例
- ケイリーの定理
- 対称性

という順番で作用について学んでいきます。

作用は、群を使って構造や対称性を表現する大切な概念ですので、じっくり進みましょう。

> **ちょっと一言**
>
> この章は、具体的な内容と抽象的な内容が交錯します。そのため、理解できそうなのに理解できなかったり、自分の理解でいいのかわからなかったりするかもしれません。じっくり考えているのにピンと来ない場合もあるでしょう。その場合は、いったん先に進んでみてください。

## 9.2 群の置換表現

この節では、作用を定義する前段階として、群の置換表現を導入します。

まずは、第 6 章「対称群」で学んだ概念と用語の復習から始めましょう。

集合 $X_n = \{1, 2, 3, \ldots, n\}$ から $X_n$ への全単射を「$n$ 次置換」といいます。そして、$n$ 次置換全体の集合を台集合とし、写像の合成を群演算とする群を「$n$ 次対称群」といい、

$$S_n$$

で表します。また、$n$ 次対称群の部分群を「$n$ 次置換群」といいます。

たとえば 4 次対称群 $S_4$ の一つの元を $\sigma$ とすると、$\sigma$ は $X_4$ から $X_4$ への全単射であり、4 次置換の一つです。$\sigma$ が集合 $X_4$ の元を並べ替えるイメージ図を図 9-1 に示します。

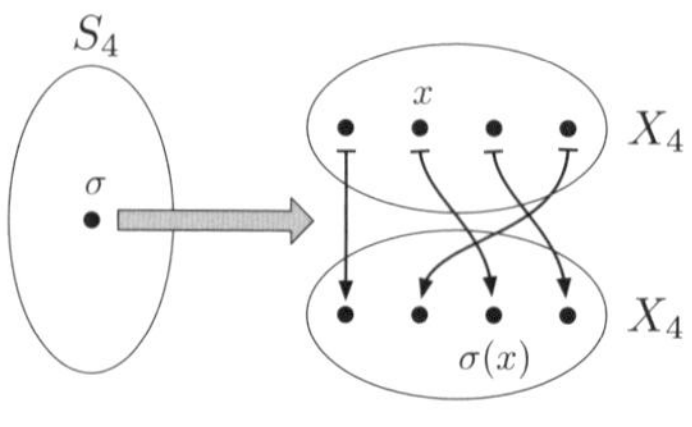


**図 9-1：群 $S_4$ の元 $\sigma$ が集合 $X_4$ の元を並べ替えるイメージ図**

ここまでは、置換・対称群・置換群という概念の復習です。

ところで第 6 章で、正 6 面体の回転操作が 4 本の対角線を置換する様子を詳しく解析し、$P_6$ が $S_4$ と同型であること、すなわち $P_6$ から $S_4$ への全単射準同型（同型写像）があることを話しました。その様子を次の図 9-2 で表すなら、$P_6$ の元 $g$ が、準同型 $\rho$《ロー》で移される $S_4$ の元 $\sigma$ を介して、$X_4$ の元を並べ替えているようにも見えるでしょう。私たちはこの状況を「群 $P_6$ が集合 $X_4$ に作用している」と述べたいのです。

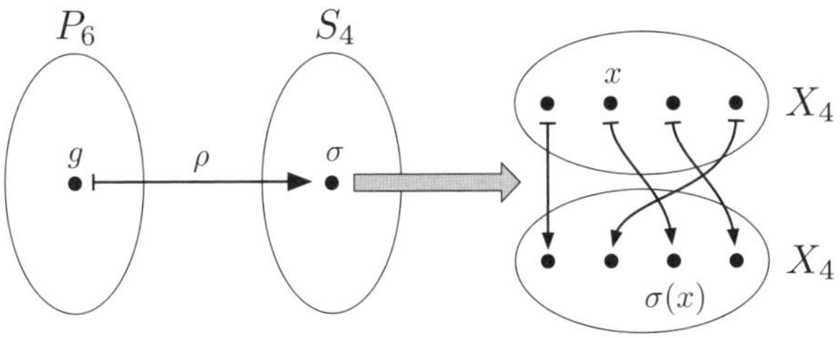


**図 9-2**：群 $P_6$ が集合 $X_4$ に作用しているイメージ図

さて、ここから概念を拡張します。特定の集合 $X_n$ に対する置換・対称群・置換群という概念を、一般の集合 $X$ に対する概念にそれぞれ拡張しましょう。

集合 $X$ から $X$ への全単射を「集合 $X$ 上の**置換**《ちかん》」といいます。そして、集合 $X$ 上の置換全体の集合を台集合とし、写像の合成を群演算とする群を「集合 $X$ 上の**対称群**《たいしょうぐん》」といい、

$$S_X$$

で表します。また、集合 $X$ 上の対称群 $S_X$ の部分群を「集合 $X$ 上の**置換群**《ちかんぐん》」といいます。

**ちょっと一言**

これらの用語を使うなら、たとえば次のように言い換えることができます。

- 4 次置換 $\begin{pmatrix}1&2&3&4\\1&3&4&2\end{pmatrix}$ は「集合 $X_4$ 上の置換」の一つ
- 4 次対称群 $S_4$ は「集合 $X_4$ 上の対称群 $S_{X_4}$」
- 4 次置換群は「集合 $X_4$ 上の置換群」

つまりこれで、第 6 章で学んだ概念を拡張できたことになります。

$X_n$ は元を $n$ 個持つ有限集合ですが、一般の集合 $X$ は無限集合かもしれないことに注意してください。$X_n$ 上の置換には、「$n$ 個のものを並べ替える」イメージがありますが、$X$ 上の置換では、そのイメージを「$X$ から $X$ への全単射」という「写像の言葉」によって拡張していることになります。

先ほどの図 9-2 を一般化したイメージ図は次の図 9-3 になります。

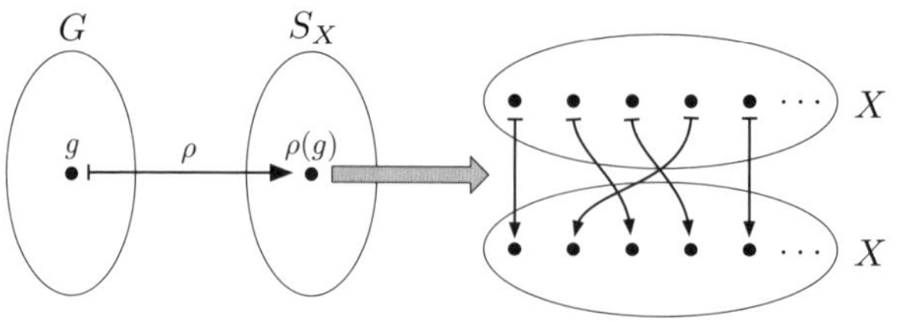


**図 9-3**：群 $G$ が集合 $X$ に作用しているイメージ図

図 9-3 の写像 $\rho$ は、「群 $G$」から「集合 $X$ 上の対称群 $S_X$」への準同型

$$\rho\colon G \longrightarrow S_X$$

とします。

ちょっと一言

ここで一度ストップします。

「群 $G$」から「集合 $X$ 上の対称群 $S_X$」への準同型 $\rho\colon G \longrightarrow S_X$

という言い回しで、$\rho$ という写像がどんなものか理解できますか。たとえば、$g \in G$ のとき、$\rho(g)$ が何であるかわかりますか。次の文を読んで「確かにそうだ」と思えるかどうか確かめてください。

- $\rho(g)$ は集合 $X$ 上の置換である。
- $\rho(g)$ は $X$ から $X$ への写像である。つまり $\rho(g)\colon X \longrightarrow X$ である。
- $\rho(g)$ は $X$ から $X$ への全単射である。

また、次の文についてはいかがでしょう。これは第 2 章で学んだ写像の復習です。

- $\rho$ の値域 $\mathrm{Image}\,\rho$ は、$\rho$ による $G$ 全体の像 $\rho(G)$ に等しい。
- $\rho(G) = \{\sigma \in S_X \mid g \in G, \sigma = \rho(g)\}$ である。

> さらに、$\rho$ は準同型です。準同型の定義を覚えていますか。
> じっくり進むのですから、上のような足場をしっかり固めつつ先に進みましょう。

さて、話を再開します。「群 $G$」から「集合 $X$ 上の対称群 $S_X$」への準同型

$$\rho\colon G \longrightarrow S_X$$

を考えましょう。定理 5-3 で証明したように、準同型は部分群を部分群に移しますから、準同型 $\rho$ による $G$ 全体の像 $\rho(G)$ は対称群 $S_X$ の部分群になります。すなわち、$\rho(G)$ は $X$ 上の置換群です。$\rho$ は、「群 $G$ の構造」を「集合 $X$ 上の置換群 $\rho(G)$」に移すので、この準同型 $\rho$ を「集合 $X$ における群 $G$ の**置《ち》換《かん》表《ひょう》現《げん》**」といいます。

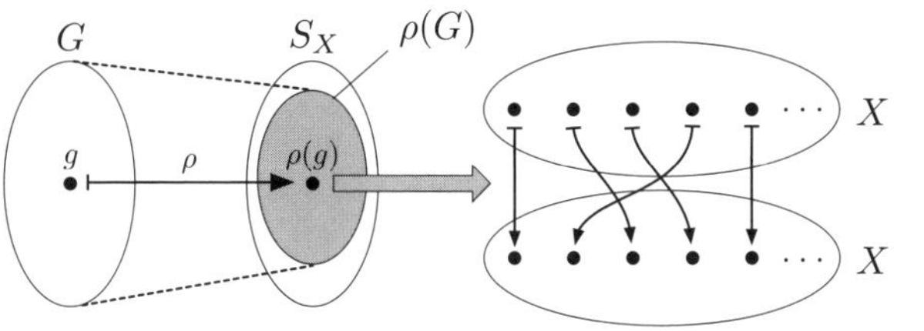


**図 9-4**：集合 $X$ における群 $G$ の置換表現 $\rho$

特に $\rho$ が単射のとき、$\rho$ を**忠実《ちゅうじつ》**な置換表現といいます。$\rho$ が忠実な置換表現のとき、$G$ と $\rho(G)$ は群として同型、つまり

$$G \cong \rho(G)$$

です。

> **ちょっと一言**
>
> 「表現」という数学用語は英語で “representation” なので、その頭文字 r《アール》 を連想するギリシャ文字 $\rho$《ロー》 を写像の名前に選びました。もちろん、どんな文字を使っても構いません。

> 「忠実」という言い回しを奇妙に感じるかもしれませんが、立派な数学用語です。準同型 $\rho$ が単射なら、群 $G$ の情報は $\rho$ で移された先でも失われません。つまり $G$ の群としての振る舞いを「忠実」に移しているというニュアンスがあるのでしょう。

群 $G$ がどのような群であっても、ある集合 $X$ における忠実な置換表現を構成することができます。これは後ほど「ケイリーの定理」として証明します。群 $G$ の忠実な置換表現 $\rho$ があると、群 $G$ を調べるときに置換群 $\rho(G)$ を考えればいいことになります。

さて、集合 $X$ における群 $G$ の置換表現 $\rho$ があれば、群 $G$ の元 $g$ を、$X$ 上の置換 $\rho(g)$ と見なすことができます。この様子を群 $G$ が集合 $X$ に働きかけていると考えて「群 $G$ は集合 $X$ に作用《さよう》している」と呼ぶことにしましょう。

次節では、この「作用」をきちんと定義します。

## 9.3 作用の定義

この節で作用を定義し、次の節で定義の解説を行います。

**定義**(左作用)

$(G, *)$ を群、$X$ を集合とします。写像

$$\alpha\colon G \times X \longrightarrow X$$

が $\boxed{\mathrm{A1}}$ と $\boxed{\mathrm{A2}}$ を満たすとき、写像 $\alpha$ を「群 $G$ による集合 $X$ への**左**《ひだり》**作用**《さよう》」といいます。

$\boxed{\mathrm{A1}}$ 集合 $X$ の任意の元 $x$ について、

$$\alpha(e, x) = x$$

が成り立つ($e$ は群 $G$ の単位元)。

$\boxed{\mathrm{A2}}$ 群 $G$ の任意の元 $g_1, g_2$ と、集合 $X$ の任意の元 $x$ について、

$$\alpha(g_1, \alpha(g_2, x)) = \alpha(g_1 * g_2, x)$$

が成り立つ。

上で述べた左作用の定義のうち $\boxed{\mathrm{A2}}$ の

$$\alpha(g_1, \alpha(g_2, x)) = \alpha(g_1 * g_2, x)$$

の部分を

$$\alpha(g_1, \alpha(g_2, x)) = \alpha(g_2 * g_1, x)$$

に変えて (A2') とすると、「群 $G$ による集合 $X$ への**右《みぎ》作用《さよう》**」の定義になります。

$\alpha$ が群 $G$ による集合 $X$ への左作用であるとき、$\alpha$ によって**群 $G$ は集合 $X$ に左から作用する**といいます。右作用についても同様です。左作用と右作用のどちらであるかがはっきりしているときや、左右の違いが重要ではないときには、「左から」や「右から」を省略して単に「群 $G$ は集合 $X$ に作用する」といいます。

**ちょっと一言**

左作用と右作用の両方を考えようとすると最初のうちは混乱するので、まずは左作用についてだけ考えるのがいいかもしれません。実際、本書に登場する作用はほとんどが左作用です。

「作用」という数学用語は英語で "action" なので、その頭文字 a《エイ》を連想するギリシャ文字 $\alpha$《アルファ》を写像の名前に選びました。もちろん、どんな文字を使っても構いません。

## 9.4　作用の解説

左作用の定義を順を追って読んでいきましょう。

まず、群 $G$ が集合 $X$ に左から作用するとき、

$$\alpha \colon G \times X \longrightarrow X$$

という写像 $\alpha$ が定まります。$\alpha$ は、直積集合 $G \times X$ から集合 $X$ への写像です。ですから、

- $G \times X$ の任意の元 $(g, x)$ に対して、
- $\alpha$ によって、
- $X$ の元が一つ定まる

ことになります。

**ちょっと一言**

$G \times X$ は次のような集合です。直積集合の定義を思い出しましょう（p. 51）。

$$G \times X = \{(g, x) \mid g \in G \text{ かつ } x \in X\}$$

ところで「$G \times X$ の任意の元 $(g, x)$ に対し、$\alpha$ によって、$X$ の元が一つ定まる」ということは、

- $G$ の任意の元 $g$ に対し、
- $\alpha$ によって、
- $X$ から $X$ への写像が一つ定まる

ということに他なりません。なぜなら、写像 $\alpha$ を使えば、$G$ の任意の元 $g$ に対して、写像 $\alpha_g \colon X \longrightarrow X$ を

$$\alpha_g \colon x \longmapsto \alpha(g, x)$$

で定義できるからです。確かに、

$$\alpha_g(x) = \alpha(g, x)$$

と定義すれば、$g$ に対して $\alpha_g$ という写像が決まることになりますね。

**ちょっと一言**

群 $G$ が集合 $X$ に作用するとき、群 $G$ の元 $g$ に対して、集合 $X$ から $X$ への写像 $\alpha_g$ が定まりますので、$\alpha_g \colon x \longmapsto x'$ を「$g$ は $x$ を $x'$ に**移す**」といいます。これは、写像 $\alpha_g$ が $g$ から作れることを見越して、群の元 $g$ があたかも写像であるかのように見なした言い回しです。そのように考えるなら、作用の定義に出てきた写像 $\alpha$ は「群 $G$ の任意の元を、$X$ から $X$ への写像と見なすための写像」といえます。

ここまでで、作用の定義に出てきた $\alpha$ という写像によって、「群 $G$ の任意の元 $g$ に対して、写像 $\alpha_g \colon X \longrightarrow X$ が作れる」ことがわかりました。このように、「$G$ の元 $g$ を、$X$ から $X$ への写像 $\alpha_g$ と見なす」ところが作用を理解するカギになります。

作用の定義 (A1) に書かれている $\alpha(e, x) = x$ を、単位元 $e$ に対する写像 $\alpha_e$ で書き換えてみましょう。

> (A1) $e$ を群 $G$ の単位元とすると、集合 $X$ の任意の元 $x$ について、
>
> $$\alpha_e(x) = x$$
>
> が成り立つ。

この(A1)は「《作用 $\alpha$ が群 $G$ の単位元 $e$ を使って作る写像 $\alpha_e$》は《$X$ 上の恒等写像 $\mathrm{id}_X$ に等しい》」すなわち、

$$\alpha_e = \mathrm{id}_X$$

という条件に他ならないことがわかります。この条件は「単位元 $e$ は $x$ を $x$ 自身に移す」といえますので、(A1)は次のようなイメージ図で表せます。

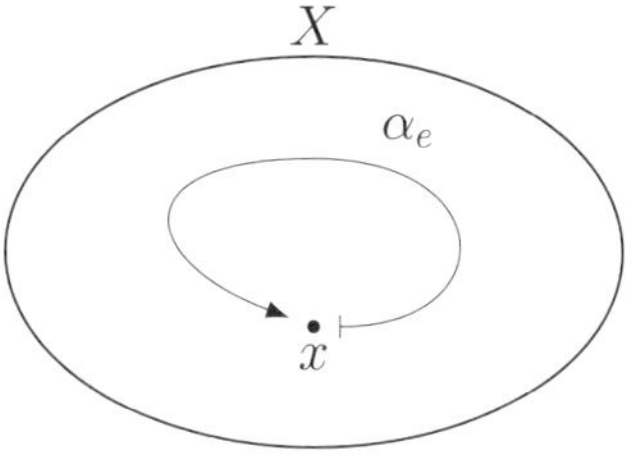


(A1)のイメージ図

同じように、作用の定義(A2)に書かれている $\alpha(g_1, \alpha(g_2, x)) = \alpha(g_1 * g_2, x)$ を、$\alpha_{g_1}$ と $\alpha_{g_2}$ と $\alpha_{g_1 * g_2}$ で書き換えます。

> (A2) 群 $G$ の任意の元 $g_1, g_2$ と、集合 $X$ の任意の元 $x$ について、
>
> $$\alpha_{g_1}(\alpha_{g_2}(x)) = \alpha_{g_1 * g_2}(x)$$
>
> が成り立つ。

この(A2)は「《$\alpha_{g_2}$ と $\alpha_{g_1}$ の合成写像 $\alpha_{g_1} \circ \alpha_{g_2}$》は《作用 $\alpha$ が $g_1 * g_2$ から作る写像 $\alpha_{g_1 * g_2}$》に等しい」すなわち、

$$\alpha_{g_1} \circ \alpha_{g_2} = \alpha_{g_1 * g_2}$$

という条件であることがわかります。この条件は「《$x$ を $g_2$ で移してさらに $g_1$ で移した元》は、《$x$ を $g_1 * g_2$ で移した元》に等しい」といえますので、A2 は次のようなイメージ図で表せます。

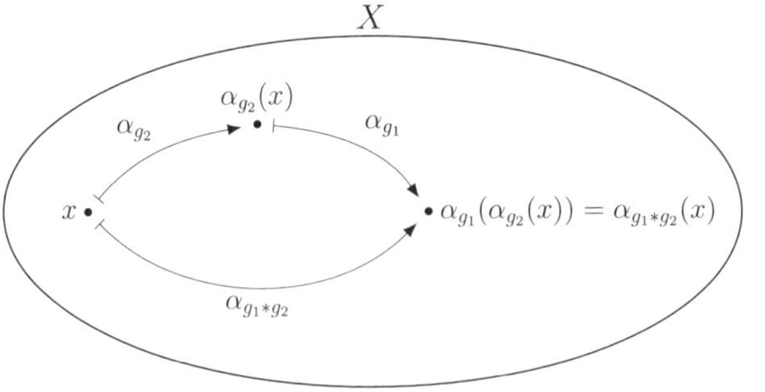


A2 のイメージ図

作用の条件 A1 と A2 があることによって、$G$ の元 $g$ から作られる写像 $\alpha_g$ はすべて、$X$ から $X$ への全単射、すなわち $X$ 上の置換になります。これは演習問題 9-2 で証明します。

**ちょっと一言**

数学書ではしばしば、本書の $\alpha_g(x)$ を $g \cdot x$ と表記します。この表記を用いると A1 は $e \cdot x = x$ で、A2 は $g_1 \cdot (g_2 \cdot x) = (g_1 * g_2) \cdot x$ と簡潔に書くことができます。

## 9.5 置換表現と作用の関係

さてここで、この章の初めにお話しした群の置換表現 $\rho$ と作用 $\alpha$ の関係について説明します。実は、群 $G$ の集合 $X$ による置換表現 $\rho\colon G \longrightarrow S_X$ を考えることと、群 $G$ による集合 $X$ への作用 $\alpha\colon G \times X \longrightarrow X$ を考えることは同じです。$\rho$ から $\alpha$ が構成できるし、逆に $\alpha$ から $\rho$ が構成できるからです。

文字や記号がたくさん出てきたのでまとめておきます。

- **群の置換表現** $\rho$

$$\begin{aligned}\rho\colon G &\longrightarrow S_X\\ \rho\colon\ g &\longmapsto \rho(g)\end{aligned}$$

- **作用** $\alpha$

$$\begin{aligned}\alpha\colon G\times X &\longrightarrow X\\ \alpha\colon\ (g,x) &\longmapsto \alpha_g(x)\end{aligned}$$

ここで、

- 群の置換表現 $\rho$ が与えられれば、
  写像 $\alpha_g=\rho(g)$ として作用 $\alpha$ が定義できます。
- 作用 $\alpha$ が与えられれば、
  写像 $\rho(g)=\alpha_g$ として群の置換表現 $\rho$ が定義できます。

したがって、集合 $X$ における群 $G$ の置換表現 $\rho$ が与えられることと、群 $G$ による集合 $X$ への作用 $\alpha$ が与えられることは同じです。

**ちょっと一言**

$\rho$ で定義した $\alpha$ が確かに (A1) と (A2) を満たすことは、$\rho$ が準同型であることからいえます。準同型は単位元を単位元に移すため、$\alpha_e=\rho(e)=\mathrm{id}_X$ で、これは (A1) です。また準同型は積を積に移すため、$\alpha_{g_1*g_2}=\rho(g_1*g_2)=\rho(g_1)\circ\rho(g_2)=\alpha_{g_1}\circ\alpha_{g_2}$ で、これは (A2) です。

$\alpha$ で定義した $\rho$ が確かに $G$ から $S_X$ への準同型になることは、(A1) と (A2) によって $\alpha_g$ が置換になること（演習問題 9-2 で証明）と、(A2) によって $\rho(g_1*g_2)=\alpha_{g_1*g_2}=\alpha_{g_1}\circ\alpha_{g_2}=\rho(g_1)\circ\rho(g_2)$ が成り立つことからいえます。

## 9.6 群 $\mathbb{Z}$ の集合 $\mathbb{R}$ への作用

だいぶ抽象的な話が続いたので、作用の具体例を考えてみましょう。

**例 9-1**（群 $\mathbb{Z}$ による集合 $\mathbb{R}$ への作用 $\alpha$）

群 $(\mathbb{Z},+)$ による集合 $\mathbb{R}$ への作用 $\alpha$ を定義しましょう。

まず、$n$ を整数として写像

$$\alpha_n\colon \mathbb{R} \longrightarrow \mathbb{R}$$

を、

$$\alpha_n\colon r \longmapsto n + r$$

として定義します。$\alpha_n(r) = n + r$ ということです。さらに、写像

$$\alpha\colon \mathbb{Z} \times \mathbb{R} \longrightarrow \mathbb{R}$$

を、

$$\alpha\colon (n, r) \longmapsto \alpha_n(r)$$

で定義します。すると $\alpha$ は、群 $\mathbb{Z}$ による集合 $\mathbb{R}$ への作用となります。

この作用 $\alpha$ において、群 $\mathbb{Z}$ の置換表現 $\rho\colon \mathbb{Z} \longrightarrow \mathbb{R}$ は、$\rho\colon n \longmapsto \alpha_n$ です。$\rho$ は単射なので、$\rho$ は忠実な置換表現です。

**ちょっと一言**

例 9-1 において、たとえば写像 $\alpha_0, \alpha_1, \alpha_{-1}$ がそれぞれどのように $\mathbb{R}$ を移すかをイメージ図で示します。ここでは $\mathbb{R}$ を数直線で表しています。

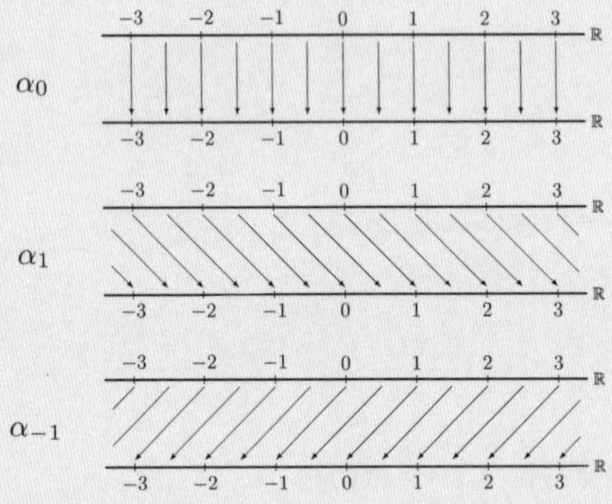


$\alpha_0$ は $\mathbb{R}$ 上の恒等写像 $\mathrm{id}_{\mathbb{R}}$ であり、数直線をそのまま移します。$\alpha_1$ は、数直線を 1 だけ右シフトします。そして $\alpha_{-1}$ は、数直線を $-1$ だけ右シフトします（つまり 1 だけ左シフトします）。結局、例 9-1 の $\alpha_n$ は、数直線を $n$ だけ右シフトしていることになります。これは $\mathbb{R}$ を右に動かす様子を $\mathbb{Z}$ が表しているといえます。$\mathbb{Z}$ が $\mathbb{R}$ に「作用」している感覚がつかめるでしょうか。

**例 9-2**（群 $\mathbb{Z}$ による集合 $\mathbb{R}$ への作用 $\beta$）

例 9-1 では群 $\mathbb{Z}$ による集合 $\mathbb{R}$ への作用を考えました。しかし、$\mathbb{Z}$ による $\mathbb{R}$ への作用は一つではありません。

たとえば、写像 $\beta_n \colon \mathbb{R} \longrightarrow \mathbb{R}$ を

$$\beta_n \colon r \longmapsto (-1)^n r$$

で定義します。つまり、$\beta_n(r) = (-1)^n r$ です。すると、この写像 $\beta_n$ は、$n$ が偶数のときには $\mathbb{R}$ から $\mathbb{R}$ への恒等写像 $\beta_n(r) = r$ となり、$n$ が奇数のときには符号を反転する写像 $\beta_n(r) = -r$ となります。

この写像 $\beta_n$ を用いると、写像 $\beta \colon \mathbb{Z} \times \mathbb{R} \longrightarrow \mathbb{R}$ として

$$\beta \colon (n, r) \longmapsto \beta_n(r)$$

が定義できます。この $\beta$ は、例 9-1 の作用 $\alpha$ と同じく「群 $\mathbb{Z}$ による集合 $\mathbb{R}$ への作用」ですが、$\alpha \neq \beta$ です。

**ちょっと一言**

写像 $\beta_n$ が $n$ の偶奇でどう変わるかをイメージ図で示します。

$n$ が偶数のときの $\beta_n$

$n$ が奇数のときの $\beta_n$

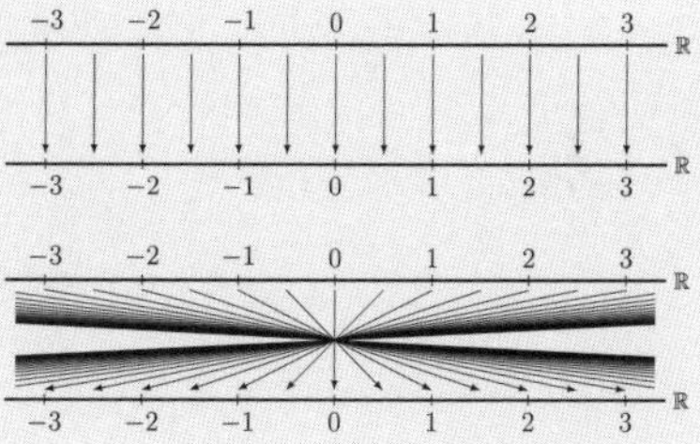


なお、この作用 $\beta$ において、群 $\mathbb{Z}$ の置換表現は忠実ではありません。$n$ から $\beta_n$ を得る写像は単射ではないからです。

**例 9-3**（群 $\mathbb{Z}$ による集合 $\mathbb{R}$ への自明な作用 $\gamma$）

例 9-1 および例 9-2 と同様に群 $\mathbb{Z}$ による集合 $\mathbb{R}$ への作用をもう一つ考えましょう。

写像 $\gamma_n \colon \mathbb{R} \longrightarrow \mathbb{R}$ を

$$\gamma_n \colon r \longmapsto r$$

で定義します。つまり、$\gamma_n = \mathrm{id}_{\mathbb{R}}$ です。

この写像 $\gamma_n$ を用いると、作用 $\gamma\colon \mathbb{Z} \times \mathbb{R} \longrightarrow \mathbb{R}$ として

$$\gamma\colon (n, r) \longmapsto \gamma_n(r)$$

を定義できます。この $\gamma$ は、$n \in \mathbb{Z}$ の値によらず恒等写像を引き起こしています。このような作用を**自《じ》明《めい》な作用**といいます。

> **ちょっと一言**
>
> 写像 $\gamma_n$ のイメージ図を示します。
>
> 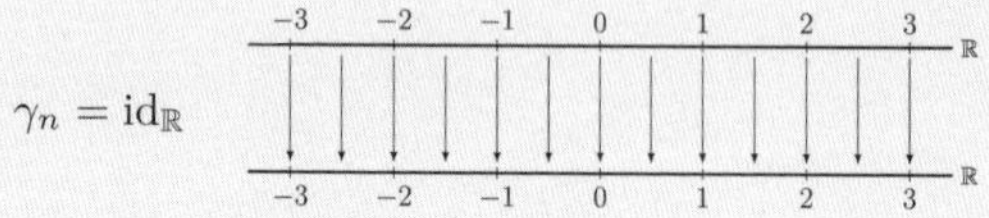
> 

なお、この作用 $\gamma$ において、群 $\mathbb{Z}$ の置換表現は忠実ではありません。$n$ から $\gamma_n$ を得る写像は単射ではないからです。

## 9.7 対称群 $S_n$ による集合 $X_n$ への作用

**例 9-4**（対称群 $S_n$ による集合 $X_n$ への作用）

$S_n$ を $n$ 次対称群とし、$X_n = \{1, 2, 3, \ldots, n\}$ とします。$\sigma \in S_n$ とすると、$\sigma$ は $n$ 次置換ですから $\sigma\colon X_n \longrightarrow X_n$ という写像です。したがって、作用 $\alpha\colon S_n \times X_n \longrightarrow X_n$ を

$$\alpha\colon (\sigma, x) \longmapsto \sigma(x)$$

で定義できます。言い換えるとこれは、$S_n$ による $X_n$ への作用 $\alpha$ を、$\sigma \in S_n$ と $x \in X_n$ として

$$\alpha_\sigma(x) = \sigma(x)$$

で定義するということです。

なお、この作用において、作用 $\alpha$ が作る群の置換表現は忠実です。実際、集合 $X_n$ における群 $S_n$ の置換表現は、$S_n$ 上の恒等写像 $\mathrm{id}_{S_n}$ に他なりません。

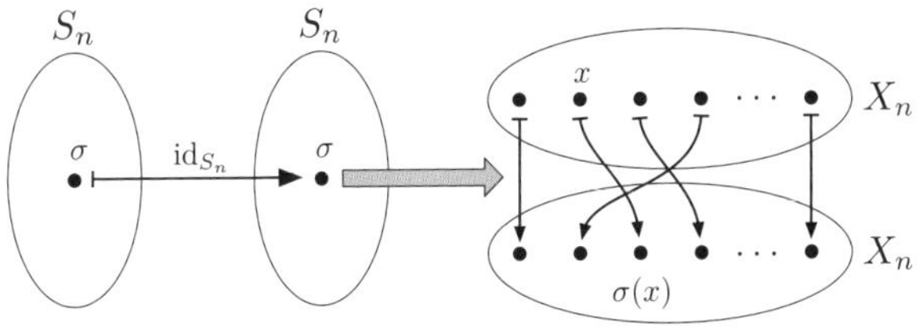


対称群 $S_n$ が集合 $X_n$ に作用しているイメージ図

**ちょっと一言**

さて、例 9-4 は当たり前のことを主張しているのか、深遠なことを主張しているのか、いったいどちらでしょう。結論からいうと、当たり前のことを主張しています。というのは、そもそも作用というのは対称群 $S_n$ が集合 $X_n$ に及ぼす働きを一般的な群に拡張したものだからです。ですから、対称群 $S_n$ が集合 $X_n$ に作用するのは当然といえます。しかしながら、それを確かめておくことは理解を確認する上で重要です。

## 9.8　作用と対称性

**例 9-5**（正 6 面体群 $P_6$ の作用）

第 6 章では、正 6 面体群 $P_6$ の元である回転操作が、4 次対称群 $S_4$ のどの元に対応するかをすべて調べました。あのとき私たちは、正 6 面体の対角線の位置に付けた番号全体の集合 $X_4 = \{1, 2, 3, 4\}$ に対する、群 $P_6$ の忠実な置換表現 $\rho\colon P_6 \longrightarrow S_4$ を構成し、さらに $\rho$ が全射であることを使って、

$$P_6 \cong \rho(P_6) = S_4$$

を示していたことになります。群 $P_6$ による集合 $X_4$ への作用を使い、正 6 面体が持つ対称性を群 $P_6$ によって表したともいえます。

一般に、群の作用を使うことで、調べたい対象が持つ対称性を群として表すことができます。すなわち、群の同型を利用して対称性が同じか否かを調べたり、あるいは、群と部分群の関係を利用して、対称性の大小関係を調べたりすることができるのです。

たとえば、正 6 角錐と正 3 角柱が異なる対称性を持つことはすぐにわかります。正 6 角錐は一つの回転軸の周りを 60° 単位で回す対称性しかありませんが、

正 3 角柱は 120° 単位で回す対称性と上下をひっくり返す対称性があるからです。回転操作はどちらも 6 個であり、個数だけでは区別できませんが、作用する群の違いで対称性の違いを表すことができます。

演習問題 9-5 では二面体群《にめんたいぐん》という群の置換表現を使って平面図形の対称性を考えます。

**例 9-6**（対称群の多項式全体の集合への作用）

$\mathbb{R}[X_1, X_2, X_3]$ を実数係数の 3 変数多項式全体の集合とします。そして、写像 $\alpha\colon S_3 \times \mathbb{R}[X_1, X_2, X_3] \longrightarrow \mathbb{R}[X_1, X_2, X_3]$ を、

$$\alpha\colon (\sigma, f(X_1, X_2, X_3)) \longmapsto f(X_{\sigma(1)}, X_{\sigma(2)}, X_{\sigma(3)})$$

で定義します。すると、$\alpha$ は 3 次対称群 $S_3$ による $\mathbb{R}[X_1, X_2, X_3]$ への作用となります。要するに、3 変数多項式が持っている 3 個の変数を $S_3$ の元 $\sigma$ という 3 次置換によって並べ替える働きです。たとえば、$\sigma = \left(\begin{smallmatrix}1&2&3\\2&1&3\end{smallmatrix}\right)$ という置換（1 と 2 の互換）は、

- $f(X_1, X_2, X_3) = {X_1}^2 + 2X_1X_3 + 3X_2$ を、
- $f(X_2, X_1, X_3) = {X_2}^2 + 2X_2X_3 + 3X_1$ に移します。

もちろん、上で述べたことは $n$ 変数多項式と $n$ 次対称群でも同様です。なお、高校で学ぶ $n$ 次**対称式**《たいしょうしき》は、$n$ 次対称群による作用で不変になります。

**例 9-7**（置換の符号）

$\mathbb{Z}[X_1, X_2, X_3, X_4, X_5]$ を整数係数の 5 変数多項式全体の集合とします。また、$\mathbb{Z}[X_1, X_2, X_3, X_4, X_5]$ の元として $X_1, X_2, X_3, X_4, X_5$ の**差積**《させき》を、

$$\begin{aligned}\Delta(X_1, X_2, X_3, X_4, X_5) = (X_1 - X_2)(X_1 - X_3)(X_1 - X_4)(X_1 - X_5)\\ (X_2 - X_3)(X_2 - X_4)(X_2 - X_5)\\ (X_3 - X_4)(X_3 - X_5)\\ (X_4 - X_5)\end{aligned}$$

と定義します。これは $1 \leqq j < k \leqq 5$ を満たす整数 $j, k$ について $(X_j - X_k)$ を掛け合わせた多項式で、$\prod$ という記号を使って

$$\Delta(X_1, X_2, X_3, X_4, X_5) = \prod_{1 \leqq j < k \leqq 5} (X_j - X_k)$$

と書くこともあります。

5 次対称群 $S_5$ による集合 $\mathbb{Z}[X_1, X_2, X_3, X_4, X_5]$ への左作用 $\alpha$ を、

$$\alpha(\sigma, f(X_1, X_2, X_3, X_4, X_5)) = f(X_{\sigma(1)}, X_{\sigma(2)}, X_{\sigma(3)}, X_{\sigma(4)}, X_{\sigma(5)})$$

で定義します。

たとえば、$X_5 = \{1, 2, 3, 4, 5\}$ 上の恒等置換 $\mathrm{id}_{X_5} \in S_5$ で差積を移すと、

$$\alpha(\mathrm{id}_{X_5}, \Delta(X_1, X_2, X_3, X_4, X_5)) = \Delta(X_1, X_2, X_3, X_4, X_5)$$

です。またたとえば、1 と 2 の互換

$$(1\,2) = \begin{pmatrix} 1 & 2 & 3 & 4 & 5 \\ 2 & 1 & 3 & 4 & 5 \end{pmatrix}$$

で差積を移すと、

$$\begin{aligned} \alpha((1\,2), \Delta(X_1, X_2, X_3, X_4, X_5)) = (X_2 - X_1)(X_2 - X_3)(X_2 - X_4)(X_2 - X_5) \\ (X_1 - X_3)(X_1 - X_4)(X_1 - X_5) \\ (X_3 - X_4)(X_3 - X_5) \\ (X_4 - X_5) \end{aligned}$$

ですので、

$$\alpha((1\,2), \Delta(X_1, X_2, X_3, X_4, X_5)) = -\Delta(X_1, X_2, X_3, X_4, X_5)$$

になります（右辺の符号に注意）。置換 $\sigma$ で差積を移したときには、符号が変わらない場合

$$\alpha(\sigma, \Delta(X_1, X_2, X_3, X_4, X_5)) = \Delta(X_1, X_2, X_3, X_4, X_5)$$

と、符号が変わる場合

$$\alpha(\sigma, \Delta(X_1, X_2, X_3, X_4, X_5)) = -\Delta(X_1, X_2, X_3, X_4, X_5)$$

があり、どちらになるかは置換 $\sigma$ によって定まります。そこで、

- 置換 $\sigma$ が差積の符号を変えないときには $\sigma$ の符号は 1
- 置換 $\sigma$ が差積の符号を変えるときには $\sigma$ の符号は $-1$

として置換 $\sigma$ の**符号《ふごう》**を定めることができます。

ここまでの話を、$S_n$ が $\mathbb{Z}[X_1, X_2, \ldots, X_n]$ に作用する場合に一般化します。置換の符号を得る写像 sgn を

$$\mathrm{sgn}\colon S_n \longrightarrow \{1, -1\}$$

とします（sgn は "signature" の略）。このとき、恒等置換 $\mathrm{id}_{X_n}$ の符号は、

$$\mathrm{sgn}(\mathrm{id}_{X_n}) = 1$$

となります。また、任意の互換 $(j\,k)$ の符号は、

$$\mathrm{sgn}((j\,k)) = -1 \qquad (j \neq k)$$

となります。これは互換によって $X_j$ と $X_k$ が置き換わることと、$(X_j - X_k) = -(X_k - X_j)$ であることからいえます。**互換は差積の符号を反転する**のです。

さて、**任意の置換は互換の積で表すことができます**[*1] が、置換 $\sigma$ を $m$ 個の互換の積で表したとき $\sigma$ は差積の符号を $m$ 回反転することになるので、

$$\mathrm{sgn}(\sigma) = (-1)^m$$

になります。

一般に、置換 $\sigma$ を互換の積で表したとき互換の個数自体は定まりません。しかし、$\mathrm{sgn}(\sigma) = (-1)^m$ であることから、互換の個数が偶数になるか奇数になるか、すなわち**互換の個数の偶奇《ぐうき》は置換 $\sigma$ ごとに定まる**ことがわかります。

さらにそこから、二つの置換 $\sigma_1$ と $\sigma_2$ に対して、

$$\mathrm{sgn}(\sigma_1 \circ \sigma_2) = \mathrm{sgn}(\sigma_1) \times \mathrm{sgn}(\sigma_2)$$

が成り立つこともわかります（$\circ$ は写像の合成、$\times$ は整数の積）。したがって、置換の符号を得る写像 sgn は、$n$ 次対称群 $(S_n, \circ)$ から群 $(\{1, -1\}, \times)$ への準同型です。

$\mathrm{sgn}(\sigma) = (-1)^m$ となる $m$ の偶奇に応じて、$\mathrm{sgn}(\sigma) = 1$ となる置換 $\sigma$ を**偶置換《ぐうちかん》**といい、$\mathrm{sgn}(\sigma) = -1$ となる置換 $\sigma$ を**奇置換《きちかん》**といいます。

$n$ 次対称群 $S_n$ に属している偶置換全体の集合は $S_n$ の正規部分群となります。

---

＊1　任意の置換は互いに素な巡回置換の積で表すことができ、任意の巡回置換は左端が等しい互換の積で表すことができるので、任意の置換は互換の積で表すことができます。演習問題 6-1 の解答（p. 190）と、演習問題 6-2 の解答（p. 190）を参照してください。

これを $n$ 次**交代群**《こうたいぐん》といい、$A_n$ で表します。$A_n$ が $S_n$ の正規部分群になることは、演習問題 9-6（p. 294）で考えましょう。

## 9.9　群 $G$ による $G$ 自身への作用

私たちは群の定義を学んだときに、群 $(G, *)$ の二項演算 $*$ について学びました。二項演算 $*$ は、

$$*\colon G \times G \longrightarrow G$$

という写像です。ところで、群 $G$ による集合 $X$ への作用 $\alpha$ は、

$$\alpha\colon G \times X \longrightarrow X$$

という形の写像です。二項演算 $*$ と作用 $\alpha$ を見比べると、非常によく似ていることに気付きます。

そこで $G = X$ として、写像 $\alpha\colon G \times X \longrightarrow X$ を、

$$\alpha\colon (g, x) \longmapsto g * x$$

で定義しましょう。すなわち、$\alpha(g, x) = g * x$ ということです。このとき写像 $\alpha$ は、$G$ による $G$ への左作用になっていることはすぐに確かめられます。これに関連して演習問題 9-4 を用意しました（p. 292）。

**ちょっと一言**

上で述べている話は理解できましたか。$g, x, y$ が群 $G$ の元であり、

$$g * x = y$$

が成り立つとき、群の元 $g$ を、写像

$$g\colon x \longmapsto y$$

と見なすという意味です。

$G$ が $G$ に作用して何がうれしいのか……と思いたくなりますが、この作用は、次節の「ケイリーの定理」を証明するときに使います。これはいわば、$G$ の構造を $G$ 自身で調べようとしているのです。

## 9.10 ケイリーの定理

**定理 9-1**（ケイリーの定理）

任意の群は、ある集合の置換群の一つと同型になります。

**ちょっと一言**

この定理の主張はこうです。

- $G$ を群とする。$G$ はどんな群でもいい。
- この群 $G$ と同型な群 $G'$ が存在する。
- しかもその群 $G'$ は、ある集合 $X$ 上の置換群である。

そこで、ケイリーの定理を証明するために次のように考えを進めます。

- $G'$ は $X$ 上の置換群だから、$X$ 上の対称群 $S_X$ の部分群だ。
- ということは、$G$ から $S_X$ への単射準同型 $f$ を見つければ証明できる。
- なぜなら、第 5 章で示したように準同型は部分群を部分群に移すから、$G$ から $S_X$ への単射準同型 $f$ を見つければ、$f$ の像 $f(G)$ は $X$ 上の置換群になる。
- $G$ から $S_X$ への単射準同型 $f$ を使えば、$G$ から $f(G)$ への全単射準同型を作れる。全単射準同型は同型写像だから、

$$G \cong f(G)$$

  になる！
- では、集合 $X$ として何を使えばいいだろうか——
- $G$ はどんな群でもいいのだから、$G$ とは無関係な $X$ ではうまくいきそうにない。では、$X$ として $G$ 自身を使ってみよう！

**証明**

$(G, *)$ を群とします。$g$ を $G$ の元として、写像 $\alpha_g\colon G \longrightarrow G$ を、

$$\alpha_g\colon x \longmapsto g * x$$

と定義すると、$\alpha_g$ は $G$ 上の置換となります（演習問題 9-2 参照）。つまり、$\alpha_g \in S_G$ です。

さらに写像 $\rho\colon G \longrightarrow S_G$ を、

$$\rho \colon g \longmapsto \alpha_g$$

で定義すると、$\rho$ は $G$ から $S_G$ への単射準同型になります（演習問題 9-3 参照）。

写像 $\rho$ は準同型なので、$\rho$ による $G$ の像 $\rho(G)$ は $G$ 上の対称群 $S_G$ の部分群、すなわち $G$ 上の置換群となり、$\rho$ が単射であることから、

$$G \cong \rho(G)$$

です。したがって、任意の群 $G$ は $G$ 上の置換群 $\rho(G)$ と同型になります。

**（証明終わり）**

**ちょっと一言**

**この証明では、$G$ の元 $g$ に対して $\alpha_g$ を定義し、そこから $\rho$ を定義しました。これは私たちが 9.4 節と 9.5 節で行った、作用から置換表現を得ることに他なりません。この証明では、群 $G$ による $G$ 自身への左作用 $\alpha \colon G \times G \longrightarrow G$ を考えたことになります。**

## 9.11 作用についての対話

「この章はものすごく難しかったです。とても簡単なことをわざと難しく教えられている気持ちになりました」

「どういうところでそのように感じましたか」

「群 $G$ が集合 $X$ に作用するというのは、要するに、正 6 面体の回転操作で対角線が入れ替わるように、群 $G$ の元 $g$ で $X$ の元が入れ替わるということですよね。ですから、群 $G$ は $X$ 上の置換群であるという話じゃないんでしょうか」

「大筋はそうなんですが、群 $G$ が $X$ 上の置換群そのものになるわけじゃありません。きちんというなら、群 $G$ が集合 $X$ に作用するときには、『群 $G$ から、集合 $X$ 上の対称群 $S_X$ への準同型が定まる』ということです。同じことですが、『群 $G$ から、集合 $X$ 上の置換群への同型写像が定まる』といっても構いません」

「$X$ を群として扱いたいなら、最初から集合 $X$ に二項演算を定義すればいいと思うんですが、それは間違いでしょうか」

「集合 $X$ に群の公理を満たすように二項演算 $*$ を定義すれば、$(X, *)$ は群になります。その通りです。でも作用では、そうしていません」

「そこがわかりません。わざわざ話を難しくしているように思います」

「難しくしているわけではなく、集合と群とを分離しているのです。プログラミングで実際のコードとインタフェースとを分離するのに似ています」

「プログラミングのたとえはよくわかりません」

「では『置換表現』という用語で話します。『置換表現』というのはとてもいい用語だと思います。群 $G$ を、$G$ と同型な $X$ 上の置換群として表現しているわけですから」

「群を集合 $X$ 上の置換群として表現するのは良いことなんでしょうか」

「私たちはいま、具体的でわかりやすい群を例に使っていますので、あまりありがたみを感じないかも知れませんが、抽象的に定義された群に置換群としての表現を与えることで、具体的に考えやすくなる場合があります。さらには、群 $G$ が集合 $X$ に作用するなら、$X$ の冪集合や $X$ を定義域とする関数のような数学的対象にも、群 $G$ が作用できることになります」

「なるほど？」

「そもそも歴史的に見ても、ガロアが証明した、代数方程式が解の公式を持つ条件は置換群を使って表されます。調べたい対象を集めた集合 $X$ を考えて、$X$ 上の置換群を研究することで対象が持つ構造を研究するというのは、群論を拓いたガロアの大切な発想といえます。作用と言えば、本書では扱いませんでしたが、軌道分解というたいへんおもしろい概念もあります。これは調べたい対象の集合を、軌道と呼ばれる同値類に分解することですが、軌道を作るときには、その集合に作用する群を使います」

「ラグランジュの定理のあたりで剰余類分解が出てきましたが、軌道分解というものもあるんですか」

「構造を持ったものを研究するときに、何らかの方法で『分解する』ことは大切です。『分ける』ことは『分かる』ための第一歩ですから」

## 9.12 この章で学んだこと

この章では、作用について学びました。

- 群の置換表現
- 作用の定義
- 作用の例
- ケイリーの定理
- 対称性

この章の最初にお伝えした作用を理解するポイントは——

群 $G$ から集合 $X$ 上の対称群 $S_X$ への準同型を定めると、
群 $G$ から集合 $X$ への作用が定まる。

——というものでしたね。さあ「なるほど、確かに」と納得できるでしょうか。

群 $G$ が集合 $X$ に作用するとき、群 $G$ から集合 $X$ 上の対称群 $S_X$ への準同型が定まります。「群 $G$ の元 $g$ が、集合 $X$ の元 $x$ を移す写像の役目を果たす」というミクロな視点だけではなく、「群 $G$ が、群としての構造を保ったまま集合 $X$ を置換する」というマクロな視点にも注意を向けてください。その視点に立つと、

- 群を使って、集合に構造を与える。
- 集合が持つ構造を、群で表現する。

ということがよく理解できます。

私たちは第 7 章「同値類と剰余類」で、集合を同値類に分割することや、群を部分群によって剰余類に分割することを学び、また、第 8 章「準同型定理」では、準同型から核を使って同型写像を作ることを学びました。

それらもまた、ミクロな視点からマクロな視点への移行であり、対象が持つ構造をとらえているといえるでしょう。

本書を通じて、群論への第一歩を踏み出していただけたでしょうか。

巻末には参考文献と読書案内がありますので、ぜひさらに歩みを進めてください。

## 演習問題

**問題 9-1** (可換群と作用)
$(G, *)$ は可換群としたとき、$G$ による集合 $X$ への左作用 $\alpha$ は右作用でもあります。どうしてですか。

**問題 9-2** (全単射 $\alpha_g \colon X \longrightarrow X$)
$(G, *)$ を群、$X$ を集合とします。写像 $\alpha \colon G \times X \longrightarrow X$ を群 $G$ による集合 $X$ への左作用とします。群 $G$ の元 $g$ に対する写像 $\alpha_g \colon X \longrightarrow X$ を、

$$\alpha_g \colon x \longmapsto \alpha(g, x)$$

で定義します。すなわち $\alpha_g(x) = \alpha(g, x)$ です。このとき、写像 $\alpha_g$ が全単射であることを証明してください。

**問題 9-3** (単射準同型 $\rho \colon G \longrightarrow S_G$)
$(G, *)$ を群とします。$g$ を $G$ の元として、写像 $\alpha_g \colon G \longrightarrow G$ を、

$$\alpha_g \colon x \longmapsto g * x$$

と定義します。すると、演習問題 9-2 により $\alpha_g$ は $G$ 上の置換となり、$\alpha_g$ は $G$ 上の対称群 $S_G$ の元です。ここでさらに写像 $\rho \colon G \longrightarrow S_G$ を、

$$\rho \colon g \longrightarrow \alpha_g$$

で定義します。このとき、$\rho$ は $G$ から $S_G$ への単射準同型になることを証明してください。

**問題 9-4** ($\mathbb{Z}$ による $\mathbb{Z}$ 自身への作用)
写像 $\alpha \colon \mathbb{Z} \times \mathbb{Z} \longrightarrow \mathbb{Z}$ を、

$$\alpha \colon (x, y) \longmapsto x + y$$

で定義すると、$\alpha$ は群 $(\mathbb{Z}, +)$ による $\mathbb{Z}$ 自身への左作用になっていることを確かめてください。

**問題 9-5**（二面体群 $D_4$）

平面上の正 $n$ 角形を、平面上の回転と鏡映（裏返し）という二つの操作によってそれ自身に重ねる操作全体の集合が作る群を一般に

**二面体群《にめんたいぐん》** $D_n$

といいます。この演習問題では、二面体群の一つである $D_4$ を考えます。図のように平面に置かれた正 4 角形（正方形）の頂点の位置全体の集合を $X_4 = \{1, 2, 3, 4\}$ で表し、二面体群 $D_4$ の回転と鏡映による頂点の移動を集合 $X_4$ 上の置換と考えると、二面体群 $D_4$ による集合 $X_4$ への作用が定まります。なお、図の点線は対称軸を表しています。

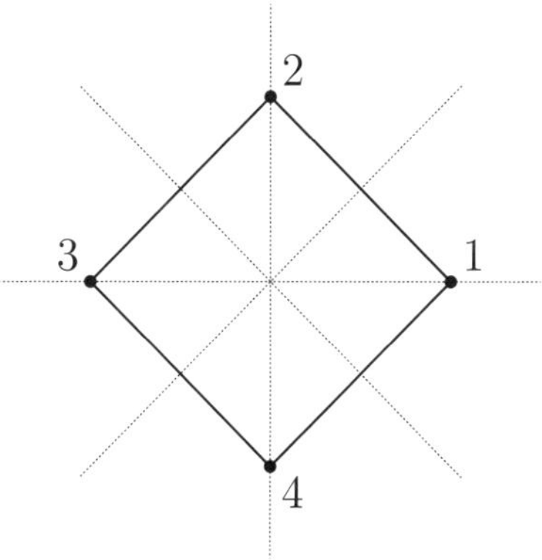


この作用で定まる置換表現を $\rho\colon D_4 \longrightarrow S_{X_4}$ としたとき、$\rho(D_4)$ は次のように表すことができます（3 個の置換のみを例示しています）。

$$\rho(D_4) = \left\{ \begin{pmatrix} 1\,2\,3\,4 \\ 1\,2\,3\,4 \end{pmatrix}, \begin{pmatrix} 1\,2\,3\,4 \\ 1\,4\,3\,2 \end{pmatrix}, \begin{pmatrix} 1\,2\,3\,4 \\ 2\,3\,4\,1 \end{pmatrix}, \dots \right\}$$

この $\rho(D_4)$ に属している置換をすべて求めてください。

ちょっと一言

問題 9-5 で例示している 3 個の置換について説明します。

- $e$ を $D_4$ の単位元としたとき、$\rho(e) = \left(\begin{smallmatrix} 1 & 2 & 3 & 4 \\ 1 & 2 & 3 & 4 \end{smallmatrix}\right)$ です。
- $s$ を水平の対称軸に関する鏡映操作としたとき、$\rho(s) = \left(\begin{smallmatrix} 1 & 2 & 3 & 4 \\ 1 & 4 & 3 & 2 \end{smallmatrix}\right) = (2\,4)$ です。
- $t$ を反時計回りの 90° 回転操作としたとき、$\rho(t) = \left(\begin{smallmatrix} 1 & 2 & 3 & 4 \\ 2 & 3 & 4 & 1 \end{smallmatrix}\right) = (1\,2\,3\,4)$ です。

**問題 9-6**（交代群は正規部分群）

$n$ 次交代群 $A_n$ は $n$ 次対称群 $S_n$ の正規部分群です。このことを証明してください。交代群の定義は例 9-7（p. 284）を参照してください。

## 演習問題の解答

**解答 9-1**（可換群と作用）

$\alpha$ は、可換群 $(G, *)$ による集合 $X$ への左作用とします。すると左作用の定義（p. 274）から、$G$ の任意の元 $g_1, g_2$ と $X$ の任意の元 $x$ について、

$$\alpha(g_1, \alpha(g_2, x)) = \alpha(g_1 * g_2, x)$$

が成り立ちます。$G$ は可換群なので、このとき

$$\alpha(g_1, \alpha(g_2, x)) = \alpha(g_2 * g_1, x)$$

も成り立ちます。これは $\alpha$ が、群 $G$ による集合 $X$ への右作用であることに他なりません。

**解答 9-2**（全単射 $\alpha_g \colon X \longrightarrow X$）

> **ちょっと一言**
>
> 写像が全単射であることを証明するには、その写像が①全射であることと、②単射であることを示します。

**証明**

①（$\alpha_g$ が全射であることの証明）　$y$ を $X$ の元として、$x = \alpha_{g^{-1}}(y)$ とすると、$x$ は $X$ の元であり、$\alpha_g(x) = y$ になります。なぜなら、

| | |
|---|---|
| $\alpha_g(x) = \alpha_g(\alpha_{g^{-1}}(y))$ | $x$ の定義から |
| $= \alpha_{g*g^{-1}}(y)$ | 書き換えた(A2)から（p. 277） |
| $= \alpha_e(y)$ | $G$ の単位元を $e$ とした |
| $= y$ | 書き換えた(A1)から（p. 277） |

だからです。したがって、$X$ の任意の元 $y$ に対して、$\alpha_g(x) = y$ を満たす $x$ が存在するので $\alpha_g$ は全射です。

②（$\alpha_g$ が単射であることの証明）　$X$ の元 $x, y$ が $x \neq y$ ならば、$\alpha_g(x) \neq \alpha_g(y)$ であることをいえばよいので、対偶をとって、$\alpha_g(x) = \alpha_g(y)$ ならば $x = y$ で

あることを示します。

$\alpha_g(x) = \alpha_g(y)$ を仮定すると、

$$
\begin{aligned}
\alpha_{g^{-1}}(\alpha_g(x)) &= \alpha_{g^{-1}}(\alpha_g(y)) && \text{両辺を } \alpha_{g^{-1}} \text{ で移した} \\
\alpha_{g^{-1}*g}(x) &= \alpha_{g^{-1}*g}(y) && \text{書き換えた}\boxed{\text{A2}}\text{から（p. 277）} \\
\alpha_e(x) &= \alpha_e(y) && G \text{ の単位元を } e \text{ とした} \\
x &= y && \text{書き換えた}\boxed{\text{A1}}\text{から（p. 277）}
\end{aligned}
$$

となるので、$\alpha_g$ は単射です。

①と②によって、$\alpha_g$ は全単射です。

**（証明終わり）**

> **ちょっと一言**
>
> 以上のことから、群 $G$ が集合 $X$ に作用しているとき、$G$ の元 $g$ から定まる写像 $\alpha_g\colon x \longmapsto \alpha_g(x)$ は全単射なので、$\alpha_g$ は $X$ 上の置換になっていることがわかります。この結果を $X = G$ としたものは、「ケイリーの定理」の証明の中で使います（p. 288）。

> $G$ が $X$ に作用しているとき、$G$ の元 $g$ によって $X$ の元 $x_1$ が $X$ の元 $x_2$ に移るなら、$g$ の逆元 $g^{-1}$ によって、$x_2$ が $x_1$ に戻ってきます。$g$ で移したものを、$g^{-1}$ で「もとに戻す」ことができるのです。それは $\alpha_{g^{-1}}$ が $\alpha_g$ の逆写像になっているともいえます。演習問題 9-2 の証明は $\alpha_{g^{-1}} = (\alpha_g)^{-1}$ の証明になっています。また、解答 3-5「群の元が作る全単射」（p. 98）の証明とほとんど同じです。

**解答 9-3**（単射準同型 $\rho\colon G \longrightarrow S_G$）

> **ちょっと一言**
>
> 写像が単射準同型であることを証明するには、その写像が①単射であることと、②準同型であることを示します。

①（$\rho$ が単射であることの証明）　$g_1$ と $g_2$ を $G$ の元として、$\rho(g_1) = \rho(g_2)$ であると仮定します。すると、任意の $x \in G$ に対して、

$$\alpha_{g_1}(x) = \alpha_{g_2}(x)$$

すなわち、

$$g_1 * x = g_2 * x$$

が成り立ちます。よって、特に $G$ の単位元 $e$ に対して

$$g_1 * e = g_2 * e$$

が成り立ち、

$$g_1 = g_2$$

がいえます。したがって、$\rho(g_1) = \rho(g_2)$ ならば $g_1 = g_2$ となります。対偶を取って $g_1 \neq g_2$ ならば $\rho(g_1) \neq \rho(g_2)$ となり、$\rho$ は単射です。

②（$\rho$ が準同型であることの証明） $g_1$ と $g_2$ を $G$ の元とします。$G$ の任意の元 $x$ に対して、

$$\begin{aligned}
\rho(g_1 * g_2)(x) &= \alpha_{g_1 * g_2}(x) && \rho\text{の定義から} \\
&= (g_1 * g_2) * x && \alpha_{g_1 * g_2}\text{の定義から} \\
&= g_1 * (g_2 * x) && \text{結合律から} \\
&= g_1 * (\alpha_{g_2}(x)) && \alpha_{g_2}\text{の定義から} \\
&= \alpha_{g_1}(\alpha_{g_2}(x)) && \alpha_{g_1}\text{の定義から} \\
&= (\alpha_{g_1} \circ \alpha_{g_2})(x) && \text{合成写像の定義から} \\
&= (\rho(g_1) \circ \rho(g_2))(x) && \rho\text{の定義から}
\end{aligned}$$

となり、

$$\rho(g_1 * g_2)(x) = (\rho(g_1) \circ \rho(g_2))(x)$$

です（$\circ$ は写像の合成）。したがって、

$$\rho(g_1 * g_2) = \rho(g_1) \circ \rho(g_2)$$

となり、$\rho$ は準同型です。

①と②より、$\rho$ は単射準同型です。

> **ちょっと一言**
>
> この結果は、「ケイリーの定理」の証明の中で使います (p. 288)。

**解答 9-4** ($\mathbb{Z}$ による $\mathbb{Z}$ 自身への作用)

写像 $\alpha(x,y) = x + y$ が左作用の条件 [A1] と [A2] を満たすことを確かめます。

[A1] 群 $(\mathbb{Z},+)$ の単位元は 0 であり、集合 $\mathbb{Z}$ の任意の元 $x$ について、

$$\alpha(0,x) = 0 + x = x$$

が成り立ちます。

[A2] 群 $(\mathbb{Z},+)$ の任意の元 $g_1, g_2$ と、集合 $\mathbb{Z}$ の任意の元 $x$ について、

$$\begin{aligned}
\alpha(g_1, \alpha(g_2, x)) &= \alpha(g_1, g_2 + x) && \alpha \text{ の定義から} \\
&= g_1 + (g_2 + x) && \alpha \text{ の定義から} \\
&= (g_1 + g_2) + x && (\mathbb{Z},+) \text{ は結合律を満たすから} \\
&= \alpha(g_1 + g_2, x) && \alpha \text{ の定義から}
\end{aligned}$$

となり、

$$\alpha(g_1, \alpha(g_2, x)) = \alpha(g_1 + g_2, x)$$

が成り立ちます。

**解答 9-5** (二面体群 $D_4$)

正 4 角形の頂点がどのように移るかを調べることで、$\rho(D_4)$ は次のように得られます。

$$\rho(D_4) = \left\{ \begin{pmatrix} 1\,2\,3\,4 \\ 1\,2\,3\,4 \end{pmatrix}, \begin{pmatrix} 1\,2\,3\,4 \\ 2\,3\,4\,1 \end{pmatrix}, \begin{pmatrix} 1\,2\,3\,4 \\ 3\,4\,1\,2 \end{pmatrix}, \begin{pmatrix} 1\,2\,3\,4 \\ 4\,1\,2\,3 \end{pmatrix}, \right.$$
$$\left. \begin{pmatrix} 1\,2\,3\,4 \\ 1\,4\,3\,2 \end{pmatrix}, \begin{pmatrix} 1\,2\,3\,4 \\ 4\,3\,2\,1 \end{pmatrix}, \begin{pmatrix} 1\,2\,3\,4 \\ 3\,2\,1\,4 \end{pmatrix}, \begin{pmatrix} 1\,2\,3\,4 \\ 2\,1\,4\,3 \end{pmatrix} \right\}$$

$e$ を $D_4$ の単位元、$s$ を水平の対称軸に関する鏡映操作、$t$ を反時計回りの $90^\circ$ 回転操作として、$\varepsilon = \rho(e), \sigma = \rho(s), \tau = \rho(t)$ とおきます。すると、

- $\varepsilon = \rho(e) = \begin{pmatrix} 1\,2\,3\,4 \\ 1\,2\,3\,4 \end{pmatrix}$ は $\rho(D_4)$ の単位元です。
- $\sigma = \rho(s) = \begin{pmatrix} 1\,2\,3\,4 \\ 1\,4\,3\,2 \end{pmatrix} = (2\,4)$ という互換です。
- $\tau = \rho(t) = \begin{pmatrix} 1\,2\,3\,4 \\ 2\,3\,4\,1 \end{pmatrix} = (1\,2\,3\,4)$ という 4 次巡回置換です。

ここから、$\sigma^2 = \varepsilon, \tau^4 = \varepsilon, \tau^3 = \tau^{-1}, \sigma \circ \tau = \tau^{-1} \circ \sigma$ であることがわかります。具体的に対応を付けると、

$$\begin{pmatrix} 1\,2\,3\,4 \\ 1\,2\,3\,4 \end{pmatrix} = \varepsilon \quad \begin{pmatrix} 1\,2\,3\,4 \\ 2\,3\,4\,1 \end{pmatrix} = \tau \quad \begin{pmatrix} 1\,2\,3\,4 \\ 3\,4\,1\,2 \end{pmatrix} = \tau^2 \quad \begin{pmatrix} 1\,2\,3\,4 \\ 4\,1\,2\,3 \end{pmatrix} = \tau^3$$

$$\begin{pmatrix} 1\,2\,3\,4 \\ 1\,4\,3\,2 \end{pmatrix} = \sigma \quad \begin{pmatrix} 1\,2\,3\,4 \\ 4\,3\,2\,1 \end{pmatrix} = \tau^3 \circ \sigma \quad \begin{pmatrix} 1\,2\,3\,4 \\ 3\,2\,1\,4 \end{pmatrix} = \tau^2 \circ \sigma \quad \begin{pmatrix} 1\,2\,3\,4 \\ 2\,1\,4\,3 \end{pmatrix} = \tau \circ \sigma$$

となりますので、

$$\rho(D_4) = \left\{\varepsilon,\, \tau,\, \tau^2,\, \tau^3,\, \sigma,\, \tau^3 \circ \sigma,\, \tau^2 \circ \sigma,\, \tau \circ \sigma\right\}$$

です。

**解答 9-6**（交代群は正規部分群）

置換の符号を得る写像 sgn は、$n$ 次対称群 $(S_n, \circ)$ から群 $(\{1, -1\}, \times)$ への準同型です。$n$ 次交代群 $A_n$ は偶置換全体の集合なので、

$$A_n = \{\sigma \in S_n \mid \mathrm{sgn}(\sigma) = 1\}$$

です。1 は群 $(\{1, -1\}, \times)$ の単位元なので、$A_n$ は準同型 sgn の核、すなわち

$$A_n = \mathrm{Ker}\,\mathrm{sgn}$$

です。したがって、定理 8-4[*2]により、$n$ 次交代群 $A_n$ は $n$ 次対称群 $S_n$ の正規部分群です。

＊2　定理 8-4「核は正規部分群になる」(p. 249)

ちょっと一言

歴史を現代の言葉で表すなら、群は有限集合上の置換群の研究から生まれました。群論を切り拓いた数学者エヴァリスト・ガロアは、方程式の解（多項式の根）の置換群を研究し、彼の「5 次以上の方程式には代数的解法が存在しないこと」の証明には、5 次交代群 $A_5$ の性質が使われています。またガロア理論では正規部分群が極めて重要な働きをします。若くして命を失ったガロアに哀悼の意を表しつつ、私たちのささやかな「群論への第一歩」を、交代群と正規部分群の話題で閉じることにしましょう。

# 参考文献と読書案内

本書の執筆における参考文献と、もっと学びたい読者へ向けての読書案内を示します。自分の興味・関心・理解度に合わせてお読みください。

## 集合と写像

[1] 中島《なかじま》匠一《しょういち》,『集合・写像・論理』, 共立出版, ISBN978-4-320-11018-2, 2012 年.

集合・写像・論理について初学者向けに解説した入門書です。自習する人に向けて細かい注釈がたくさん入っています。ただし、同値関係は扱っていません。

[2] 嘉田《かだ》勝《まさる》,『論理と集合から始める数学の基礎』, 日本評論社, ISBN978-4-535-78472-7, 2008 年.

数学や情報科学を学ぶ基礎となる内容を、論理と集合に焦点を当てて解説した入門書です。

[3] 松坂《まつざか》和夫《かずお》,『集合・位相入門』, 松坂和夫 数学入門シリーズ 1, 岩波書店, ISBN978-4-00-029871-1, 1968 年（新装版 2018 年）.

集合と位相に関する教科書です。

## 群などの代数系

[4] 結城《ゆうき》浩《ひろし》,『数学ガールの秘密ノート／ビットとバイナリー』, SB クリエイティブ, ISBN978-4-7973-9139-8, 2019 年.

10 進法と 2 進法の位取り記数法、ビットパターン、ピクセル、ビット演算、2 の補数表現、グレイコード、ルーラー関数、順序集合とブール代数などを通して、コンピュータに関係する数学を学んでいく読み物です。

[5] 野崎《のざき》昭弘《あきひろ》,『なっとくする群・環・体』, 講談社, ISBN978-4-06-154572-4, 2011 年.

群・環・体の概念や定理をやや駆け足で眺める数学書です。

[6] 松坂和夫,『代数系入門』, 松坂和夫 数学入門シリーズ 3, 岩波書店, ISBN978-4-00-029873-5, 1976 年（新装版 2018 年）.

代数学の教科書です。

[7] http://www.math.sci.hiroshima-u.ac.jp/m-mat/TEACH/daisu-nyumon202210.pdf, 松本眞,『代数系への入門 モノイド・群・環』, 2022 年 10 月 3 日.

代数系の基本的概念を簡潔にまとめた文書です。〔「集合と写像の準同型定理」について参考にしました〕

## 群と対称性

[8] ヘルマン・ワイル 著, 冨永星《とみながほし》 訳,『シンメトリー』, 筑摩書房, ISBN978-4-480-51138-6, 2022 年.

文様《もんよう》や図形の対称性について論じた古典的本です。

[9] 高橋礼司《たかはしれいじ》,『対称性の数学 文様の幾何と群論』, 筑摩書房, ISBN978-4-480-51128-7, 2022 年.

文様や図形の対称性を合同変換群などの群を使って解説した数学書です。

[10] 平井《ひらい》 武《たけし》,『線形代数と群の表現 I』, 朝倉書店, ISBN978-4-254-11496-6, 2001 年.

群の基本から始まり、作用と表現について学んでいく数学書です。

[11] 橋本義武《はしもとよしたけ》,『正多面体と素数』, 放送大学教育振興会, ISBN978-4-595-32282-2, 2021 年.

正多面体の対称性から始まって、群について学んでいく数学書です。

[12] M. A. アームストロング 著, 佐藤信哉《さとうのぶや》 訳,『対称性からの群論入門』, 丸善出版, ISBN978-4-621-06162-6, 2012 年.

たくさんの例を挙げながら「対称性」を軸にして群論を学ぶ、読みやすい数学書です。

## 群論

[13] 志賀浩二《しがこうじ》,『群論への 30 講』, 朝倉書店, ISBN978-4-254-11483-6, 1989 年.

第 1 講から第 30 講まで細かいステップを踏みながら群論の基本的概念を学んでいく、読みやすい入門書です。

[14] 原田耕一郎《はらだこういちろう》,『群の発見』, 岩波書店, ISBN978-4-00-006791-1, 2001 年.

ラグランジュ、アーベル、ガロアの仕事を中心に群論を解説した数学書です。

[15] 石谷《いしたに》 茂《しげる》,『新装版入門入門群論 代数的構造への第一歩』, 現代数学社,

ISBN978-4-7687-0472-1, 2017 年.

題名に入門が二つ含まれているのは誤植ではなく「入門の入門」を意味しているとのこと。半群を学び、そこから群を学ぶというステップを踏み、群の定義ならびに同型と準同型を理解することを「入門の入門」の目標とした入門書です。

[16] 雪《ゆき》江《え》明彦《あきひこ》,『代数学 1 群論入門 第 2 版』, 日本評論社, ISBN978-4-535-78997-5, 2023 年.

群論の教科書です。初めの部分で初学者の誤りやすい点や、ありがちな誤解について詳しく書かれています。

[17] 寺《てら》田《だ》 至《いたる》 + 原《はら》田《だ》耕一郎《こういちろう》,『群論』, 岩波書店, ISBN978-4-00-005269-6, 2006 年.

群論の教科書です。

## 群とガロア理論

[18] 結城浩, 『数学ガール／フェルマーの最終定理』, SB クリエイティブ, ISBN978-4-7973-4526-1, 2008 年.

「数学ガール」シリーズ第 2 巻。簡単な数のクイズから始まり、群・環・体を通ってフェルマーの最終定理に至るまでを描く物語です。〔本書に関連する話題として、整数の剰余、背理法、群の定義、アーベル群を含んでいます〕

[19] 結城浩, 『数学ガール／ガロア理論』, SB クリエイティブ, ISBN978-4-7973-6754-6, 2012 年.

「数学ガール」シリーズ第 5 巻。夭逝した青年ガロアに端を発する群論と現代代数学の基本を学んでいく物語です。〔本書に関連する話題として、あみだくじと群、対称式、対称群、巡回群、アーベル群、正規部分群、5 次方程式に解の公式が存在しないことの証明、ガロア理論の基本定理を含んでいます〕

[20] 中島匠一, 『代数方程式とガロア理論』, 共立出版, ISBN978-4-320-01696-5, 2006 年.

多項式から体の拡大、線型空間、ガロア理論と進んで解説する数学書です。代数方程式の解の公式についてはガロア理論の応用として扱われています。数学的な記述の「行間」も解説しているため、数学書を読み慣れていない初学者にもわかりやすくなっています。また、群論全般についても付録に簡潔にまとめられています。

## 辞典・事典

[21] 『岩波数学入門辞典』, 岩波書店, ISBN978-4-00-080209-3, 2005 年.
基本的な数学用語を簡潔にわかりやすく解説した辞典です。

[22] 『幾何学入門事典』, 朝倉書店, ISBN978-4-254-11158-3, 2023 年.
幾何学のさまざまなトピックを通して、「形」の科学である幾何学のおもしろさを伝えることを目標とした事典です。〔本書に関連する話題として、群と対称性を含んでいます〕

[23] 『数論入門事典』, 朝倉書店, ISBN978-4-254-11158-3, 2023 年.
「数学の女王」である数論全体をコンパクトにまとめた事典です。〔本書に関連する話題として、モノイドと群、複素数平面、整除性、合同式、代数方程式の解法、ガロア理論を含んでいます〕

[24] ティモシー・ガワーズ＋ジューン・バロウ＝グリーン＋イムレ・リーダー 編, 砂田《すなだ》利一《としかず》＋石井《いしい》仁司《ひとし》＋平田《ひらた》典子《のりこ》＋二木《ふたき》昭人《あきと》＋森《もり》真《まこと》 監訳, 『プリンストン数学大全』, 朝倉書店, ISBN978-4-254-11143-9, 2015 年.
数学をさまざまな角度からまとめた総合事典です。

# 索引

本書をお読みいただいたご意見、ご感想を以下の QR コード、URL よりお寄せください。

https://isbn2.sbcr.jp/21353/

# 群《ぐん》論《ろん》への第《だい》一《いっ》歩《ぽ》

## 集《しゅう》合《ごう》、写《しゃ》像《ぞう》から準《じゅん》同《どう》型《けい》定《てい》理《り》まで

---

2024年 3 月 9 日　　　初版第 1 刷発行

著　者 …………… 結城《ゆうき》 浩《ひろし》
発行者 …………… 小川 淳
発行所 …………… SBクリエイティブ株式会社
〒105-0001 東京都港区虎ノ門2-2-1
https://www.sbcr.jp/
印　刷 …………… 株式会社リーブルテック
装　丁 …………… 山之口 正和（OKIKATA）

落丁本、乱丁本は小社営業部にてお取り替えいたします。
定価はカバーに記載されております。

Printed in Japan　ISBN978-4-8156-2135-3